O TARÔ DE MARSELHA
REVELADO

Yoav Ben-Dov

O TARÔ DE MARSELHA
REVELADO

Um Guia Completo para o seu Simbolismo, Significados e Métodos

Tradução
Denise de Carvalho Rocha

Editora
Pensamento
SÃO PAULO

Título do original: *The Marseille Tarot Revealed.*
Copyright © 2017 Yoav Ben-Dov.
Copyright das cartas © 2011, 2015 Yoav Ben-Dov.
Publicado originalmente por Llewellyn Publications, Woodbury, MN 55125 – USA – www.llewellyn.com
Copyright da edição brasileira © 2020 Editora Pensamento-Cultrix Ltda.
1ª edição 2020. / 2ª reimpressão 2023.

Todos os direitos reservados. Nenhuma parte deste livro pode ser reproduzida ou usada de qualquer forma ou por qualquer meio, eletrônico ou mecânico, inclusive fotocópias, gravações ou sistema de armazenamento em banco de dados, sem permissão por escrito, exceto nos casos de trechos curtos citados em resenhas críticas ou artigos de revista.

A Editora Pensamento não se responsabiliza por eventuais mudanças ocorridas nos endereços convencionais ou eletrônicos citados neste livro.

Editor: Adilson Silva Ramachandra
Gerente editorial: Roseli de S. Ferraz
Gerente de produção editorial: Indiara Faria Kayo
Editoração eletrônica: S2 Books
Revisão: Vivian Miwa Matsushita
Capa: Lucas Campos / INDIE 6 Design Editorial

Dados Internacionais de Catalogação na Publicação (CIP)
(Câmara Brasileira do Livro, SP, Brasil)

Ben-Dov, Yoav, 1957-2016
  O tarô de Marselha revelado : um guia completo para o seu simbolismo, significados e métodos / Yoav Ben-Dov ; tradução Denise de Carvalho Rocha. --São Paulo: Editora Pensamento, 2020.

  Título original: The Marseille tarot revealed
  ISBN 978-85-315-2126-3

  1. Tarô I. Título.

20-33205   CDD-133.32424

Índices para catálogo sistemático:
1. Tarô de Marselha : Artes divinatórias : Ciências ocultas 133.32424
Cibele Maria Dias - Bibliotecária - CRB-8/9427

Direitos de tradução para o Brasil adquiridos com exclusividade pela
EDITORA PENSAMENTO-CULTRIX LTDA., que se reserva a propriedade literária desta tradução.
Rua Dr. Mário Vicente, 368 – 04270-000 – São Paulo – SP
Fone: (11) 2066-9000
http://www.editorapensamento.com.br
E-mail: atendimento@editorapensamento.com.br
Foi feito o depósito legal.

Descubra o Tarô de Marselha!

Este livro apresenta a fascinante história deste misterioso tarô e sugestões práticas sobre como usá-lo em leituras sobre uma grande variedade de questões. Yoav Ben-Dov explica o significado dos símbolos clássicos do Tarô de Marselha e descreve em detalhes técnicas de leitura que vão ajudar você a ativar a sua própria intuição. O Tarô de Marselha Revelado explica tudo que você precisa saber para começar ou aprofundar sua prática de leitura do Tarô de Marselha, incluindo:

- Tarôs clássicos de Marselha
- Novos tarôs de Marselha
- A escola francesa
- A escola inglesa
- O tarô e a Nova Era
- Como manusear e embaralhar as cartas
- O significado de cada carta
- Tiragens básicas
- Cartas invertidas
- A linguagem simbólica do tarô

Sumário

Prefácio   17

Capítulo 1 - As Cartas de Tarô   19

Origens do Tarô   20

A Escola Francesa   26

A Escola Inglesa   29

O Tarô e a Nova Era   30

O Tarô de Marselha   32

Novos Tarôs Ingleses   34

Novos Tarôs de Marselha   35

O *CBD Tarot de Marseille*   37

Capítulo 2 - A Sessão de Leitura das Cartas   43

Tudo É um Sinal   44

O Espaço da Leitura   46

Como Manusear as Cartas   48

Como Embaralhar as Cartas   49

A Dinâmica da Sessão   53

Qual É a Pergunta?   58

Capítulo 3 - A Leitura das Cartas   61

O Significado das Cartas   62

A Tiragem Básica   65

O Quadro Completo   69

Alguns Exemplos   73

Cartas Invertidas   79

Capítulo 4 - A Linguagem Simbólica   85

Direções   87

Cores   91

Números   95

Figuras   100

Partes do Corpo   103

Capítulo 5 - Os Arcanos Maiores   107

Os Arcanos Maiores no Centro   107

Ordem e Caos   108

Títulos e Números   113

Escada da Criação   114

Partes dos Arcanos Maiores   116

Proximidade e Exposição   118

A Jornada do Louco   121

Letras Hebraicas   128

Capítulo 6 - Os Arcanos Maiores   133

Carta 1: O Mago   135

Carta 2: A Papisa   139

Carta 3: A Imperatriz   143

Carta 4: O Imperador   147

Carta 5: O Papa   151

Carta 6: O Amante (ou O Enamorado)   155

Carta 7: O Carro   159

Carta 8: A Justiça   163

Carta 9: O Eremita   167

Carta 10: A Roda da Fortuna   171

Carta 11: A Força   177

Carta 12: O Enforcado (ou O Pendurado)   181

Carta 13   185

Carta 14: A Temperança   189

Carta 15: O Diabo   193

Carta 16: A Torre   197

Carta 17: A Estrela   201

Carta 18: A Lua   205

Carta 19: O Sol   211

Carta 20: O Julgamento   215

Carta 21: O Mundo   219

O Louco   223

Capítulo 7 - Os Arcanos Menores   229

Os símbolos dos Naipes   230

Os domínios dos Naipes   231

Naipes Suaves e Duros   233

Correspondências   235

A Leitura dos Arcanos Menores   237

A Tiragem em Fileira   243

Capítulo 8 - Os Ases   249

Ás de Ouros   252

Ás de Copas   255

Ás de Paus   257

Ás de Espadas   261

Capítulo 9 - As Cartas da Corte   263

Posições e Naipes   263

As Figuras Humanas   267

Tabela e Imagem   268

As Quatro Posições   270

Valete de Ouros   275

Cavaleiro de Ouros   277

Rainha de Ouros   279

Rei de Ouros   281

Valete de Copas   283

Cavaleiro de Copas   285

Rainha de Copas   287

Rei de Copas   289

Valete de Paus   291

Cavaleiro de Paus   293

Rainha de Paus   295

Rei de Paus   297

Valete de Espadas   299

Cavaleiro de Espadas   301

Rainha de Espadas   303

Rei de Espadas   305

Capítulo 10 - As Cartas Numéricas   307

A Leitura das Cartas Numéricas   307

A Linguagem das Direções   310

O Desenho Geral   312

Os Quatro Naipes   314

Interpretações das Cartas Numéricas   325

2 de Ouros   325

3 de Ouros   326

4 de Ouros   327

5 de Ouros   328

6 de Ouros   329

7 de Ouros   330

8 de Ouros   331

9 de Ouros   332

10 de Ouros   333

2 de Copas   334

3 de Copas   335

4 de Copas   336

5 de Copas   337

6 de Copas   338

7 de Copas   339

8 de Copas   340

9 de Copas   341

10 de Copas   342

2 de Paus   343

3 de Paus   344

4 de Paus   345

5 de Paus   346

6 de Paus   347

7 de Paus   348

8 de Paus   349

9 de Paus   350

10 de Paus   351

2 de Espadas 352

3 de Espadas 353

4 de Espadas 354

5 de Espadas 355

6 de Espadas 356

7 de Espadas 357

8 de Espadas 358

9 de Espadas   359

10 de Espadas   360

Capítulo 11 - Outras Tiragens   361

Extensões da Tiragem Básica   361

A Tiragem da Escolha   362

A Tiragem com Base numa Forma   364

A Tiragem das Palavras   366

Capítulo 12 - Interpretações Rápidas   369

Os Arcanos Maiores   369

Ouros   376

Copas   378

Paus   381

Espadas   383

Prefácio

Existe magia no tarô.

Conhecido originalmente como um tipo mais modesto de jogo de azar, durante vários séculos esse conjunto misterioso de 78 cartas deu asas à imaginação de inúmeras pessoas. Algumas usavam as cartas como instrumento de adivinhação e para ler a sorte. Outras viam o tarô como um repositório secreto de conhecimento antigo e poderoso. Hoje muitos usam as cartas de tarô como um instrumento para consulta, orientação e tomada de decisões. Também existem aqueles que as utilizam como um auxílio visual para a visualização orientada e a meditação, ou como amuletos mágicos. E, no decorrer desses séculos, incontáveis vidas humanas foram orientadas e às vezes transformadas pela leitura das cartas de tarô.

Eu estudo o tarô há 34 anos: lendo as cartas para as pessoas, ensinando, escrevendo e experimentando novas tiragens. Ainda estou aprendendo sobre ele. As sutis complexidades dos detalhes das ilustrações continuam a me surpreender. Nunca deixo de descobrir significados novos e inesperados. E ainda fico impressionado quando as pessoas se abrem e compartilham seus sentimentos mais íntimos numa sessão de leitura, quando a carta certa aparece para alguém em necessidade ou uma coincidência inexplicável, mas significativa (também chamada "sincronicidade"), acontece na presença das cartas de tarô.

Porém, se você perguntar o que é o tarô, eu diria que, antes de tudo, ele é uma obra de arte – não como um quadro, emoldurado e pendurado na parede, considerado um produto acabado, que não pode ser alterado, mas como um conjunto excêntrico de imagens para se manusear e jogar, que evoluiu ao longo de muitas gerações, graças aos esforços coletivos dos criadores das cartas e de pessoas visionárias. Trata-se de um trabalho artístico maravilhoso, tão rico e flexível que é capaz de abranger toda a gama de experiências humanas, desde os nossos sentimentos mais íntimos até os acontecimentos externos da vida cotidiana. E é por meio dessa arte, dos detalhes das ilustrações das cartas, que a magia do tarô se revela.

O objetivo deste livro é triplo. Primeiro, ele é uma introdução geral às cartas de tarô e ao processo de leitura. Como tal, pode ser relevante tanto para quem deseja ler as cartas para si mesmo ou para outras pessoas, quanto para quem está interessado na leitura do tarô como um dispositivo psicológico, como um fenômeno cultural ou como uma maneira de encontrar significados numa obra de arte. Em segundo lugar, ele é um guia para um método de leitura de cartas que eu chamo de "leitura aberta", cuja base reside em examinar as ilustrações das cartas em vez de decorar interpretações fixas. A leitura aberta pode ser aplicada a diferentes tipos de carta de tarô, embora ela funcione de modo mais eficaz com alguns do que com outros. Em terceiro lugar, ele é um manual para você interpretar o Tarô de Marselha, que é a versão clássica do tarô tradicional. Ele usa, em particular, o CBD Tarot de Marseille, uma edição das cartas que eu restaurei com base na sua versão histórica mais influente, originalmente publicada por Nicolas Conver em 1760.

Sejam bem-vindos ao universo do tarô!

Capítulo 1

As Cartas de Tarô

O baralho de tarô é composto de 78 cartas, ou lâminas, que podem ser divididas em dois grupos. O primeiro grupo é chamado de Arcanos Maiores e que consiste em 22 cartas numeradas, cada qual com ilustrações elaboradas e um nome específico. Os Arcanos Maiores mostram imagens de pessoas e animais, juntamente com muitos objetos e símbolos. Algumas delas são cenas da vida em sociedade. Outras representam temas mitológicos, religiosos ou filosóficos.

As 56 cartas remanescentes também são subdivididas em quatro naipes. Chamadas de Arcanos Menores, elas têm um desenho mais simples do que as cartas dos Arcanos Maiores. Os nomes atribuídos a esses quatro naipes advêm de quatro objetos simbólicos: moedas (Ouros), bastões ou hastes (Paus), cálices (Copas) e espadas (Espadas). Cada um dos Arcanos Menores consiste em catorze cartas de três tipos: um Ás, nove cartas numeradas (do 2 ao 10) e quatro cartas da corte, identificadas pela posição das figuras na sociedade: Valete (também chamado de Pajem), Cavaleiro, Rainha e Rei. A estrutura dos Arcanos Menores é muito semelhante à das cartas comuns, que também têm quatro naipes. A principal diferença é que as cartas comuns têm apenas três cartas da corte: o Valete, a Dama e o Rei.

Os livros de tarô às vezes atribuem nomes diferentes às cartas. Os Arcanos Maiores e Menores (da palavra latina *arcanum*, "mistério") são às vezes chamados de Naipes Maiores e Menores. As cartas dos Arcanos Maiores também são chamadas de "trunfos" (ou "triunfos"), enquanto o Ás e as cartas numéricas às vezes são chamados de *"pip cards"* (em referência aos pontos, ou pintas, que indicam a ordem numérica das cartas).

Origens do tarô

Dúvidas sobre o criador original das cartas de tarô, a época e o local da sua criação, o significado de seus símbolos complexos e até mesmo a origem do nome "tarô" há muito têm sido debatidas, inspirando tanto uma erudição séria quanto uma especulação insana. A maioria dos historiadores hoje acredita que as cartas de tarô apareceram pela primeira vez no norte da Itália, aproximadamente no início do século XV. Eles também afirmam que o tarô sofreu mudanças significativas, antes de se consolidar na forma como o conhecemos hoje.

Os dois grupos de cartas de tarô provavelmente provêm de fontes diferentes. Acredita-se que os Arcanos Menores tenham se originado das cartas de jogo usadas primeiramente na China. Depois, propagaram-se pela Índia, antes de chegarem à Itália, na Idade Média, através de países islâmicos. Na verdade, a China e a Índia têm antigos jogos de cartas com naipes que consistem em Ases, cartas numeradas e cartas da corte. Cartas de jogo muçulmanas do período mameluco contêm até mesmo símbolos que são visualmente muito semelhantes aos quatro símbolos dos naipes do tarô.

O Mago, 6 de Ouros, Ás de Paus, Cavaleiro de Copas, 3 de Espadas

Os Arcanos Maiores, por outro lado, parecem ser uma invenção europeia. Não há nada semelhante a eles nos países asiáticos, e suas imagens claramente indicam influências medievais tardias ou do início do Renascimento. Os registros históricos não nos fornecem nenhuma dica sobre a razão por que eles foram criados ou passaram a ser associados às cartas de tarô com quatro naipes, provenientes do Oriente. O que sabemos é que, do século XV em diante, o tarô composto de Arcanos Maiores e Menores foi amplamente utilizado em jogos de azar, tanto pela aristocracia quanto pelas pessoas do povo.

Também não está claro por que o baralho composto de Arcanos Maiores e Menores se tornou conhecido pelo nome de tarô. Existem várias hipóteses. Minha favorita liga o termo *tarô* à palavra *taroccho*, que na Itália do século XVI significava "tolo, burro". Isso pode, naturalmente, ser entendido negativamente, como uma sugestão de que só os tolos desperdiçavam seu tempo e dinheiro com jogos de cartas como o tarô. Mas podemos, no entanto, pensar em outras interpretações. Entre os Arcanos Maiores, existe uma carta chamada "O Louco",* que é muitas vezes considerada especial e, como veremos mais adiante, tem um *status* único. O significado original da expressão "cartas de tarô" pode, assim, ter sido "cartas do tolo" (ou "louco"), numa referência a essa carta em particular ou à figura que nela aparece.

---

* No tarô medieval, o título da carta é *Le Mat*, adaptação do italiano *matto*, que significa "louco" ou "tolo". (N.T.)

Ao longo dos séculos seguintes, o uso do tarô disseminou-se por diferentes partes da Itália e posteriormente migrou para países como França, Alemanha e Suíça. Há algumas evidências esparsas do uso das cartas de tarô na adivinhação popular e, provavelmente, na feitiçaria. No entanto, esses parecem ser casos isolados, não uma prática generalizada. Durante essa época, as cartas de tarô eram utilizadas principalmente para jogos, mas a combinação dos dois Arcanos, Maiores e Menores, provou ser demasiadamente complexa para jogos de cartas. Os jogadores, por fim, preferiram o padrão mais simples, de apenas quatro naipes, com Ases, números e cartas da corte. Este se tornou o tarô comum, hoje usado em todo o mundo.

O tarô completo continuou a existir, mas após o século XVIII, passou a ser usado principalmente por cartomantes e místicos. Em várias partes da Europa, ainda se pode encontrar jogos de cartas tradicionais compostos de 78 cartas, parecidas com as do tarô, mas essa é uma prática de pouca importância hoje em dia.

Historiadores acadêmicos que estudaram o tarô tendem a acreditar que a história do tarô se resume a isso. Na opinião deles, as pessoas da época usavam as cartas com o único propósito de jogar, sem prestar muita atenção ao simbolismo das imagens. No entanto, mesmo sem ter provas sólidas de que algo está faltando nessa história, é difícil compreender o papel dos Arcanos Maiores nesses jogos. Se as pessoas na Itália simplesmente queriam adotar um jogo de cartas do Oriente, por que torná-lo mais complicado, adicionando 22 cartas de caráter tão diferente? Na verdade, usuários de cartas na Europa posteriormente descobriram que era muito mais conveniente jogar sem elas.

A questão parece ainda mais intrigante quando consideramos as imagens das cartas dos Arcanos Maiores. Duas cartas contêm imagens do Imperador e do Papa. Essas eram figuras tradicionais de autoridade política e religiosa na época. Mas outras cartas apresentam temas e figuras estranhas, como uma papisa, um diabo bissexual, um esqueleto com uma foice, demônios e anjos, e uma série de figuras despidas. Todas essas parecem estar no mesmo nível que as figuras de autoridade e ordem social. Uma carta chamada Roda da Fortuna ainda mostra uma imagem que tradicionalmente representa revoluções e a derrubada de governantes. Numa época em que qualquer desrespeito ao rei ou à Igreja era punido com severidade, a divulgação dessa coleção de imagens rebeldes pareceria mais um convite para se arranjar problemas.

Outro ponto a se lembrar é o fato de que as imagens das cartas não têm nenhum significado num jogo de azar. As regras dos jogos de cartas normalmente referem-se apenas à posição e ao valor de cada carta, não aos detalhes da ilustração de cada uma delas. As mesmas cartas poderiam ser jogadas exatamente da mesma maneira, mesmo que suas imagens fossem substituídas, por exemplo, por um desenho simples composto apenas de números e títulos, com adornos inocentes. Porém, durante quase quatro séculos, os desenhistas das cartas de tarô preservaram as imagens originais. Eles, na verdade, expressaram sua criatividade modificando certos detalhes, mas a estrutura geral e os temas das cartas continuaram praticamente os mesmos.

O Imperador, O Papa, A Papisa, O Diabo

Por que fizeram isso? Por que aqueles que manufaturavam cartas de tarô insistiam em preservar um conjunto de imagens carregadas de um simbolismo pesado e perigoso, se isso era irrelevante para os jogos dos clientes? E como foi que um modesto baralho de cartas adquiriu um conjunto de símbolos suficientemente rico e poderoso para inspirar séculos de variadas interpretações, especulações e atividades, como mostra a história posterior do tarô?

Várias respostas foram oferecidas a essas perguntas. Como veremos mais adiante, muitos autores que atribuíram significados místicos às cartas acreditavam que o tarô foi criado por sábios antigos que desejavam expressar uma mensagem espiritual secreta sob o disfarce de cartas de jogo aparentemente inócuas. De acordo com esses autores, o segredo dessas cartas foi transmitido de um fabricante de cartas de tarô para outro, ao longo de várias gerações. Essa tradição não escrita explicava o verdadeiro significado de cada carta e instruía os fabricantes a preservar as ilustrações originais. Em outras palavras, os fabricantes de tarô eram uma espécie de cúmplices numa conspiração que manipulava os jogadores de cartas europeus, disseminando uma mensagem antiga, sem nem mesmo estar a par do seu significado real.

Carta 13, A Estrela, O Amante, A Roda da Fortuna

Ainda assim, como teoria histórica, essa ideia é bastante problemática. É difícil explicar como esse segredo foi preservado ao longo de séculos de guerras e levantes sociais sem nunca ter sido revelado. E tampouco está claro por que, depois de quatro séculos de transmissão contínua, a antiga tradição de repente desapareceu sem deixar vestígios, justo quando o interesse pelo significado das cartas de tarô se disseminava. Pelo menos, nenhum fabricante de cartas tradicionais disse qualquer coisa sobre isso desde o início do século XIX, quando as cartas de tarô começaram a chamar a atenção.

E se não existisse tal tradição secreta? Se aceitarmos essa possibilidade, então deve ter existido, durante séculos, algo nas imagens que afetava a mente das pessoas, motivando-as a preservar esse antigo conjunto de símbolos. Seguindo essa linha de raciocínio, podemos notar que muitos autores que propagavam a teoria da "sociedade secreta" dão a impressão de pertencer a um grupo altamente disciplinado de sábios iniciados, com uma forte motivação espiritual. No entanto, é mais razoável pensar que, como jogo de azar, as cartas de tarô na verdade existiam em áreas sociais limítrofes, como clubes de apostas, de bebidas e de prazeres baratos. A própria manufatura de cartas de tarô parece ter sido uma ocupação de reputação duvidosa. Na verdade, muitos relatos históricos estão relacionados a cartas pirateadas, forjadas e contrabandeadas. Assim, pode ser mais sensato pensar nas cartas de tarô como uma arte coletiva que evoluiu, não de ensinamentos sublimes em templos secretos de sabedoria e espiritualidade, mas dos círculos populares, marginais e de pouca legitimidade.

Qual era, então, o papel desses símbolos complexos, imbuídos de tão fortes significados espirituais e emocionais, nos jogos de azar, de teor tão duvidoso? Uma possibilidade é buscar uma resposta psicológica. Talvez as imagens das cartas de alguma forma refletissem os conflitos e os dilemas subconscientes dos jogadores. Talvez, nos próprios lugares em que a autoridade estatal (o Imperador) e a Igreja (o Papa) perderam seu poder de convicção, as pessoas precisassem de um lembrete da complexa interação entre luz e escuridão na vida humana. Devemos lembrar, é claro, que as pessoas da época eram muito religiosas, portanto a ideia de fazer algo proibido devia despertar seus conflitos e medos mais profundos. Talvez a contemplação de símbolos complexos de algum modo as ajudasse a manter um equilíbrio moral, enquanto flertavam com o mundo obscuro e tentador do pecado. Essa ideia pode explicar por que elas não queriam que as imagens fossem substituídas por outras, menos carregadas.

No entanto, algo no caráter evasivo e misterioso do tarô pode nos inspirar a ir além de meras explicações psicológicas. Podemos pelo menos brincar com a ideia de que isso não era tudo. Talvez a magia das cartas represente alguma magia real neste mundo. Talvez haja um padrão significativo que se origine em outro nível de realidade, que as cartas de tarô canalizem e expressem no nível humano.

O termo "canalização" geralmente está associado a uma mensagem de um nível superior de realidade transmitida para o nosso mundo por meio da mente de uma única pessoa. No entanto, as cartas de tarô podem representar outro tipo de canalização – não uma única mensagem transmitida por uma única pessoa, mas sim uma rede de pequenas mensagens plantadas na mente subconsciente de muitas pessoas, em diferentes tempos e lugares.

Pode-se pensar nas cartas de tarô como uma canalização coletiva, com cada pessoa vivenciando a mensagem como um pequeno impulso ou ímpeto intuitivo. Uma pessoa pode sentir o desejo de imprimir um conjunto de cartas para preservar símbolos antigos. Outra pode ter o desejo de aperfeiçoá-lo, modificando um ou outro detalhe. Outras podem ter uma preferência intuitiva por uma versão específica das cartas e assim por diante. O impulso pode ser pequeno e quase imperceptível no nível de um único indivíduo. Às vezes, ele provoca uma ação real, enquanto em outros casos permanece como um impulso obscuro e insatisfeito. É o impacto coletivo de todos esses pequenos impulsos que finalmente dá origem à evolução em larga escala das cartas de tarô na história humana.

A ESCOLA FRANCESA

Nos primeiros séculos após o surgimento das cartas de tarô, os seus significados simbólicos não receberam muita atenção. Existem dois tratados escritos na Itália do século XVI que conferem uma interpretação moralista ao tarô, mas seu impacto parece ter sido pequeno e de curta duração. Além desses dois documentos, registros escritos sobre o tarô desse período referem-se apenas à produção das cartas ou ao seu uso em jogos de azar.

Uma reviravolta significativa na história da interpretação do tarô ocorreu em 1781. Um erudito e místico francês chamado Antoine Court de Gébelin publicou um volumoso tratado em oito volumes, em sua maior parte ficcional, intitulado *O Mundo Primevo, Analisado e Comparado ao Mundo Moderno*. Entre uma série de outras coisas, o tratado de Gébelin continha uma discussão detalhada sobre o tarô. Esse volume foi o primeiro registro escrito das cartas de tarô, tanto em seu uso popular para leitura da sorte quanto para jogos. Na visão de Gébelin, porém, as pessoas que usavam o tarô só para jogos e para a leitura da sorte estavam deixando de ver todo o seu potencial. Na verdade, afirmava ele, elas tinham nas mãos a chave secreta para um repositório antigo de conhecimento que, uma vez decifrado, poderia lhes conferir poderes misteriosos e um entendimento mais profundo do universo.

Na visão de Gébelin, as cartas de tarô eram um sofisticado dispositivo criado por antigos sábios egípcios especialistas em magia e no oculto. Com a finalidade de preservar segredos ocultos para as futuras gerações, eles os transmitiram na linguagem das ilustrações simbólicas. Para ocultar de modo ainda mais eficiente esse poderoso conhecimento de olhos que não o mereciam, eles decidiram colocá-lo à vista de todos, mas disfarçado de um aparentemente inócuo jogo de azar. Dessa maneira, as pessoas propagaram as ilustrações de geração em geração, sem se dar conta do seu significado mais profundo.

As especulações de Gébelin sobre o Egito Antigo não são encaradas com seriedade nos dias de hoje, mas na época suas ideias foram muito influentes. A leitura da sorte com cartas tornou-se moda nos salões parisienses e chegaram às cortes de Napoleão. Inúmeros cartomantes usavam as cartas comuns de jogo, mas alguns mais sofisticados, inspirados pela suposta conexão com sublimes mistérios egípcios, adotaram o tarô.

O uso das cartas de tarô para a leitura da sorte continuou ganhando popularidade na primeira metade do século XIX, mas as ideias de Gébelin sobre o significado mais profundo dos símbolos das cartas foram praticamente ignoradas. A maioria das pessoas estava só interessada em ler a própria sorte. Novos tarôs foram impressos com esse propósito, com ilustrações simples e diretas substituindo os desenhos tradicionais. Aos poucos, a questão toda foi considerada algo entre a divinação supostamente sobrenatural e um passatempo social divertido.

Em meados do século XIX, um grupo de místicos franceses começou a desenvolver as ideias de Gébelin, dedicando-se à questão com mais seriedade. Embora não tivessem uma ligação direta com o judaísmo, esses místicos estavam interessados na tradição mística chamada Cabala, pois achavam que tanto o tarô quanto a Cabala tinham se originado no Egito Antigo, como duas representações diferentes, mas paralelas, do mesmo conhecimento secreto.

O mais influente dos místicos franceses que estudaram o tarô foi Alphonse Louis Constant, que, inspirado pelo seu interesse na Cabala, adotou o nome pseudo-hebraico de Eliphas Lévi. Lévi acreditava que, por trás de métodos de misticismo prático como a leitura da sorte, a magia e a feitiçaria, havia leis e regras ocultas comparáveis às da ciência moderna. Ele também acreditava que essas leis eram conhecidas pelos sábios egípcios e que a Cabala e o tarô eram duas representações dessas leis. Na visão dele, portanto, seria possível criar uma espécie de dicionário em que cada carta de tarô correspondesse a um símbolo cabalístico. Com a ajuda de tal dicionário, poder-se-ia entender melhor as leis da magia, baseando-se tanto nos textos cabalísticos como no tarô.

No sistema delineado por Lévi, as 22 cartas dos Arcanos Maiores correspondiam às 22 letras do alfabeto hebraico, às quais antigos textos cabalísticos atribuíam significados místicos e poderes mágicos. Os quatro naipes corresponderiam às quatro letras do *tetragrammaton*, o nome de Deus em hebraico, cujo poder mágico é tamanho que nunca deve ser pronunciado. Lévi posteriormente associou as dez cartas de cada naipe (os Ases e os números) ao famoso esquema cabalístico chamado Árvore Sefirot, ou Árvore da Vida, que descreve dez diferentes aspectos da essência divina. Usando essas correspondências como base, ele desenvolveu toda uma teoria de misticismo e forças mágicas na qual as cartas de tarô tinham um papel central.

As ideias de Eliphas Lévi iniciaram o que podemos chamar de escola francesa de tarô. Seus escritos ganharam popularidade na França durante a segunda metade do século XIX e, por fim, deram origem a toda uma tradição de interpretação das cartas de tarô, em termos místicos e cabalísticos. Muitos tarólogos, especialmente na França, ainda se inspiram nessa tradição nos dias de hoje. Na escola francesa de tarô, as ilustrações das cartas são normalmente tradicionais (com algumas exceções, em tarôs mais modernos) e o uso de correspondências segue o esquema de Lévi. Em países anglófonos, por outro lado, o tarô se tornou popular graças à influência de outra escola, que alterou tanto as correspondências quanto as ilustrações das cartas.

A ESCOLA INGLESA

No final do século XIX, as ideias de Lévi chegaram à Inglaterra, onde foram adotadas por uma associação de místicos conhecida como Hermetic Order of the Golden Dawn, ou Ordem Hermética da Aurora Dourada. Os líderes da Aurora Dourada tinham o trabalho de Lévi em alta conta, mas também introduziram modificações significativas em seus ensinamentos, acabando por criar uma nova tradição: a escola inglesa de tarô.

Como Lévi, os membros da Aurora Dourada acreditavam que os antigos sábios tinham acesso a uma sabedoria arcana de forças mágicas. Também acreditavam que, em mãos erradas, esse poderoso conhecimento poderia ser usado com propósitos maléficos. Por isso, ele foi mantido sob a custódia de um pequeno círculo de mestres espirituais, que solenemente juraram mantê-lo em segredo. Por muitas gerações, esses mestres ocultos distribuíram parte do conhecimento para o resto da humanidade. No entanto, a fim de evitar abuso, fizeram isso de maneira gradual e fragmentada. Mitos, tradições religiosas e rituais mágicos em diferentes culturas, assim como sistemas simbólicos como a Cabala e o tarô, são todos eles expressões do mesmo conhecimento secreto. Cada um deles, porém, contém muitos erros, distorções e sugestões equivocadas, algumas intencionais e outras que foram se acumulando em decorrência da transmissão imprecisa ao longo dos anos. Somente nos últimos tempos, a humanidade alcançou um novo estágio de desenvolvimento em que se viu capaz de lidar com todo conhecimento, e os mestres ocultos escolheram os líderes da Aurora Dourada para reconstituí-lo e ensiná-lo.

Com isso em mente, os líderes dessa ordem expandiram as ideias de Lévi a respeito do dicionário. Para corrigir os erros e as omissões de cada tradição, criaram uma imensa tabela de correspondências, combinando símbolos, mitologias e sistemas místicos do mundo todo. Como base nessa tabela, usaram dois conjuntos de símbolos que consideraram as expressões mais precisas do conhecimento antigo: a Cabala e o tarô. De maneira muito parecida com a de Lévi (mas, como veremos no Capítulo 5, diferente nos detalhes), cada carta do tarô foi associada a uma letra do alfabeto hebraico. Na tabela da Aurora Dourada, no entanto, havia muitas outras colunas, correlacionando a carta e sua letra com uma série de símbolos mágicos e divindades de diferentes culturas, como, por exemplo, o Egito Antigo, a Índia, a China, o Islã, a mitologia grega, a astrologia, a alquimia, várias tradições de magia e feitiçaria, e assim por diante.

Os líderes da Aurora Dourada também criaram um tarô com um novo desenho baseado na tabela de correspondências. Em algumas cartas mantiveram as imagens originais, mas acrescentaram alusões e referências a outras tradições, enquanto outras cartas foram completamente redesenhadas com novos temas. Para manter tudo em segredo, estudantes da ordem recebiam uma cópia do tarô por um curto intervalo de tempo, durante o qual podiam copiá-lo à mão para seu próprio uso. No final, porém, nem o original nem as cópias foram encontradas. Hoje temos apenas algumas reconstituições do tarô da Aurora Dourada, baseadas nas coleções pessoais e em poucas descrições escritas deixadas pelos iniciados.

O tarô e a Nova Era

Um dos membros mais influentes da Aurora Dourada foi Aleister Crowley, que, muito pouco modesto, via a si mesmo como um profeta incumbido de anunciar a nova era da humanidade. De acordo com ele, o curso da história poderia ser dividido em três eras. A primeira correspondia à "era da Mãe", na qual a religião enfocava ritos naturais e divindades femininas. Cerca de dois mil anos atrás, começou a "era do Pai", expresso pelas religiões como uma única divindade masculina. Hoje estamos testemunhando o nascimento da terceira era: a "era do Filho", caracterizada pela jocosidade, pela criatividade e pelo pluralismo de divindades.

Ao escrever no início do século XX, Crowley predisse que métodos de magia e misticismo prático mantidos em segredo em eras passadas se tornariam extensamente conhecidos e encontrariam uma nova harmonia com a ciência e a tecnologia. A experiência mística voltaria a ser uma parte vital da existência humana e, para atingi-la, as pessoas praticariam vários métodos – desde yoga e meditação até cultos pagãos, rituais de magia, sexualidade, dança e drogas.

A personalidade problemática de Crowley acabou por provocar muitos escândalos, mas seu trabalho criativo era amplo e completo. Ele reconfigurou o sistema simbólico da Aurora Dourada e popularizou-o em seus livros. Nos anos de 1940, também publicou um novo tarô que expressava suas ideias. Durante várias décadas, suas ideias foram compartilhadas apenas com pequenos grupos marginais, mas, durante a década de 1960 o conceito de "nova era" de Crowley teve grande repercussão na contracultura alternativa. Seu rosto chegou até a figurar na famosa capa do álbum de 1967 dos Beatles, *Sgt. Pepper's Lonely Hearts Club Band*, e símbolos dos seus ensinamentos aparecem muitas vezes na cultura musical do rock.

A combinação entre um interesse renovado pelo misticismo e a contracultura dos anos 1960, voltada para o amor e a liberdade, deu origem à Nova Era, um movimento pluralístico e não denominativo de espiritualidade pós-moderna, que aos poucos se tornou um fenômeno mundial. Esse movimento adotou muitas ideias de Crowley, embora, em geral, numa versão mais branda, evitando aspectos mais violentos e sombrios. Com a influência de Crowley e de outros mestres da Aurora Dourada, a leitura de tarô se tornou uma atividade popular e largamente aceita.

O movimento da Nova Era deu às cartas de tarô um impulso significativo. Esse interesse renovado originou-se principalmente nos Estados Unidos e depois se espalhou por todo o mundo. Novos tarôs com desenhos variados começaram a aparecer com uma frequência cada vez maior; primeiro dezenas, mas com o tempo centenas a cada ano. Ao longo dos últimos anos, a internet acelerou esse processo, com pequenas editoras e artistas individuais distribuindo seus tarôs pelo globo. Hoje é possível encontrar uma grande variedade de cartas de tarô nas livrarias, lojas e sites de produtos esotéricos. Consequentemente, nunca houve tantas pessoas fazendo leituras de tarô.

A Nova Era não só popularizou o uso das cartas de tarô como praticado pela escola inglesa, como também o transformou. Os líderes da Aurora Dourada encaravam com muita seriedade seus métodos e rituais, suas tabelas de correspondências e seus graus de magia. O Movimento da Nova Era, por outro lado, é marcado por sua abordagem livre e descompromissada, que não se fixa em tabelas bem ordenadas, nem se prende à ideia de graus e autoridade. Com relação aos métodos de leitura e correspondências da Aurora Dourada, muitos livros de tarô da Nova Era reconhecem seu valor. Porém, eles são apresentados como um convite para a expansão e o enriquecimento da leitura das cartas, não com uma verdade absoluta.

Outra grande diferença entre o movimento da Nova Era e a Aurora Dourada é que os ensinamentos dos líderes da Aurora Dourada não têm uma dimensão psicológica. Eles falam de forças ocultas que existem "lá fora" e veem a leitura do tarô como um meio de nos comunicarmos com essas forças. No entanto, seguindo as ideias de Carl Gustav Jung, que ofereceu interpretações psicológicas dos símbolos místicos, o Movimento da Nova Era começou a ver a leitura de tarô como uma maneira de nos conectarmos com nossa mente subconsciente. Em resultado, autores e mestres do Movimento da Nova Era começaram a se distanciar da divinação e das previsões de antigamente e passaram a ver a leitura de tarô principalmente como um meio de consulta, terapia e orientação pessoal.

O Tarô de Marselha

Com exceção de alguns tarôs fantasiosos, encomendados pela nobreza e pintados à mão, as cartas de tarô mais antigas que sobreviveram até os dias de hoje são baralhos impressos do século XVI. Até meados do século XIX, o método de produção continuou o mesmo. Linhas pretas eram impressas em grandes folhas de papel, a partir de placas de madeira impregnadas de tinta e desenhadas por artistas artesãos. Para acrescentar as cores, pranchas delgadas com gravações recortadas (uma para cada cor) eram colocadas sobre as folhas impressas e impregnadas de tinta, uma técnica de coloração conhecida como estêncil. Por fim, as folhas coloridas eram coladas num papelão duro e recortadas em forma de cartas. Esse método possibilitou a produção em massa de cartas para jogos em toda a Europa.

Inicialmente, os fabricantes de cartas de diversas regiões da Itália, França e outros países imprimiam diferentes versões do tarô. Nos séculos XVII e XVIII, porém, a cidade de Marselha, no sul da França, tornou-se uma referência na produção de cartas. Adotou-se um modelo padrão para as cartas de tarô e as cartas criadas ao longo dos anos passaram a variar nos detalhes e na riqueza das cores; os temas e elementos principais de cada uma delas, no entanto, permaneceram os mesmos.

O modelo usado em Marselha não era uma invenção puramente local. No século XVI, tarôs parecidos já eram produzidos no sul da França e no norte da Itália, e muitos dos elementos básicos remontam aos tarôs populares mais antigos que sobreviveram até o presente. Pelo que sabemos, o Tarô de Marselha pode estar muito próximo da versão original do tarô, como foi criado pela primeira vez, mas os fabricantes das cartas de Marselha deram a esse modelo uma forma mais madura. O papel desse modelo foi importante na propagação do tarô, pois os tarôs marselheses tornaram-se conhecidos em toda a Itália. Quando os cabalistas franceses de Paris começaram a estudar o tarô, eles usavam cartas produzidas em Marselha. Sob sua influência, o modelo tradicional, que posteriormente se tornou uma ferramenta básica de místicos e cartomantes, tornou-se conhecido como Tarô de Marselha.

Os textos de Gébelin, de Eliphas Lévi e de seus seguidores não só tiveram grande importância para a escola francesa de tarô, como também serviram de ponto de partida para a escola inglesa. Em resultado, tanto a escola francesa quanto a inglesa aceitaram o Tarô de Marselha como o verdadeiro modelo das cartas tradicionais. Durante o século XX, porém, essas escolas divergiram no que diz respeito às ilustrações originais.

Novos tarôs ingleses

A escola inglesa de tarô não dava muita importância às ilustrações detalhadas das cartas tradicionais. Os líderes da Aurora Dourada estavam muito mais interessados nos princípios místicos e filosóficos que, na opinião deles, havia por trás do tarô. Também acreditavam que era possível expressar esses mesmos princípios em outras linguagens simbólicas. Na verdade, achavam que essas novas representações eram ainda melhores do que as originais, pois eram baseadas nas tabelas de correspondências, muito mais ordenadas do que a história caótica das imagens tradicionais do tarô.

Consequentemente, no século XX, seguidores da escola inglesa começaram a criar um número cada vez maior de tarôs. Essas novas cartas em geral tinham a mesma estrutura que as antigas, mas cada uma delas possuía um estilo próprio de imagem e ilustração. Aos poucos, elas foram se afastando cada vez mais das cartas originais.

A principal inspiração para as novas cartas da escola inglesa era o tarô da Aurora Dourada mencionado anteriormente. Depois da desintegração da ordem, que só durou um breve período, vários dos seus ex-membros criaram seus próprios tarôs. Entre eles, Arthur Edward Waite, cujo tarô foi bem recebido pelo movimento da Nova Era e se tornou o mais popular tarô do século XX, fora da França.

O tarô que carrega o nome de Waite foi, na verdade, criado sob sua supervisão por uma artista comissionada chamada Pamela Colman Smith, que era também uma iniciada da Aurora Dourada. Ele foi originalmente publicado em 1909 pela Empresa de Rider, sediada em Londres e, por isso, às vezes é chamado de Tarô de Rider-Waite. Hoje, é mais elegante chamá-lo de Rider-Waite-Smith (ou RWS). O tarô de Waite combina elementos de diferentes fontes, como o Tarô de Marselha, o Tarô da Aurora Dourada e outros tarôs. Além disso, muitos dos seus detalhes agora são considerados produtos da imaginação criativa de Smith.

Uma inovação importante do RWS foi o desenho das cartas numéricas dos Arcanos Menores, que Waite considerava principalmente um instrumento para a adivinhação. O desenho simples e abstrato das cartas numéricas do tarô de Marselha mostra apenas os símbolos dos naipes cercados por decorações florais. Mas as cartas numéricas do tarô de Waite mostram paisagens realistas, com figuras humanas em situações específicas. Essas cenas explícitas tornaram o tarô de Waite mais acessível para tarólogos iniciantes e contribuíram para a sua popularidade.

A maioria dos novos tarôs ingleses que apareceram no século XX adotou essa inovação. Normalmente, as cartas numéricas mostravam cenas basicamente tiradas das cartas do tarô de Waite, redesenhadas e adaptadas para o tema específico de cada tarô. A variedade de temas reflete a ampla gama de interesses do movimento da Nova Era. Alguns tarôs apresentam motivos extraídos de várias tradições religiosas e artísticas. Entre eles estão, por exemplo, tarôs inspirados na arte tradicional japonesa, africana, basca e nativo-americana, nos deuses vodu de Nova Orleans e muito mais. Outros tarôs mostram uma orientação feminista, um caráter de estilo hippie ou infantil, a inspiração de professores e gurus espirituais da Nova Era, motivos extraídos de vários campos científicos, personagens do reino animal em vez de figuras humanas e assim por diante. A maioria das novas cartas preserva a estrutura básica de cinco naipes do tarô tradicional. No entanto, os detalhes de suas ilustrações costumam ter muito pouco, se algo, em comum com as cartas originais do Tarô de Marselha.

Novos tarôs de Marselha

Em contraste com a escola inglesa, autores e intérpretes da escola francesa geralmente atribuem mais importância aos detalhes das ilustrações tradicionais. Aceitando o Tarô de Marselha como o tarô genuíno, eles preferiram continuar usando-o, em vez de procurar versões novas e modificadas. Algumas cartas de desenho mais recente se originaram da escola francesa. As mais conhecidas entre elas têm o nome do seu criador, Oswald Wirth, mas seu uso permaneceu limitado.

O interesse da escola francesa pelos detalhes precisos das cartas tradicionais tornou-se especialmente significativo durante o século XX. Ironicamente, esse interesse chegou um pouco tarde demais. O processo industrial que passou a ser usado na impressão das cartas, na segunda metade do século XIX, provocou uma simplificação nos detalhes das imagens e um empobrecimento na variedade das cores. Quando a produção mecânica das cartas se tornou predominante, a linhagem contínua de mestres criadores de cartas, que transmitiam sua experiência de geração em geração, foi rompida e os antigos segredos do ofício se perderam.

Em resposta a essas perdas do século XIX, foram feitas várias tentativas durante o século XX para restaurar a profundidade original e a riqueza das cartas tradicionais de Marselha. Mas qual é exatamente o modelo tradicional? Muitos tarôs foram impressos em Marselha e, embora sigam o mesmo modelo básico, há uma grande variação nos detalhes mais sutis. Aqueles que pretendiam restaurar o modelo original tiveram que enfrentar a pergunta óbvia: entre todos os tarôs de Marselha que sobreviveram até os dias de hoje, qual é o mais próximo do "verdadeiro"?

Ao longo dos anos, surgiu um consenso geral entre os seguidores da escola francesa segundo o qual a versão mais autêntica do tarô tradicional é um tarô impresso em 1760 por um fabricante chamado Nicolas Conver. Não se sabe muito sobre o próprio Conver. Mas muitos livros influentes do final do século XIX em diante mencionam esse tarô, afirmando que ele é a representação mais fiel e precisa dos antigos símbolos do tarô. Nenhum outro tarô tradicional conquistou tamanha estima.

Várias novas versões do tarô de Marselha apareceram no século XX, quase todas baseadas nas cartas de Conver. A mais popular é o Antigo Tarô de Marselha, criado em 1930 por Paul Marteau. Ele foi publicado pela Grimeau Company e dominou a cena do tarô francês por grande parte do século XX.

Outro tipo conhecido é a versão restaurada do Tarô de Marselha, criada na década de 1990 por Alejandro Jodorowsky, que foi meu professor de tarô na década de 1980, e por Philippe Camoin, pertencente à família que herdou a gráfica de Conver. Há também alguns outros tarôs menos conhecidos. O *CBD Tarot de Marseille*, cujas imagens acompanham este livro, também é uma restauração do tarô de Conver.

O CBD Tarot de Marseille

Quando comecei a escrever este livro, não planejava publicar o meu próprio tarô. Minha ideia inicial era usar ilustrações de uma das versões do Tarô de Marselha que já estavam impressas. Havia algumas opções disponíveis, mas o processo de negociação dos direitos autorais me fez. Considerei repensar isso como uma oportunidade de criar o tarô que eu sempre quis para mim: uma edição do Tarô de Marselha que capturasse sua magia da maneira mais efetiva, com a menor quantidade de distorções e omissões possível, e que pudesse ser usada para uma boa leitura.

A questão de onde procurar essa magia parecia simples. Entre as diferentes versões do Tarô de Marselha, as cartas de Conver, de 1760, claramente era a que mais se destacava. Pode-se dizer que ele está exatamente no ponto de transição entre as duas grandes eras da história do tarô. Por um lado, o tarô Conver é produto de quatro séculos de evolução e desenvolvimento. Ele apareceu pouco tempo antes das grandes mudanças do século XIX, embora ainda dê continuidade à antiga tradição dos primeiros tarôs populares. Por outro lado, entre todos os tarôs de Marselha, este é o que mais impressionou as gerações posteriores de intérpretes do tarô e passou a ser considerado o mais próximo do "verdadeiro". Ele também serviu de fonte principal para as novas restaurações do Tarô de Marselha do século XX.

Podemos pensar nisso da seguinte maneira. Evidentemente, as cartas de tarô têm algumas qualidades misteriosas que exercem um forte efeito sobre a mente das pessoas. A expressão concreta dessa qualidade "mágica" é o fato de essas cartas inspirarem e despertarem fortes emoções em tantas pessoas por tantas gerações. De tal ponto de vista, podemos concordar que o tarô de Convers, que se tornou o mais influente e apreciado de todas as versões tradicionais, é a que expressa com mais força essa magia das cartas de tarô. Mas até agora, não se encontrou uma versão tão prática e fiel ao original. Existem tarôs hoje em dia, em bibliotecas e coleções particulares, que são cópias fac-similares do tarô original. Mas essas cartas foram submetidas a séculos de uso e desgaste. Suas cores estão desbotadas e muitos detalhes das linhas estão faltando ou encontram-se desbotados. As pessoas compram esses tarôs para pesquisa e estudo ou como itens de colecionador, mas eles não são adequados para leitura.

Por outro lado, existem vários tarôs novos de Marselha baseados nas cartas de Conver, como os de Marteau e Jodorowsky-Camoin, mencionados anteriormente. Esses novos tarôs foram projetados para leitura, e são impressos em linhas claras e cores vibrantes, mas não são de fato fiéis ao original de Conver. Seus criadores mudaram muito os detalhes das cartas, acrescentando elementos de outros tarôs ou apenas dando-lhes novas formas de acordo com suas próprias ideias pessoais.

O motivo disso reside na visão básica que esses criadores tinham do tarô. De uma forma ou de outra, eles foram influenciados pela ideia de que o tarô original tinha sido concebido por um grupo de iniciados secretos e depois transmitido ao longo dos séculos, com erros ocasionais. Nessa visão posterior, cartas como as de Conver são apenas cópias degradadas do original e, portanto, devem ser corrigidas para que se tenha "o verdadeiro tarô".

Minha visão é diferente. Em primeiro lugar, como já expliquei neste capítulo, a teoria da tradição secreta parece-me muito duvidosa do ponto de vista histórico. Segundo, mesmo se quisermos recuperar "o verdadeiro tarô" que supostamente existia no final Idade Média, não temos nenhum original disponível desse período. Portanto, na prática, o método utilizado pelos criadores dos novos tarôs era simplesmente pegar o tarô de Conver e modificá-lo de acordo com suas próprias ideias de "como deveria ser o tarô de verdade". E terceiro – e, para mim, o mais importante –, o tarô não é uma representação de alguma mensagem existente no passado remoto e perdida desde então. Ele é, isto sim, uma misteriosa e mágica obra de arte, que evoluiu ao longo dos séculos e alcançou o seu apogeu no tarô de Conver. Portanto, em vez de tentar melhorar as cartas de Conver, eu queria permanecer fiel aos seus desenhos originais, minimizando os efeitos da minha própria interpretação.

Para esse propósito, usei cópias de vários baralhos das cartas originais de Conver. Esses tarôs foram confeccionados em datas diferentes, mas foram todos impressos a partir das mesmas xilogravuras originais. Eu precisei confiar em vários tarôs, pois cada um deles tinha diferentes detalhes borrados ou faltando. Quanto às cores, as cartas que usei diferiam um pouco, pois sua coloração tinha ficado desgastada após anos de uso, e em edições posteriores elas foram substituídas por cópias inexatas. De modo geral, eu me baseei na impressão mais antiga que eu tinha disponível, o que eu supunha ser, se não igual, o mais próximo do desenho original de Conver.

Um desafio especial em tudo isso foi o fato de que, nos tarôs de Marselha, e particularmente no de Conver, existem muitas anomalias nos detalhes das imagens. Há, por exemplo, objetos que se fundem com outros, formas ambíguas que podem ser interpretadas como partes de objetos diferentes, características anatômicas irregulares ou perspectivas impossíveis, colorações que quebram as formas dos objetos ou continuam além das bordas, irregularidades e inconsistências na ortografia do nome das cartas e assim por diante. Criadores de outros tarôs restaurados tendiam muitas vezes a "corrigir" tais anomalias, mas sempre que possível eu preferiria mantê-las. Isso não é apenas porque eu desejava me manter fiel ao original, mas também porque elas intensificavam o sentimento de magia e mistério das cartas, abrindo-as para novas interpretações interessantes.

Ainda assim, o que tentei criar não foi uma cópia exata de um tarô de 250 anos, mas um tarô para ser usado por pessoas que leem o tarô nos dias de hoje. Isso significava que, por mais fiel que eu quisesse ser, ainda tinha que fazer alguns ajustes e modificações. É impossível reproduzir com exatidão as técnicas, os materiais para colorir, a qualidade do papel e a experiência humana da indústria de cartas do século XVIII. E mesmo se conseguíssemos imitá-los por meios artificiais, a impressão visual do observador seria completamente diferente. Nossos olhos e cérebro hoje estão acostumados a um mundo diferente de imagens e materiais gráficos. Isso é especialmente relevante na leitura das cartas, em que a "sensação" que o intérprete obtém da carta é o fator mais importante.

Essas considerações influenciaram meu trabalho com as cartas em vários pontos. Por exemplo, às vezes eu tinha que atenuar um detalhe anômalo que as técnicas modernas de impressão tornariam muito mais atraente. Eu fiz mudanças especialmente significativas nas expressões faciais, uma vez que uma cópia exata as teria tornado demasiadamente sombrias e depressivas para um tarólogo dos dias de hoje. Ainda assim, tentei preservar os traços físicos gerais. Além disso, como não havia maneira de reproduzir os tons originais dos pigmentos e das impressões que se faziam naquela época, tive que definir eu mesmo a escala de tons das várias cores. Isso significa que uma superfície vermelha das cartas da Conver ainda é uma superfície vermelha na minha versão, mas eu tive que decidir que matiz de vermelho usar. Para adaptar as cartas à sensibilidade visual dos tarólogos dos dias de hoje, testei versões iniciais com várias pessoas, algumas com conhecimento prévio de tarô e outras, não. E fazia as mudanças necessárias de acordo com as reações que recebia.

A maioria dessas considerações não decidi com antecedência. Elas surgiram como parte do processo, como se as cartas, e não eu, estivessem tomando as decisões principais. Inicialmente, a ideia era empreender um projeto breve e simples, que levaria apenas alguns meses e serviria somente para ilustrar um livro. No entanto, uma série de circunstâncias aparentemente acidentais, assim como a sensação que eu tinha de que as cartas exigiam mais esforços, acabou me levando a um processo trifásico, com cada fase demorando cerca de um ano ou mais.

Inicialmente, uma ilustradora comissionada (Leela Ganin) copiou no papel, com caneta bico de pena, as linhas das antigas xilogravuras, baseando-se "a olho" no tamanho real. Depois um designer gráfico digital (Nir Matarasso) fez correções nos detalhes, adicionando o título das cartas com fontes copiadas dos originais, bem como colorindo os desenhos de Leela, escaneados em alta resolução. Por fim, depois de aprender as técnicas de gráfica digital necessárias, eu reformulei todas as linhas e áreas coloridas, comparando-as com as digitalizações das cartas originais, até que o resultado final parecesse ter o sentimento certo e um satisfatório grau de exatidão.

O resultado desse esforço foi publicado em 2011 como *CBD Tarot of Marseille* (sendo CBD as iniciais de Conver-Ben-Dov), e suas ilustrações aparecem neste livro. Detalhes adicionais sobre o tarô CBD e como ele pode ser adquirido estão disponíveis no site www.cbdtarot.com. O site também inclui fotos das cartas com base numa licença pública, que permite a distribuição gratuita de uma obra protegida por direitos autorais com um propósito não comercial. Para mais detalhes, consulte o site.

XVI

A · TORRE

Capítulo 2

A Sessão de Leitura das Cartas

Embora as cartas de tarô possam ser lidas por um indivíduo ou numa situação de grupo, a sessão clássica de leitura consiste numa pessoa lendo as cartas para outra. Neste livro, nós nos referimos a esses dois participantes como consulente e intérprete. O consulente é quem procura conselhos sobre uma questão da sua vida. O intérprete é a pessoa que conduz o processo e interpreta as cartas para o consulente.

A estrutura básica da sessão de leitura do tarô é inspirada em suas origens, como método de adivinhação, embora a maioria dos intérpretes das cartas use hoje o tarô como um instrumento de orientação e aconselhamento, não para prever o futuro. Geralmente, o consulente fica diante do intérprete, com uma mesinha baixa entre eles. A relação entre ambos é importante. Caso se trate de duas pessoas que já tenham um relacionamento próximo, elas podem se sentar em lados adjacentes ou do mesmo lado da mesa, voltadas para a mesma direção. Mas, quando o intérprete e o consulente são praticamente estranhos, esse arranjo pode parecer muito íntimo e é melhor que eles se sentem frente a frente, com a mesa entre eles, propiciando uma distância reconfortante.

A estrutura geral da sessão, que descreveremos em detalhes, é como se segue. O intérprete tira o tarô do seu invólucro e, em seguida, tanto ele quanto o consulente embaralham as cartas alternadamente. O intérprete coloca uma série de cartas na mesa, formando um desenho – chamado "tiragem" – e depois estuda as cartas e as interpreta para o consulente. Neste capítulo, discutiremos a dinâmica do encontro entre o consulente e o intérprete, enquanto, no Capítulo 3, nós nos concentraremos na leitura real das cartas.

Tudo é um sinal

A leitura das cartas de tarô envolve uma percepção particular da realidade. Na percepção normal do dia a dia, que às vezes é chamada de realidade consensual, as cartas são pedaços de papelão impressos e o embaralhamento é um processo aleatório. No entanto, quando lemos as cartas, mudamos para outra percepção da realidade na qual existe uma regra básica: tudo é um sinal.

Essa regra é, antes de tudo, expressa no fato de que interpretamos as cartas não como uma coleção aleatória de pedaços de papelão, mas como uma mensagem significativa para o consulente. No entanto, os sinais a serem interpretados não se limitam às cartas específicas da tiragem. Tudo o que acontece dentro e em torno da sessão de leitura também pode ser visto como um sinal. Em outras palavras, durante a sessão de leitura nossa percepção da realidade é que nada acontece por mero acaso. Tudo é um sinal.

Podemos começar a aplicar essa regra observando o comportamento do consulente. A maneira como ele se apresenta e formula sua pergunta, a escolha das palavras e o tom de voz, o grau de abertura e a exposição inicial – esses são todos sinais que expressam a atitude emocional do consulente em relação ao assunto em questão, em relação às cartas e no que diz respeito ao intérprete. A forma como o consulente embaralha as cartas – com autoconfiança ou hesitação – é um sinal. Se ele se desculpar por não saber como embaralhar corretamente, isso é um sinal. Se toca e reorganiza as cartas depois que são tiradas e estão sobre a mesa, o tipo de movimento das mãos e a mudança na disposição das cartas são sinais. A linguagem corporal e a posição em que ele se senta são sinais. Além disso, o estilo e as cores das suas roupas e acessórios, especialmente se eles se assemelham a detalhes das cartas, são sinais. Tudo é um sinal.

Ocorrências incomuns que acontecem durante a leitura também são sinais. Se, no embaralhamento inicial, certas cartas aparecerem várias vezes nas mãos do intérprete, isso é um sinal. Se, ao embaralhar, algumas cartas caírem das mãos do consulente, ele pode analisá-las e tentar entender o que significam. Talvez seja algo que não se encaixa na maneira como a questão foi formulada ou talvez seja uma mensagem que o consulente rejeite por ter dificuldade para encará-la. Se as mesmas cartas aparecerem várias vezes em tiragens consecutivas, isso é um sinal. Se elas aparecem em diferentes tiragens para o mesmo consulente, elas podem estar transmitindo uma mensagem especial; se as mesmas cartas aparecerem em várias sessões com consulentes consecutivos, isso pode ser uma mensagem para o intérprete. E se há uma vela no cômodo e sua chama de repente se mover ou emitir faíscas, ou se um ruído alto for ouvido do lado de fora, isso é um sinal enfatizando o que está sendo dito naquele exato momento. *Tudo é um sinal.*

Podemos não entender nem interpretar todos os sinais que aparecem. Alguns sinais entendemos apenas em retrospectiva, numa fase posterior da leitura. Os sinais também podem ter diferentes níveis de significado, que podemos descobrir paulatinamente. A princípio, podemos dar certa interpretação ao sinal e depois perceber que é possível entender esse sinal num nível mais profundo. Não convém, portanto, tentar apreender todos os sinais de uma só vez. Em vez disso, é melhor nos esforçarmos para nos abrirmos aos sinais, tomar nota deles quando aparecerem e usar nossa imaginação para encontrar seu possível significado. Este é um processo mais intuitivo do que racional. O significado provavelmente vai aparecer num momento de percepção repentina, em que subitamente vemos uma conexão entre o sinal – certo detalhe na ilustração da carta ou algo que aconteceu no espaço da leitura – e a vida do consulente.

O Espaço da Leitura

As tradições de magia e feitiçaria muitas vezes prescrevem rituais elaborados para invocar forças ou entidades sobrenaturais. Independentemente de como interpretamos essas forças e entidades – seja de um ponto de vista mágico ou psicológico –, as regras desses rituais, comprovadas pelo tempo, podem nos ensinar algo sobre o caminho que devemos trilhar para transcender a realidade comum.

Uma característica essencial desses rituais é a separação entre o espaço e o tempo do ritual, por um lado, e o da vida cotidiana normal, de outro. Por exemplo, em várias tradições, os rituais mágicos são realizados dentro de um círculo bem marcado. Muitas vezes, para fortalecer seu efeito, palavras mágicas são escritas ao redor do círculo. De maneira semelhante, o tempo do ritual é marcado por ações simbólicas, como a consagração de objetos mágicos ou a limpeza energética dos participantes, o uso de velas ou de incenso e assim por diante. Essas ações representam um momento de transição entre o tempo comum da realidade cotidiana e a hora sagrada do ritual.

A leitura das cartas de tarô também requer que se vá além da percepção comum da realidade. Na realidade mundana, as cartas são pedaços de papelão embaralhados aleatoriamente. Mas, durante a leitura, nada acontece por acaso, tudo é um sinal. De acordo com os princípios já comprovados da tradição mágica, podemos realizar algumas ações simbólicas para marcar os limites da sessão de leitura no espaço e no tempo. Dessa maneira, podemos claramente sentir a transição entre os dois domínios, à medida que mudamos de uma percepção da realidade para outra.

De acordo com o tipo de leitura, é possível ajustar o nível de cuidado e de esforço que investimos marcando os limites do espaço da leitura. Quando lemos o tarô com espírito informal e não comprometido – por exemplo, numa festa ou num barzinho –, pode ser que baste limpar um canto da mesa e dispor as cartas sobre ela. Mas, para uma consulta que aborde questões importantes da vida do consulente e que possa afetá-lo num nível emocional profundo, precisamos preparar um espaço sereno e bem organizado, com um ambiente tranquilo e uma atmosfera confortável.

É uma boa ideia remover, do espaço de leitura, objetos do cotidiano. Em vez disso, pelo menos durante a leitura, podemos usar figuras ou objetos que tenham um efeito simbólico e espiritual – imagens religiosas ou esotéricas, cristais, arranjos de flores, vasos de planta ou fontes de água e assim por diante. As cores do cômodo devem ser claras e agradáveis, e a decoração, simples e harmoniosa.

Ao fazer isso, podemos seguir os princípios estéticos das tradições místicas – o Feng Shui ou a filosofia zen japonesa, por exemplo – ou simplesmente agir de acordo com nosso próprio *feeling* e intuição. Em muitas tradições mágicas e místicas, é costume marcar os quatro pontos cardeais – norte, sul, leste e oeste. Podemos traduzir isso na linguagem simbólica do próprio tarô e colocar cópias de Ases nas quatro direções, de acordo com a tabela de correspondência do Capítulo 7.

Assim como o espaço de leitura precisa ter uma qualidade especial, como um templo ou um espaço sagrado, o tempo da leitura também deve ser claramente marcado para separá-la do tempo mundano da realidade comum. Uma maneira simples de se fazer isso é acender uma vela no início da leitura e apagá-la no final. Em certas tradições de adivinhação, é também habitual que se coloque um recipiente cheio de água na frente da vela, simbolizando os dois elementos complementares da Água e do Fogo.

Depois de acender a vela – observe que é melhor utilizar um fósforo do que um isqueiro –, podemos "coletar a luz" passando uma ou ambas as mãos sobre a chama para atraí-la, como se estivéssemos purificando a cabeça e o corpo com sua energia simbólica. Um gesto semelhante é feito pelas mulheres judias que acendem as velas do Sabbat e pelos hindus em seus templos.

Também é uma boa ideia fazer uma pausa, a essa altura, para evocar um momento de autoconsciência, fazer uma breve meditação ou mesmo uma oração silenciosa antes de começar a leitura. Alguns tarólogos preferem acender a vela antes do consulente entrar na sala, para que a presença dele não os distraia. No entanto, há uma vantagem em se fazer isso na presença do consulente, pois ele também poderá sentir o caráter especial do momento e entrar num estado de serena concentração. Também podemos marcar a entrada no espaço de leitura tirando os sapatos. Essas ações devem estar, obviamente, de acordo com as sensibilidades do intérprete e do consulente. Por exemplo, algumas pessoas podem apreciar o aroma do incenso, enquanto para outras ele pode ser um incômodo.

Como manusear as cartas

Desenvolver um relacionamento próximo com as cartas do nosso tarô é um processo gradual. O novo baralho geralmente chega numa embalagem de papel celofane e dentro de uma caixa de papelão. Nessa fase, as cartas ainda são um produto industrial anônimo, idêntico a milhares de outros que saíram da mesma máquina. Mas, a partir do momento em que abrimos a caixa e tocamos as cartas, elas se tornam as "nossas cartas". A partir de então, elas passam a fazer parte da nossa história de leituras, acumulando nossas próprias energias emocionais e impressões digitais e as dos nossos consulentes e, às vezes, as lágrimas deles. Assim, a primeira vez que abrimos a embalagem que contém as cartas é um momento especial no relacionamento com o nosso tarô.

Uma boa ideia é abrir as cartas pela primeira vez com uma pequena cerimônia, num lugar calmo e isolado. Podemos preparar o local e a hora da mesma maneira que prepararíamos o espaço de leitura, sentando-nos por um instante num estado de calma concentração e talvez acendendo uma vela ou um incenso. Podemos abrir a embalagem, retirar as cartas e tocá-las uma por uma, a fim de senti-las nas mãos.

Podemos agora olhar para as cartas, começando a nos acostumar com a sensação que elas nos transmitem. Mas é melhor não tirá-las imediatamente, para perguntar sobre uma questão específica. Em vez disso, podemos olhar as imagens sem pressa, prestando atenção aos nossos sentimentos enquanto observamos cada carta. Alguns intérpretes gostam de realizar um ritual de purificação para iniciar seu relacionamento com as cartas; por exemplo, podemos passá-las através da fumaça do incenso ou de folhas secas de sálvia e talvez fazer contato físico com cada uma delas.

Em vez da caixa de papelão industrial, podemos manter as cartas num recipiente mais personalizado. Uma prática comum é guardá-las dentro de um saquinho ou enrolá-las num pedaço de pano e, depois, colocá-las numa caixa da nossa própria escolha. É uma boa ideia que o saquinho e a caixa sejam feitas de material orgânico (como madeira, feltro ou fibra natural), em vez de um material artificial, como plástico, ou pele de animal, que pode carregar associações negativas. A caixa pode conter símbolos místicos ou apenas ser decorada com bom gosto, de preferência com figuras que não sejam dissonantes com o espírito de leitura intimista do tarô, como um logotipo comercial. Devemos também ser sensatos em relação à cor e à textura do saquinho e da caixa. Por exemplo, o azul-escuro e o lilás induzem uma sensação de calma e de abertura espiritual, enquanto o vermelho vivo pode ser revigorante, mas talvez muito agressivo.

Além do saquinho e da caixa, é uma boa ideia ter um tapete de leitura feito de um tecido grosso sobre o qual as cartas podem ser dispostas. Como em todos os outros acessórios do tarô, é aconselhável usar o tapete de leitura apenas para esse fim. O material, a cor e a textura do tapete de leitura podem ser escolhidos depois de algumas considerações, como fazemos com o saquinho e a caixa. Em vez de usar o saquinho, alguns intérpretes preferem utilizar o mesmo tecido para embrulhar as cartas e depois dispô-las durante a leitura. Nas lojas esotéricas e nos sites de tarô, é possível encontrar muitos saquinhos, caixas e tapetes feitos especialmente para esse fim, mas talvez possamos escolher algo mais exclusivo e pessoal para as nossas cartas, em vez de apelar para uma solução pronta.

Como embaralhar as cartas

Embaralhar as cartas no início da leitura pode parecer um procedimento técnico simples, mas, na verdade, apresenta aspectos sutis que merecem nossa atenção. O embaralhamento tem duas funções principais. Podemos dizer que essas funções são, em certo sentido, contrárias uma à outra. Uma delas expressa nosso controle do resultado do embaralhamento e a outra expressa nossa falta de controle.

A primeira função do embaralhamento é estabelecer um vínculo entre nossas ações e as cartas que serão dispostas. Fazemos isso embaralhando as cartas com as mãos, decidindo como embaralhar e por quanto tempo. Dessa maneira, o resultado do embaralhamento – quais cartas estarão dispostas fisicamente sobre a mesa – é determinado por nossas ações e escolhas. A segunda função do embaralhamento é introduzir na leitura um fator aberto e aleatório, impossível de se controlar. Isso acontece em razão do fato de embaralharmos as cartas voltadas para baixo, sem ver as ilustrações. Portanto, não podemos ter nenhum controle consciente ou deliberado sobre a escolha das cartas que serão dispostas.

As duas funções do embaralhamento expressam dois princípios-chave pelos quais podemos nos guiar, independentemente da maneira precisa pela qual escolhemos embaralhar. O primeiro princípio é que nossas ações e decisões (ou seja, do consulente, do intérprete ou de ambos) devem determinar a escolha das cartas. O segundo princípio é que a escolha deve estar livre do nosso controle deliberado. Em outras palavras, em nossa experiência consciente, essa escolha deve parecer efetivamente aleatória.

Para entender a lógica por trás do primeiro princípio, podemos usar duas estruturas conceituais: as mágicas e as psicológicas. Em termos mágicos, o embaralhamento cria um vínculo energético entre o consulente e as cartas. Em termos psicológicos, o consulente pode sentir um vínculo emocional com as cartas, porque as cartas saíram das mãos dele: em certo sentido, elas são as cartas do consulente e ele é o responsável pela presença delas na tiragem.

Esse entendimento também pode nos guiar na questão da ordem desejada ao embaralhar. A ordem exata das cartas embaralhadas depende das ações do consulente e do intérprete, bem como do embaralhamento anterior do baralho em leituras anteriores. O papel do intérprete e da leitura anterior não é problemática por si só. Dentro do espaço da leitura, podemos aceitar isso como um sinal: é significativo que o consulente tenha escolhido fazer uma leitura conosco e com o nosso baralho num dado momento, no qual as cartas se encontram ordenadas de uma maneira e não de outra. Não obstante, a leitura está focada no consulente e nos problemas da vida dele. A fim de fortalecer o vínculo dele com a tiragem, é melhor que o consulente tenha a última palavra na escolha das cartas. Por exemplo, se o intérprete e o consulente estiverem se revezando ao embaralhar as cartas, deixe o consulente embaralhar por último.

O segundo princípio é comum a todos os métodos de adivinhação, pois eles sempre envolvem um elemento incontrolável e aparentemente aleatório. Nesse sentido, embaralhar as cartas não é diferente de jogar moedas, jogar búzios, observar uma formação de folhas de chá ou qualquer outro dos inúmeros métodos de adivinhação usados ao longo da história humana. Todos eles são baseados em mecanismos considerados aleatórios na visão normal da realidade. Portanto, mesmo que não entendamos a lógica desse princípio, na prática devemos observá-lo melhor, pois é um ingrediente essencial da experiência comprovada da adivinhação.

Ainda assim, se tentarmos descobrir a razão por trás do segundo princípio, descobriremos que nossas duas estruturas conceituais divergem uma da outra. A linguagem mágica se aplica dentro do espaço de leitura em que tudo é um sinal. Para deixar o sinal "do universo" se manifestar, temos que renunciar ao controle e fazer com que as cartas sejam tiradas sem depender da nossa intenção deliberada. O ponto de vista psicológico é relevante fora do espaço de leitura. É possível interpretar o fator aleatório como um gatilho para perturbar os processos de pensamento existentes e conduzi-los a uma nova e inesperada direção. Quando isso acontece, a mensagem final não surge das cartas propriamente ditas, mas como um produto do processo dinâmico da leitura, que envolve tanto a interpretação do tarólogo quanto a reação e a presença do consulente.

Como esses dois conjuntos de considerações se aplicam a dois domínios práticos, um dentro do espaço de leitura e outro fora dele, eles, na verdade, não se contradizem. Na realidade, se complementam e oferecem uma visão mais completa do processo de leitura. Aqueles que estão familiarizados com a teoria da Física conhecida como mecânica quântica podem compará-los com a questão "O que é um elétron?". Na mecânica quântica, existem duas respostas díspares: "O elétron é uma partícula" e "O elétron é uma onda". As duas são válidas num contexto prático diferente de medição, de modo que se complementam para oferecer a resposta mais completa possível à pergunta. De maneira semelhante, as visões mágicas e psicológicas podem se complementar para nos dar uma compreensão mais completa do processo de leitura.

Cada tarólogo tem sua maneira favorita de embaralhar e não existe uma maneira que agrade a todos. Porém, independentemente de como escolhemos embaralhar as cartas, é recomendável fazer isso de acordo com esses dois princípios. Eu costumo fazer isso tirando as cartas da caixa e embaralhando-as delicadamente com a face para baixo, enquanto ouço a história do consulente. Dessa maneira, renovo meu vínculo com as cartas, reorganizo a ordem que permaneceu desde a última leitura e também coloco nelas algo da presença do consulente, conforme eu a sinto. Depois entrego as cartas para o consulente, ainda voltadas para baixo, e peço que as embaralhe. Uma vez que isso tenha sido feito, o consulente devolve as cartas para mim, ainda voltadas para baixo. Uma por uma, eu pego as primeiras cartas da parte de trás do baralho (ou seja, do lado de cima do monte voltado para baixo) e as disponho na mesa.

Ao dispor as cartas na mesa, prefiro colocá-las todas voltadas para cima de uma só vez, para que eu possa ver imediatamente a imagem completa. Mas há intérpretes que preferem colocá-las voltadas para baixo no início e ir revelando cada carta durante a sessão. Também é possível ao intérprete embaralhar as cartas com a face para cima, anotando aquelas que atraem a atenção especial dele e deixando o consulente embaralhá-las com a face para baixo. Outra prática comum é pedir ao consulente para "cortar" o baralho – isto é, dividi-lo em dois ou três montes, depois colocar os montes lado a lado na mesa e juntá-los novamente numa ordem inversa.

Os intérpretes do Tarô de Marselha muitas vezes usam apenas as 22 cartas dos Arcanos Maiores. Nesses casos, também é possível usar o seguinte método. Em vez de deixar o consulente embaralhar as cartas, podemos espalhá-las na frente dele com a face para baixo, criando uma figura semelhante à de um ventilador, e pedir que ele escolha as cartas de acordo com a sensação intuitiva das suas mãos. Dessa maneira, agimos em conformidade com dois princípios: o consulente pega as cartas, mas as cartas estão voltadas para baixo, para que ele não possa escolher nenhuma carta intencionalmente.

Quando as circunstâncias não nos permitem utilizar nosso método de embaralhamento habitual, podemos improvisar, usando outras soluções e mantendo em mente os dois princípios. Por exemplo, às vezes eu tenho que fazer uma leitura por telefone. Prefiro encontrar o consulente pessoalmente, mas pode acontecer de alguém precisar de uma orientação imediata e não poder esperar. Então eu embaralho as cartas, com o consulente na linha telefônica, e peço a ele para me dizer quando parar, de acordo com a vontade dele. Nesse momento, tiro a primeira carta do topo do baralho. Repito o processo para a próxima carta e assim por diante. Desse modo, a escolha do consulente sobre quando parar o embaralhamento determina a tiragem das cartas, mas isso acontece sem que ele tenha controle deliberado sobre o resultado.

Outro método popular, hoje em dia, é fazer uma leitura por computador. No que diz respeito ao embaralhamento, podemos aceitá-lo como um método legítimo que está de acordo com os dois princípios do embaralhamento. A escolha das cartas pelo computador não é de fato aleatória. Depende do estado da memória do computador no momento exato em que o consulente ativa o algoritmo de reprodução aleatória (ou seja, quando o botão "escolher as cartas" é pressionado). Portanto, como exige o primeiro princípio, o resultado depende da ação do consulente. Por outro lado, a escolha das cartas na leitura computadorizada não pode ser deliberadamente controlada. Essas considerações obviamente se aplicam apenas ao embaralhamento eletrônico das cartas e não à sua interpretação. Esta continua sendo um processo humano, seja feita diretamente a partir das imagens ou da descoberta do significado dos textos escritos que o software oferece na tela.

A dinâmica da sessão

As pessoas geralmente recorrem à leitura de tarô quando sentem que precisam de ajuda para resolver seus problemas pessoais. Nesse sentido, a leitura do tarô se apresenta como uma opção num vasto campo de alternativas, desde métodos de adivinhação até formas mais convencionais de orientação pessoal, consultoria e terapia. Certamente, as regras e os procedimentos da adivinhação são diferentes daqueles da terapia psicológica. Ao contrário da psicologia, eles não são motivados pela necessidade de estarem em conformidade com uma visão de mundo científica. Em vez disso, eles confiam na sabedoria das tradições milenares, que evoluíram à medida que se adaptaram às necessidades humanas por muitas gerações. Mas o objetivo é o mesmo: propiciar novas ideias e ajudar o consulente a passar por processos internos que o levarão a uma situação melhor.

Para os intérpretes do tarô, isso significa que não devemos prestar atenção apenas no que vemos nas cartas. Em primeiro lugar, devemos estar a par do processo emocional pelo qual o consulente está passando. Para guiar esse processo de maneira útil e produtiva, convém ter algum conhecimento e experiência em outras formas de terapia. Podemos conseguir isso de diversas maneiras, seja participando de *workshops* de desenvolvimento da consciência até fazendo cursos de psicologia convencional. É uma boa ideia passar algum tempo fazendo terapia, seja individualmente ou em grupo. Livros de terapeutas profissionais e psicólogos também podem nos fornecer informações úteis sobre a sessão de leitura. Por exemplo, nos meus cursos de tarô, costumo aconselhar os alunos a ler o livro *The Gift of Therapy*, de Irvin Yalom. Muitas das dicas que ele dá para psicólogos aprendizes também são relevantes para os tarólogos.

Ainda assim, devemos lembrar que, diferentemente da psicologia convencional, que geralmente envolve um tratamento a longo prazo, na leitura do tarô, em geral, precisamos abrir o processo e fechá-lo numa única sessão. A sessão em si pode durar até uma hora, mais ou menos. Para desencadear uma mudança efetiva em tão pouco tempo, é útil ter uma ideia sobre as etapas que vamos percorrer.

Os primeiros minutos são os mais importantes para criar a atmosfera que prevalecerá durante toda a sessão. Durante esses instantes, o consulente e o intérprete testam um ao outro e tentam avaliar a dose de confiança e exposição que eles podem se permitir expressar. Meu jeito de fazer isso é acender uma vela e bater suavemente numa tigela de metal ressonante.

Enquanto o som está ecoando, sento-me calmamente na frente do consulente e me permito um momento de boas-vindas silenciosa. Pego as cartas e faço ao consulente uma pergunta aberta, que não requer uma resposta específica. Uma pergunta típica pode ser, por exemplo, "O que o traz aqui?" ou "O que posso fazer por você?". Também é uma boa ideia mencionar o primeiro nome do consulente para fortalecer a sensação dele de estar no "aqui e agora".

Enquanto o consulente responde, embaralho as cartas, tentando ficar atento não apenas ao conteúdo explícito do que ele fala, mas também ao tom de voz, à escolha das palavras e ao grau de abertura e autoconsciência que ele expressa. Essas impressões me servirão mais tarde na avaliação do impacto emocional que o problema exerce sobre o consulente, além de me orientar no modo como vou transmitir as minhas mensagens em palavras, para que ele possa entender e aceitar. Nesse momento, é claro, guardo minhas observações para mim mesmo.

Em seguida, entrego as cartas ao consulente e peço que as embaralhe como se estivesse colocando a si mesmo e às suas perguntas nas cartas. Às vezes, o consulente continua falando enquanto embaralha e, nesses casos, eu peço que fique em silêncio e se concentre nas cartas. A maneira como ele embaralha e o tempo que se dedica ao embaralhamento dependem de um sentimento pessoal, mas, se for necessário, eu mostro a ele como fazer isso sem amassar ou dobrar as cartas. Se eu achar que o consulente está prolongando demais o embaralhamento, como se estivesse tentando evitar o momento da verdade, em que as cartas são tiradas, faço um comentário gentil do tipo: "Pode me entregar as cartas quando achar que já embaralhou o suficiente".

Depois que as cartas foram tiradas e colocadas sobre a mesa, começa uma nova fase da sessão de leitura. Nessa fase, é aconselhável não se apressar nem procurar a resposta imediatamente. Em vez disso, podemos olhar as cartas em silêncio por algum tempo. Podemos começar deixando nossos olhos vagarem por elas sem foco e permitindo que as impressões fluam livremente. Agora podemos notar, sem comentar nada com o consulente, o caráter geral da tiragem, os padrões visuais que as cartas formam juntas, os objetos ou recursos que as cartas têm em comum e talvez alguns detalhes das imagens que chamem nossa atenção. Ainda assim, devemos lembrar que, nesses momentos, o consulente está num estado de tensa expectativa, olhando para as cartas e para a nossa expressão facial e tentando adivinhar o que vamos dizer. É importante não perder contato com a presença do consulente.

Agora podemos começar a conversa e interpretar a tiragem. A princípio, podemos descrever a impressão geral que recebemos das cartas, sem fazer declarações muito fortes. Mesmo que a mensagem das cartas já esteja clara para nós, ainda não sabemos até que ponto o consulente está pronto para aceitá-la. Podemos conversar por alguns minutos, sugerir possíveis orientações e interpretações e depois pedir ao consulente que expresse seus sentimentos sobre o que acabamos de dizer.

Durante a sessão, é importante prestar atenção constantemente à reação do consulente e adaptar o que dizemos ao que ele pode ouvir e aceitar. Conteúdos desafiadores e difíceis devem primeiro ser apresentados com cautela, e convém preparar o consulente gradualmente para recebê-los. Mesmo que uma mensagem esteja correta, se o consulente não estiver pronto para ouvi-la, sua reação será se desligar e rejeitá-la, e então perderíamos contato com ele. Por outro lado, se amenizarmos as mensagens de início e as expressarmos de uma forma aceitável para o consulente, sua confiança e abertura crescerão a ponto de, finalmente, conseguirmos dizer as coisas de uma maneira mais explícita. Se sentimos que o consulente se recusa a aceitar uma mensagem específica, não devemos insistir nela. Quando isso acontecer, não faz sentido perguntar quem está certo. Pelo contrário, convém deixar de lado o problema, voltar às cartas e tentar seguir em outra direção.

Obviamente, durante toda a sessão, nossa atitude deve ser aberta e tranquilizadora, de aceitar e não julgar, e ser positiva e enfática. É importante lembrar que a leitura não é algo que acontece entre nós e as cartas, com o consulente sentado ali ouvindo nossas palavras. Em vez disso, é um processo pelo qual o *consulente* passa e nossa tarefa é orientá-lo nesse processo, de acordo com as dicas que recebemos das cartas. O importante não é transmitirmos uma mensagem objetivamente correta, mas sim que o consulente saia da sessão com uma nova visão ou conselhos que possa assimilar e aplicar de maneira que o leve a um resultado positivo.

Como regra, não devemos apresentar as coisas de forma categórica e definitiva: "É assim que as coisas são", "isso vai acontecer". Isso vale especialmente quando expressamos um conteúdo difícil. É importante lembrar e avisar o consulente, quando necessário, de que o que dizemos é apenas nossa percepção das cartas. Elas podem trazer informações úteis, mas ainda assim essas percepções são nossas e refletem nossos limites, fraquezas e pontos cegos. Às vezes é útil começar dizendo "Eu acho que..." ou até "Eu me pergunto se não é...". Dessa maneira, assumimos a responsabilidade por nosso ponto de vista, em vez de tentar forçar o consulente a aceitá-lo.

As pessoas costumam fazer leituras de tarô numa situação de dificuldade ou angústia. Às vezes acontece de expressarem sentimentos fortes durante a sessão; por exemplo, elas podem começar a chorar. Não devemos temer esses momentos. Eles mostram que o consulente se sente confiante o suficiente para se abrir e que algo na leitura realmente o tocou. É claro que, nessa situação, devemos nos manter calmos, gentis e solidários, lembrando que o consulente está num estado muito vulnerável. Mas, mesmo se tivermos momentos difíceis durante a sessão, devemos nos lembrar de terminar num tom edificante, fortalecendo o consulente e transmitindo a ele a sensação de que pode fazer algo para melhorar a situação. Por essa razão, é melhor que esses momentos emocionalmente tensos aconteçam antes do último quarto da sessão, de modo que tenhamos tempo suficiente para terminar a sessão num tom emocional positivo.

No final da sessão, é uma boa ideia verificar se o consulente tem outros problemas ou perguntas que gostaria de expressar. A princípio, pode-se abrir novas cartas para perguntas adicionais, mas geralmente prefiro olhar novamente para as cartas que já estão sobre a mesa e interpretá-las de uma maneira nova para responder a outra pergunta. Em muitos casos, acho que a segunda pergunta, embora supostamente possa tratar de uma questão completamente diferente, reflete um padrão semelhante na vida do consulente e está, portanto, ligada à primeira pergunta.

Nos últimos minutos da sessão, devemos recapitular e resumir os principais pontos e ideias. É uma boa ideia pedir ao consulente algum *feedback*: como se sente, o que entendeu da sessão e o que concluiu a partir dela? Se sentirmos que estamos deixando algumas pontas soltas, devemos dedicar alguns minutos adicionais para amarrá-las. Para isso, devemos planejar com antecedência a sessão e deixar algum tempo livre, após o término programado, para que possamos prolongar o encontro se necessário. É também uma boa ideia sugerir que o consulente não retorne de imediato à realidade cotidiana. Em vez disso, ele pode ficar algum tempo sentado num lugar tranquilo e silencioso ou num ambiente neutro, como uma cafeteria, e analisar suas emoções com relação ao conteúdo e a experiência da leitura.

Qual é a pergunta?

Vários livros de tarô atribuem uma grande importância à formulação explícita da pergunta, como se as cartas fossem de alguma forma obrigadas a responder às palavras exatas do que foi questionado. Mas, a meu ver, mesmo que o consulente chegue à sessão com uma pergunta clara e específica, devemos considerá-la apenas como ponto de partida. As pessoas nem sempre têm autoconsciência suficiente para saber exatamente o que as incomoda. E, mesmo que tenham, elas nem sempre se sentem à vontade para revelar isso imediatamente durante os primeiros minutos da sessão, diante de um total estranho. Em outras palavras, a pergunta que o consulente apresenta no início da leitura nem sempre é a verdadeira questão que devemos responder para ajudá-lo.

Por isso, no início da sessão, prefiro deixar o consulente apresentar sua história como quiser, ouvi-lo e talvez fazer perguntas quando algo me parecer estranho ou obscuro. Por fim, podemos chegar a uma pergunta específica e tirar as cartas para respondê-la, mas também podemos apenas descrever a situação, abrir as cartas e ver aonde elas nos levam. Enquanto o consulente estiver falando, eu presto atenção à maneira como ele apresenta as coisas e a interpreto pela regra de que tudo é um sinal. Se o consulente começar com uma história longa e detalhada, talvez a primeira coisa que ele precise seja apenas alguém para ouvi-lo. Se a história for complicada e tortuosa, ele pode estar evitando o verdadeiro problema e tentando escondê-lo atrás de uma nuvem de detalhes. Por outro lado, se o consulente se recusar a nos fornecer informações ou nos desafiar a descobrir por nós mesmos qual é o problema que ele tem, devemos observar sua atitude defensiva e entendê-la como uma necessidade de proteção. Nós provavelmente teremos que nos esforçar muito para ganhar sua confiança, de modo que ele nos permita derrubar suas defesas.

Devemos suspeitar de uma pergunta muito clara e explícita, pois ela talvez esteja escondendo o ponto realmente essencial. Por exemplo, um homem pode perguntar como ele pode melhorar sua situação no trabalho ou no seu relacionamento. Durante a leitura, você pode se perguntar se ele deseja permanecer no seu trabalho ou relacionamento atual. Claro, nesse caso não devemos dar a ele uma resposta definitiva, tipo sim ou não, apenas lhe oferecer novas ideias e informações sobre o assunto, que ele pode posteriormente processar consigo mesmo. Em outro caso, uma mulher pode nos falar sobre um problema nos negócios, mas a leitura talvez mostre que um problema familiar a está incomodando e impedindo que ela concentre suas energias no trabalho. Nesse caso, a verdadeira questão é o que fazer com a dificuldade familiar.

Muitas pessoas vêm para uma leitura de tarô esperando uma sessão de adivinhação, como se as cartas fossem lhes dizer o que lhes acontecerá. Por isso elas podem fazer uma pergunta sobre eventos futuros: Quando vou me casar? Meu negócio vai ter sucesso? A minha briga com fulano vai ter fim? Considerar essas perguntas literalmente e lhes dar uma resposta definitiva geralmente não é muito produtivo. Certa ou errada, uma previsão otimista pode diminuir a motivação do consulente para se esforçar, pois ele talvez acredite que seu sucesso está garantido. Uma previsão pessimista também pode diminuir sua motivação, desta vez porque ele pode pensar que tudo está perdido. O x da questão é que essas perguntas são formuladas em termos de futuro e apenas arranham a superfície das coisas. Trata-se de uma linguagem na qual o consulente expressa seus medos e preocupações atuais sobre um tempo futuro. Por isso é importante acalmar os medos quando eles surgirem. Mas a verdadeira questão – que tem consequências práticas – nunca é o passado ou o futuro, mas o presente: o que o consulente pode fazer agora para melhorar sua situação?

As reações do consulente no final da sessão também nem sempre devem ser consideradas literalmente. Às vezes acontece de as pessoas me dizerem coisas como: "Você não me disse nada que eu já não soubesse" ou "Eu não me identifiquei com a mensagem que você transmitiu". Mas alguns meses ou anos depois, encontro essas pessoas por acaso e aí descubro que a leitura foi significativa e ocupou os pensamentos delas por um longo período. Nesses casos, pode-se ouvir comentários como: "Eu não entendi na época o que apareceu na leitura, só alguns meses depois é que eu me dei conta do que era". É importante lembrar que a perspectiva de uma mudança real sempre desperta uma resistência real a princípio. O teste mais significativo ocorre com o tempo, depois que o consulente digeriu e processou o que descobriu na sessão. Assim, o critério para uma leitura bem-sucedida e produtiva não é o consulente ir embora com um sentimento imediato de satisfação. Pelo contrário, é se, em retrospecto, ele concluiu que a leitura foi uma experiência útil e positiva.

Capítulo 3

A Leitura das Cartas

Neste livro, apresento a leitura aberta, que é a minha maneira de ler as cartas de tarô. A inspiração original para a leitura aberta veio dos ensinamentos de Alejandro Jodorowsky, de cujas palestras e cursos participei durante três anos, em Paris, nos anos de 1980. Posteriormente, aperfeiçoei esse método e acrescentei minhas próprias ideias e experiências. A leitura aberta pode ser aplicada a diferentes tipos de tarô. Mas todo o seu potencial se revela na leitura do Tarô de Marselha, produto de muitos séculos de tentativa e erro, adaptação e evolução.

Os três pontos a seguir podem resumir a abordagem da leitura aberta e a maneira pela qual ela difere dos métodos mais convencionais. Primeiro, a carta de tarô não tem um significado fixo que pode ser estudado com antecedência; seu significado emerge a partir do que podemos ver nela durante a leitura. Segundo, a função de cada posição numa tiragem também não é fixa; pelo contrário, depende da combinação de cartas que aparecem. Terceiro, não começamos a interpretar cada carta separadamente; em vez disso, primeiro tentamos ver a figura inteira que as cartas formam juntas. Vamos discutir esses três pontos em detalhes ao longo deste capítulo.

O SIGNIFICADO DAS CARTAS

Na abordagem da leitura aberta, o significado de uma carta do tarô é o que vemos em sua ilustração, no ato da leitura. Isso significa que não faz sentido memorizar de antemão "o significado de cada carta". Em outras palavras, uma carta de tarô não é um símbolo com um significado fixo, que devemos recuperar da nossa memória quando a vemos na leitura. Em vez disso, ela é um instrumento visual que estimula nossa percepção e transmite mensagens do nosso inconsciente, quando olhamos para ela.

Evidentemente, o conhecimento prévio das cartas tem sua utilidade. As ilustrações das cartas são complexas e intrincadas. Há muitos elementos nelas que não percebemos à primeira vista e conhecer bem os detalhes de cada carta pode guiar nossa atenção para elas. Além disso, os símbolos das cartas são carregados de significados culturais, filosóficos e mitológicos. O conhecimento sobre esses símbolos e seu significado, seja na cultura geral ou em diferentes escolas de leitura do tarô, pode suscitar uma ampla gama de associações quando olhamos para uma carta. Mas todo esse conhecimento prévio não deve limitar nossa capacidade de ver as cartas de uma nova perspectiva a cada vez e impedi-las de nos mostrar direções novas e inesperadas.

O mais importante aqui é saber que as cartas são um instrumento visual que funciona diretamente nas camadas inconscientes da nossa mente. Ao olhar para as cartas, o que vemos reflete o que sentimos no fundo do nosso ser, mas a impressão visual que a carta produz será diferente a cada vez. Portanto, o significado da carta não pode ser fixo. Pelo contrário, a aparência visual de uma carta depende de todo o contexto da leitura.

Vários fatores contribuem para essa diferença na impressão visual. Primeiro, a carta parece diferente quando outras cartas são colocadas ao lado dela. Segundo, a presença e a pergunta do consulente têm um efeito emocional sobre nós, o que influencia nossa capacidade de ver certas coisas na carta e ignorar outras. Terceiro, nós também não somos os mesmos. Chegamos a cada leitura com uma experiência de vida e um estado emocional diferentes.

Certamente, o fato de o significado da carta mudar, de leitura para leitura, não significa que não devemos confiar na mensagem que vemos nela. Conforme apresentado no Capítulo 2, em toda leitura, tudo é um sinal. Isso inclui não apenas a escolha das cartas na tiragem, mas também o fato de o consulente ter escolhido nos procurar naquele momento em particular. Em outras palavras, é possível que o consulente obtivesse uma resposta semelhante de um intérprete diferente que trabalhasse com métodos diferentes. Mas, nesse caso, o embaralhamento também seria diferente e a resposta viria da observação de cartas diferentes. As cartas sintonizam-se com o contexto geral da leitura, por assim dizer, incluindo o conhecimento anterior e o estado emocional que trazemos para ela.

Mesmo no decorrer da mesma leitura, nossa visão de uma carta pode se desenvolver. Podemos dar uma certa interpretação a uma carta no início da leitura e, posteriormente, na mesma sessão, apresentarmos outra visão dela, mais profunda e focada. Também podemos ver nas mesmas cartas uma série de histórias ou camadas paralelas de uma história. Em outras palavras, mesmo num único momento da leitura, uma carta pode ter mais de um significado válido.

Jodorowsky me ajudou a entender essa importante lição alguns anos atrás, quando o visitei em Paris. Perguntei a ele sobre o significado simbólico de vários detalhes num baralho que publiquei com Philippe Camoin. "Sem problema, Yoav", ele disse. "Qualquer coisa que você me perguntar, vou responder. Mas, se me perguntar novamente na próxima semana, talvez eu lhe diga algo diferente."

É importante entender isso também no contexto deste livro. Isso porque, nos capítulos seguintes, pode parecer que dou interpretações diferentes para cada carta ou detalhe da imagem. As interpretações deste livro são dicas e sugestões possíveis que você pode seguir. Mas elas devem servir apenas como ponto de partida e não impedi-lo de encontrar o seu próprio caminho. Ao olhar uma carta, também pode acontecer de você ter uma percepção inesperada completamente original e diferente de tudo que já aprendeu antes. Essa interpretação espontânea, que surge no meio de uma leitura, muitas vezes acaba sendo o elemento com maior carga emocional da sessão. Aqui estão dois exemplos de interpretações espontâneas que particularmente me impressionaram. Um jovem estava com dificuldades no seu relacionamento com a namorada e queria saber aonde isso os levaria. A principal carta que me chamou atenção foi a do Amante.

O Amante

As interpretações comuns da carta falam de amor ou escolha. Mas, quando olhei para a figura do homem entre as duas mulheres, uma mais nova e a outra mais velha, senti que a carta apresentava uma imagem do próprio relacionamento. Muitas vezes podemos ver na carta um homem que está num relacionamento complexo, com a parceira de um lado e a mãe do outro. Mas algo na presença do consulente fez com que eu me aproximasse da imagem de um ponto de vista um pouco diferente. Em vez de me concentrar na relação entre o consulente e a mãe dele, perguntei o que estava acontecendo entre ele e a mãe da garota. A resposta foi que, de fato, havia um flerte entre eles e isso causava tensões e brigas no relacionamento dele com a filha.

Em outro exemplo, uma mulher me contou sobre as dificuldades que estava enfrentando em vários aspectos da vida, inclusive nos seus relacionamentos com os homens. Duas cartas que apareceram lado a lado atraíram minha atenção: a Estrela, seguida pelo Imperador, à direita. Geralmente, a Estrela é considerada uma expressão de sinceridade, pureza e inocência, enquanto o Imperador representa uma figura forte e protetora. Mas, naquele momento em particular, senti algo sinistro na imagem de um homem superpoderoso segurando seu cetro de aparência masculina sobre uma mulher nua e em posição vulnerável. Em tais assuntos, é preciso ter delicadeza suficiente para não fazer uma pergunta direta, mas apenas lançar uma hipótese no ar. A consulente captou a dica e me disse que havia sido abusada sexualmente por um parente quando era mais jovem e que nunca tinha falado a respeito.

A Estrela, O Imperador

Uma vez que uma interpretação espontânea como essa apareça, ela se torna parte do nosso repertório para futuras leituras. Mas também devemos ter cuidado para não ficarmos muito apegados a ela. Não devemos pensar em abuso sexual cada vez que vemos essa combinação de cartas. Pode-se ver histórias completamente diferentes na combinação das mesmas cartas. Por exemplo, a carta da Estrela pode representar uma mulher que se mostre exposta e vulnerável por causa da presença protetora e confiante do seu parceiro. Mas, como veremos no próximo capítulo, os papéis de gênero também podem ser invertidos – ou seja, as figuras masculinas nas cartas também podem representar mulheres na vida real e vice-versa.

A TIRAGEM BÁSICA

Antes de começarmos a ler as cartas, devemos organizá-las sobre a mesa. Para isso, temos que escolher um tipo de tiragem. Nos livros e nos sites de tarô, pode-se encontrar uma enorme coleção de tiragens, algumas simples e outras muito complexas. Dessa coletânea de tiragens, cada leitor escolhe um pequeno conjunto de várias tiragens, que podem ser usadas para diferentes tipos de pergunta. Muitos leitores também criam tiragens próprias.

Na abordagem da leitura aberta, não há necessidade de tiragens grandes e complicadas. As próprias ilustrações das cartas já são muito ricas. Elas oferecem aspectos e possibilidades diferentes, especialmente se usarmos as ilustrações poderosas do Tarô de Marselha. Cartas demais sobre a mesa também podem desviar nossa atenção de uma carta difícil ou desafiadora, aumentando as chances de nos sentirmos tentados a ignorá-la.

Como aprendi com Jodorowsky, com quase todos os tipos de consulente, podemos usar uma tiragem básica de três cartas dos 22 Arcanos Maiores. Essa é uma opção recomendada, especialmente para tarólogos iniciantes, que ainda não conhecem bem os Arcanos Menores. Mas muitos tarólogos franceses a usam, ao longo de toda a carreira, por sentir que as três cartas principais do Tarô de Marselha são suficientes para produzir uma leitura profunda e produtiva. As três cartas são dispostas em sequência, da esquerda para a direita, e lidas como uma história, que normalmente avança nessa mesma direção.

O caminho que Jodorowsky seguiu para alcançar essa tiragem mínima é interessante. Ele costumava contar que, durante seus primeiros anos com o tarô, suas tiragens tinham um número cada vez maior de cartas. Como as cartas de um baralho não pareciam ser suficientes, ele usava três baralhos ao mesmo tempo. A mesa logo ficou pequena demais, então ele começou a dispor as cartas no chão. Dispunha as cartas no formato de um grande labirinto e conduzia o consulente fisicamente através da tiragem, durante a leitura. Mas então ele percebeu que não havia fim para esse processo; sempre se podia adicionar mais cartas e, ainda assim, não sentir que elas eram suficientes. Jodorowsky interrompeu sua busca por tiragens cada vez maiores e passou a usar, na maioria das leituras, a tiragem básica de três cartas dos Arcanos Maiores do Tarô de Marselha.

Há também casos em que uma única carta é lida. Por exemplo, num curso de tarô, podemos pedir que cada participante pegue uma carta e a discuta com o grupo inteiro ou com outro participante. Além disso, às vezes, numa sessão, peço ao consulente que tire uma única carta (geralmente dos

22 Arcanos Maiores) para esclarecer um ponto específico. Mas, numa sessão de leitura normal, na maioria das vezes uma única carta não é suficiente para descrever os vários e geralmente complexos aspectos de uma questão pessoal.

Em muitos livros de tarô, a tiragem em geral é apresentada como um desenho geométrico de quadros vazios, cada um com uma descrição do que representa a leitura. Por exemplo, numa tiragem típica, pode haver uma carta representando o passado, outra representando o futuro, outra representando as esperanças ou medos, os pontos fortes ou fracos do consulente, a influência do seu ambiente e assim por diante. Como as cartas são dispostas sobre a mesa, cada uma delas é interpretada de acordo com sua posição. O ponto importante é que, nessa abordagem convencional, a função de cada carta seja previamente estabelecida antes que elas sejam distribuídas.

Na abordagem da leitura aberta, porém, a tiragem é feita de maneira diferente. Ela apenas nos diz quantas cartas comprar do monte e como organizá-las na mesa; não nos diz antecipadamente a função de cada carta na tiragem. Antes de ver as cartas na mesa, não podemos dizer o que cada uma delas representa: o passado ou o futuro do consulente, seus pontos fracos ou fortes ou algo mais. Em vez de usar funções predefinidas, na leitura aberta olhamos as cartas e tentamos entender o papel de cada uma na relação com a tiragem completa.

Por exemplo, quando usamos a tiragem básica de três cartas e as lemos da esquerda para a direita, pode acontecer de a carta da esquerda representar o passado, a carta do meio representar o presente e a carta da direita representar o futuro. No entanto, em muitos casos, os papéis das cartas podem ser diferentes. Às vezes, a carta do meio é o consulente e as duas cartas da esquerda e da direita são dois caminhos, duas tendências ou duas possibilidades que se abrem diante dele. Nós podemos ver tal coisa na seguinte tiragem:

O Diabo, A Temperança, A Justiça

Mesmo sem conhecer as interpretações comuns das cartas, podemos sentir o contraste entre a carta da Justiça, que expressa rigidez e estrutura firmes, e as paixões selvagens e indomáveis da carta do Diabo. A figura da carta da Temperança, no meio, mistura líquidos de dois frascos. Ela pode estar expressando um compromisso ou uma combinação de ambos os elementos representados pelos dois lados: um comportamento normativo e ordenado, por um lado, paixões impulsivas e quebra de regras, por outro.

Às vezes, uma das cartas tem uma presença visual que a faz se destacar das outras. Por exemplo, ela pode ser especialmente colorida e dramática, ou as figuras das outras cartas podem estar olhando na direção dela. Quando isso acontece, é possível ver a carta pendente como uma expressão das principais questões da leitura, independentemente de sua posição à direita, à esquerda ou no meio. Podemos ver algo assim na seguinte tiragem:

A Torre, O Eremita, O Louco

A carta da Torre está cheia de ação, cor e drama. Talvez represente uma crise ou algum tipo de mudança drástica na vida do consulente. Na carta do meio, vemos a figura serena do Eremita fitando o acontecimento com um olhar concentrado, como se tentasse descobrir seu significado. À direita, o Louco vira as costas para o acontecimento e vai embora em outra direção.

Podemos interpretar esse arranjo da esquerda para a direita como uma linha do tempo: uma crise, depois a tentativa de descobrir as implicações do que aconteceu e, por fim, a decisão de tomar um rumo desconhecido. No entanto, talvez todas as fases do processo já tenham ocorrido, portanto as três cartas representem o passado, ou quem sabe as três falem de uma possibilidade que pode acontecer no futuro. Como alternativa, podemos ler a sequência inteira não como uma sequência temporal, mas como uma questão de escolha. Nessa interpretação, o que aconteceu já está revelado. Agora, o consulente deve decidir se continua fixo no passado, como na carta do meio, ou o deixa ir, "coloca no ombro" qualquer habilidade que possa levar consigo e se afasta para encontrar algo novo.

Existem muitas outras maneiras de se ler a tiragem básica das três cartas. Uma delas pode ver a carta do meio como o cerne de algum problema e as duas cartas laterais como dois aspectos desse problema. Pode-se seguir uma simbologia tradicional e ver a carta da direita como um fator ativo e de partida, a carta da esquerda como um fator passivo e receptivo, e a carta intermediária como uma combinação ou compromisso entre as outras duas. Pode-se também ver a carta do meio como o consulente, a carta da direita como algo que o ajuda e a carta da esquerda como algo que o prejudica.

O QUADRO COMPLETO

Os livros de tarô convencionais costumam apresentar a leitura partindo dos detalhes e seguindo para o todo – isto é, a leitura das cartas isoladas e depois a combinação delas, na tiragem. De acordo com essa abordagem, primeiro interpretamos cada carta separadamente, levando em conta a sua interpretação habitual e o papel predefinido da sua posição na tiragem. Só então combinamos as interpretações das diferentes cartas numa resposta completa. A leitura aberta, porém, avança do todo para os detalhes. Primeiro, tentamos entender a imagem completa formada pela combinação de cartas. Só então prosseguimos, analisando o papel de cada detalhe da figura ou imagem e sua contribuição para o quadro todo.

Essa diferença é significativa, especialmente nos primeiros minutos da leitura. Às vezes, quando as cartas são dispostas na mesa, podemos sentir que uma delas já contém a resposta definitiva. Porém, não é uma boa ideia nos fixarmos nela. Quando examinamos o quadro completo, as coisas podem parecer diferentes. Em vez de procurar a resposta final logo de início, é mais recomendável que soltemos a mente e observemos a combinação de cartas à nossa frente, tentando entender o que caracteriza a tiragem como um todo.

A primeira coisa que pode atrair nossa atenção são as figuras humanas. Podemos começar verificando para onde cada figura está olhando – em que direção ou para que objeto ou figura, seja na própria carta ou numa carta vizinha. Observamos se as figuras estão fazendo contato visual ou evitando o olhar uma da outra. Tentamos descobrir qual é a postura e o que expressa a linguagem corporal de cada uma delas. Elas podem estar avançando na direção uma da outra ou para longe uma da outra ou talvez uma esteja tentando se aproximar, mas a outra a esteja bloqueando. Tentamos sentir sua atitude emocional em relação às outras. Nessa fase, não precisamos entender imediatamente como o que vemos está vinculado à história do consulente. Isso pode vir depois.

Outra coisa que precisamos notar é a composição geral – ou seja, linhas ou superfícies que conectam cartas vizinhas ou conduzem de uma carta para outra. Às vezes, um objeto oblongo numa carta dá continuidade à linha marcada por objetos nas cartas vizinhas e, outras vezes, ele pode bloquear ou desviar essa linha. As linhas contínuas de objetos ou superfícies em cartas vizinhas podem se aproximar ou se afastar umas das outras. Elas também podem se encontrar, em algum momento, em outra carta. É uma boa ideia identificar linhas contínuas que cruzem todas as cartas da tiragem. Essas linhas podem indicar uma direção para toda a leitura.

Podemos, muitas vezes, ver formas ou superfícies que se estendem de uma carta para outra. Superfícies da mesma cor em cartas vizinhas podem se unir para dar origem a uma forma. Linhas paralelas de terra ou água numa carta podem encontrar áreas semelhantes na carta seguinte. O horizonte e o relevo do solo podem continuar de uma carta para outra. Em outros casos, podemos ver cartas desconectadas umas das outras, como uma carta com linhas longas verticais bloqueando o fluxo de linhas e superfícies da carta vizinha. Dessa maneira, podemos ter uma noção da continuidade ou da quebra que existe entre uma carta e outra.

Além de linhas e formas contínuas, existem outros tipos de ligação que podem conectar cartas diferentes. Às vezes podemos ver figuras dispostas de maneira parecida em diferentes cartas; por exemplo, duas figuras pequenas lado a lado ou uma figura acima e duas figuras abaixo. Se essa estrutura se repetir em várias cartas, isso pode representar diferentes fases ou diferentes aspectos da mesma situação ou relacionamento.

Também podemos notar a repetição do número de objetos; por exemplo, um grupo de três objetos aparecendo em cada carta. Os objetos em si podem ser diferentes, mas seu número e talvez também sua disposição (por exemplo, em forma de triângulo) serão os mesmos. Nesse caso, podemos ver o número como uma indicação de algo sobre a tiragem como um todo. O significado desse número pode ser literal, se a pergunta envolver uma quantidade, uma data e assim por diante. Por exemplo, três objetos podem representar três filhos ou três meses. Mas esse número também pode ser simbólico; nesse caso, é possível interpretá-lo usando a linguagem simbólica apresentada no próximo capítulo. Por exemplo, quatro objetos organizados num quadrado podem indicar uma estrutura estável.

Em outros casos, é possível notar conexões entre os números das cartas; por exemplo, uma tiragem com três números consecutivos, como as cartas 3, 4 e 5. Essas cartas podem indicar fases sequenciais de um processo, e é interessante comparar a ordem dos números das cartas com a ordem na tiragem. Por exemplo, se os números das cartas lidos da esquerda para a direita são uma sequência, uma ordem crescente (cartas 3, 4, 5) significará ascensão e desenvolvimento; se formam uma série decrescente (cartas 5, 4, 3), isso poderá significar recuo ou declínio.

Às vezes, podemos notar uma semelhança entre as figuras de diferentes cartas. Isso pode indicar que elas representam uma única pessoa ou talvez diferentes pessoas agindo de maneira semelhante. Também podemos ver um objeto semelhante aparecendo com pequenas diferenças, em duas ou mais cartas. Por exemplo, pode ser uma varinha ou um cajado que cada figura segure, uma coroa na cabeça de cada figura ou itens de vestuário similares entre as figuras. Nesse caso, podemos pensar no significado simbólico do objeto comum. Por exemplo, uma coroa pode representar uma posição dominante (o maioral numa situação) ou talvez sabedoria (por enfatizar a parte superior da cabeça). Uma varinha ou cajado talvez nos faça lembrar do naipe de Paus, que representa, como veremos no Capítulo 7, atividade, desejo e criação. Também pode acontecer de encontrarmos semelhanças entre as cartas no que diz respeito aos detalhes da paisagem, como uma estrutura de pedra, uma piscina de água ou uma abertura no chão.

Também podemos detectar em diferentes cartas figuras com as mesmas características gerais. Numa tiragem, por exemplo, podemos notar que todas as figuras são masculinas e, em outra tiragem, que todas são do sexo feminino. Pode ser que, na maioria das cartas, as figuras estejam nuas ou talvez muito vestidas. Talvez a maioria delas seja mostrada num espaço aberto ou talvez as figuras estejam cercadas por construções que bloqueiem a passagem. Todas as figuras podem expressar poder e autoridade ou talvez fraqueza ou delicadeza. Às vezes, todas as figuras de uma tiragem estão segurando um objeto nas mãos e, outras vezes, algumas delas têm as mãos vazias ou fora de vista.

Se a mesma característica aparecer em todas as cartas da tiragem, isso pode refletir um aspecto importante da situação ou alguma qualidade essencial que acompanhe o consulente em diferentes etapas do processo. Para dar a isso um significado, podemos confiar na linguagem simbólica descrita no próximo capítulo, nas interpretações sugeridas que aparecem em outras partes deste livro ou na nossa própria intuição e conhecimento geral. Também é possível apontar essa "coincidência" para o consulente e perguntar como ele se sente com relação a isso ou o que isso o faz lembrar.

Alguns exemplos

Aqui estão alguns exemplos da tiragem básica de três cartas e da sua interpretação na abordagem da leitura aberta. Obviamente, a história sugerida aqui não é a única maneira possível de se interpretar cada combinação de cartas. Um bom exercício consiste em analisar você mesmo as tiragens e dar a elas as suas próprias interpretações alternativas.

O Sol, A Imperatriz, O Mago

A figura da Imperatriz no centro pode representar uma mulher casada, cujos filhos aparecem na carta do Sol. O astro acima dos dois filhos pode representar o pai da família: que lidera e provê, mas também vive "nas nuvens", isto é, distante e inacessível. Talvez ele esteja muito ocupado com sua carreira ou com outras ocupações e não encontre tempo nem energia para investir no contato emocional com a esposa e os filhos.

Um jovem agora aparece na vida dela, representado pelo Mago, à direita. Como indicam as roupas extravagantes e as pernas abertas para os dois lados, ele é um sujeito sem muitas preocupações e não quer compromisso. Mas por ser um homem que gosta de inspirar ilusões, também pode ter charme pessoal e truques para cortejá-la. O olhar dele no corpo dela indica que está interessado num relacionamento sexual.

Ela está sentada numa cadeira bem protegida, o que mostra que, nesse estágio, permanece leal à estrutura familiar. Ela abraça o brasão de armas de águia, que é um símbolo da família real, e mantém seu cetro como uma barreira na frente do rosto do novo homem. Mas os olhos dela se voltam para ele, o que indica que a atração é mútua, e o cabo do cetro branco está apoiado em seus quadris, sugerindo a maneira aberta pela qual o desejo dela pode avançar. Podemos concluir que, se o marido da mulher não acordar e não lhe der mais atenção, é provável que, mais cedo ou mais tarde, ela sucumba aos avanços do jovem.

O Papa, A Lua, O Sol

O Papa na carta da esquerda pode representar um professor ou um pai, e as duas figuras pequenas vistas de costas podem ser dois alunos ou filhos. A atenção dele não está dividida igualmente entre elas e parece que está mais voltado para a da direita. Talvez um dos irmãos se sinta rejeitado, por não receber tanta atenção do pai quanto o irmão.

Na parte superior da carta do meio, vemos a Lua substituindo o Papa. Talvez a figura paterna tenha morrido e agora ela esteja "no céu". Em sua ausência, as fortes emoções "animalescas" do ciúme e do ressentimento mútuo surgem entre os irmãos, representadas pelos dois cães latindo um para o outro. O crustáceo na parte inferior da carta pode indicar sentimentos profundos e sombrios subindo à superfície. A face da Lua voltada para a primeira carta pode indicar que o relacionamento atual ainda é motivado por emoções do passado.

A carta à direita pode ser vista como uma reparação do relacionamento entre os irmãos. As duas figuras são mais uma vez humanas. O toque mútuo expressa calor e confiança, e a figura mitológica paterna no céu está brilhando igualmente para os dois. É como se eles tivessem superado o ciúme e a antiga competição pela atenção do falecido pai, compreendendo que, na verdade, ambos foram beneficiados.

A história a seguir apareceu, alguns anos atrás, num fórum sobre tarô na internet. Uma mulher que se descreveu como uma funcionária dedicada de uma grande empresa passou a ser o foco da atenção do seu chefe. Ele era casado e ela não tinha nenhum interesse romântico nele. Ela se sentia confusa, culpava-se pela situação e se perguntava se deveria ceder aos avanços dele ou procurar outro emprego. Em sua angústia, ela tirou três cartas de um baralho completo (incluindo Arcanos Maiores e Menores) e pediu conselhos aos membros do fórum. Ela não disse qual tarô estava usando e, provavelmente, não era o Tarô de Marselha. Ainda assim, senti que uma resposta significativa poderia surgir das cartas do Tarô de Marselha. Elas foram:

O Julgamento, O Mundo, 8 de Ouros

Olhando para a carta do Mundo no centro e, apesar do sentimento subjetivo de desamparo que ela demonstrava, eu pude vê-la como a figura ativa na tiragem. A postura de dançarina indicava que, mesmo dentro do espaço limitado disponível para ela, a moça ainda tinha liberdade para agir. Quanto aos dois objetos nas mãos dela, eles podiam representar duas opções que ela tinha com relação ao chefe.

A carta do Julgamento à esquerda, com uma trombeta cujo som é ouvido ao longe, representa uma opção. A figura central vista de costas está subindo de um buraco no chão, possivelmente indicando coisas escondidas sendo reveladas em plena luz do dia. O caráter dramático da carta mostra que isso acontecerá se ela escolher essa opção: a notícia será um estrondo e haverá escândalo. Isso certamente prejudicaria o chefe e possivelmente arruinaria a carreira dele.

A outra opção é representada pela carta à direita, com um sólido padrão regular de moedas, possivelmente representando a rotina contínua do local de trabalho. Os pares de moedas em camadas, umas sobre as outras, também podem simbolizar um prédio de escritórios ou simplesmente a estrutura ordenada de administração e hierarquia de uma grande organização. Nessa opção, tudo retorna ao normal: sem mais assédio, sem arruinar a carreira e a vida pessoal, todo mundo volta ao trabalho como se nada tivesse acontecido.

Meu conselho foi que ela o deixasse perceber essa possibilidade, não fazendo uma ameaça explícita, mas dando uma dica clara de que agora ela é quem tinha poder sobre ele. Os próprios medos dele fariam o resto e o levariam a escolher a segunda opção. Como a consulente escreveu posteriormente no mesmo fórum, foi exatamente isso que aconteceu.

Quando faço consultas em casa, costumo colocar cópias ampliadas das cartas num quadro atrás de mim, para que o consulente possa vê-las e entender do que estou falando. Muitas vezes deixo as cartas no quadro depois da leitura e, mais tarde, quando as analiso, consigo ver significados para mim. Foi dessa maneira que recebi a combinação de cartas da página a seguir. Ela apareceu quando eu estava de luto pela perda de um velho amigo, que morreu enquanto eu estava preparando este livro. Meus sentimentos e meus pensamentos estavam ocupados com perguntas densas sobre o significado da vida e o papel da escolha e da doação.

A Temperança, O Mundo, O Amante

A figura dançando aparece novamente no centro da tiragem, mas agora todos os outros elementos das cartas envolvem o que parecem camadas sobrepostas. Essa imagem pode representar a parte mais interior do nosso ser, a partir da qual fazemos escolhas significativas na vida. À esquerda, vemos uma figura egocêntrica que vive apenas por e para si mesma, mantendo os outros a distância e guardando seu espaço pessoal com os cotovelos. Os dois cântaros que ela está segurando podem simbolizar o cântaro dos recursos e o cântaro das necessidades. A figura passa do primeiro cântaro para o segundo, satisfazendo os seus próprios desejos e necessidades, enquanto leva uma vida confortável de autossatisfação. Mas, à medida que envelhece, o cântaro dos recursos diminui e o cântaro das necessidades fica mais pesado. Chega, por fim, um momento em que os recursos são insuficientes para suprir as necessidades e, então, não há mais um motivo real para preferir a vida em vez da morte.

À direita, podemos ver um homem parado entre duas mulheres. A cabeça dele está voltada para uma delas, mas o resto do corpo se inclina para a outra. Ele pode estar em dúvida sobre qual escolher, e a flecha do Cupido vinda de cima indica que ele realmente ama a pessoa à sua direita. Ela está com a mão na barriga, o que pode indicar uma futura gravidez e a formação de uma família. Mas, para que isso aconteça, ele deve renunciar à outra mulher – isto é, fazer uma escolha, comprometer-se e pagar o preço. Esse é o tipo de compromisso que podemos assumir em prol de um companheiro, um filho, ou talvez outra pessoa ou causa com a qual realmente nos importamos. Ele exige que desistamos de satisfazer algumas de nossas necessidades e desejos. Mas, em tal situação, se morrermos, isso causará dor e tristeza às pessoas com as quais estamos comprometidas. Esse sentimento pode nos propiciar uma boa motivação para continuar vivendo.

Por fim, durante os trabalhos de restauração do *CBD Tarot de Marseille*, imprimi uma cópia preliminar da versão final das cartas. A primeira tiragem que fiz para inaugurar as cartas foi sobre o próprio baralho da CBD. Eu queria saber o que as cartas poderiam me dizer sobre si mesmas e a respeito do processo de criá-las.

O Julgamento, O Mago, A Papisa

O Mago, que leva suas ferramentas numa bolsa e as espalha sobre a mesa, parece um artesão, mas não é alguém experiente: o rosto jovem e o número 1 indicam um estágio inicial. Isso refletia o modo como eu me sentia. Eu tinha empregado meus conhecimentos e ferramentas no processo, mas agora estava tentando aplicá-los no ramo do design gráfico e da impressão, que eram novos para mim.

A carta do Julgamento à esquerda, que recebe o olhar e a atenção das figuras das outras cartas, poderia representar o processo de restauração. A figura em azul-claro que se ergue da terra, sugerindo a ressurreição cristã dos mortos, poderia ser o tarô de Nicolas Conver ganhando vida outra vez, num novo corpo de papel e cor. O homem e a mulher de cada lado poderiam ser a ilustradora e o designer gráfico que trabalhavam para mim, enquanto o anjo acima poderia representar o sentimento que me acompanhou ao longo de todo o processo, como se o projeto não fosse realmente direcionado pelas minhas próprias decisões e preferências. Nos momentos decisivos, as coisas aconteciam além do meu controle, me obrigando a mudar de direção – e, em retrospectiva, pude ver que essas mudanças sempre foram produtivas e necessárias. Então, no meu modo de ver, o anjo poderia representar o "espírito das cartas", que orientava as coisas e fazia escolhas que provavam ser melhores do que aquelas que eu poderia fazer sozinho.

A Papisa aparece na posição da direita, que normalmente representa o futuro. Mas seus trajes e o véu atrás dela sugerem mistério e coisas desconhecidas. Talvez ela representasse simplesmente as incertezas sobre os resultados – como o tarô ficaria na impressão final, que sentimentos despertaria nas pessoas e o que elas fariam com relação a isso. Mas talvez fosse também o mistério das próprias cartas, cujo poder mágico ainda continuava a me encantar depois dessa experiência de imersão, enquanto se dividiam numa infinidade de superfícies, linhas e *pixels*. E, por fim, o livro nas mãos da Papisa poderia representar apenas o próprio baralho de tarô, colocado diante de quem quiser lê-lo e obter algumas dicas sobre o que está escondido atrás do véu.

Cartas Invertidas

Exceto por algumas cartas numéricas dos Arcanos Menores, a maior parte das cartas do Tarô de Marselha não é verticalmente simétrica. Isso significa que existe uma clara diferença entre uma carta na posição normal (com a terra abaixo e o céu acima) e uma carta invertida (de ponta-cabeça). Existem várias abordagens para as cartas invertidas. Alguns intérpretes ignoram completamente o assunto e leem todas as cartas como se estivessem na posição normal. Para os iniciantes, isso geralmente é o mais recomendável. Entretanto, intérpretes mais avançados podem preferir a gama de possibilidades e nuances que as cartas invertidas podem oferecer.

Os métodos de adivinhação às vezes adotam a abordagem oposta e consideram a inversão de uma carta como uma inversão do seu significado. Por exemplo, caso se trate de uma carta cujo significado direto seja privação ou falha, essa carta invertida significará abundância ou sucesso. Essa abordagem é problemática se considerarmos o aspecto visual da carta. Por exemplo, uma carta com atmosfera pesada e cores escuras não parecerá feliz e radiante quando invertida.

Na abordagem da leitura aberta, a inversão das cartas pode ser interpretada em vários níveis de significado. O primeiro nível é semelhante ao modo como muitos livros de tarô tratam o assunto. Quando uma carta aparece invertida, devemos interpretá-la como se o mesmo fator estivesse atuando na direção contrária, o que vai de encontro aos desejos ou interesses do consulente. Isso significa que a inversão enfatiza menos os aspectos positivos da carta.

Nas listas de significados das cartas, apresentadas mais à frente neste livro, incluo várias possíveis interpretações para cada carta; algumas das quais são favoráveis ou positivas, enquanto outras são desafiadoras ou negativas. Quando a carta está invertida, podemos colocar mais peso nos aspectos desafiadores e negativos. Por exemplo, como a figura da carta da Estrela derrama água no chão, ela pode indicar um transbordamento de generosidade e abundância. Numa carta invertida, podemos interpretar isso como desperdício e esbanjamento. Embora essa abordagem possa ser útil, podemos achar que ainda é muito formal e não se relaciona com o fato mais básico das cartas invertidas: quando uma carta está invertida, ela parece diferente. Portanto, para aprofundar o significado de uma carta invertida, precisamos considerar o efeito visual causado pela inversão. Uma mudança visual importante na carta invertida está na relação entre o céu e o chão. O céu branco no Tarô de Marselha dá uma impressão de abertura e leveza, que fica mais fraca quando o chão está em cima. Além disso, a inversão altera as linhas visuais da imagem da carta e isso também pode criar uma impressão diferente. Por exemplo, a carta da Lua na posição normal geralmente tem um caráter pesado e fechado, mas a imagem ainda sugere um movimento ascendente. Quando a carta está invertida, a terra e a água acima intensificam a sensação de peso e proximidade, e o movimento passa a ser descendente. Isso pode fortalecer a associação da carta com sentimentos densos e depressivos.

A Lua (invertida), A Força (invertida)

A inversão também altera a relação simbólica entre o lado superior e o lado de inferior da carta. Por exemplo, na carta da Força, vemos a cabeça de uma mulher acima e, abaixo, a cabeça de um leão tocando os quadris da mulher. Podemos interpretar essa imagem como o intelecto (cabeça) controlando os desejos e impulsos animalescos (quadris, leão). Quando a carta está invertida, o animal está no alto e isso pode indicar que os desejos do consulente são mais fortes do que o autocontrole racional.

Uma carta invertida também desempenha um papel diferente no quadro completo da tiragem. Uma figura voltada para a direita numa carta na posição normal ficará voltada para a esquerda se a carta estiver invertida, de modo que o olhar e a postura se relacionarão de maneira diferente com as figuras das outras cartas. As linhas e formas com relação às cartas vizinhas também serão afetadas pela inversão. Para analisar essas alterações, é útil inverter a carta e deixá-la na posição normal, a fim de comparar as duas situações.

Um ponto importante a ser lembrado é que a posição normal e a invertida são apenas uma questão de perspectiva. Quando olhamos para uma carta invertida a partir do lado oposto, ela parece estar na posição normal. Por exemplo, se eu me deparar com uma tiragem com a totalidade ou a maioria das cartas invertidas, costumo interpretá-la como uma necessidade do consulente de alterar sua atitude ou ponto de vista para ver as cartas a partir do outro lado. Vistos de uma nova perspectiva, os mesmos fatores podem parecer a favor dele e não contra ele.

Uma situação interessante é o surgimento de cartas com figuras originalmente desenhadas de cabeça para baixo. Trata-se das seguintes cartas dos Arcanos Maiores: O Enforcado, A Torre e uma das figuras da Roda da Fortuna. Se identificarmos uma dessas figuras com o consulente e uma das outras cartas estiver invertida, do ponto de vista exclusivo do consulente, essa carta estará na posição normal. Em outras palavras, o que os outros veem como uma desvantagem, o consulente pode ver como uma vantagem.

Quando cartas invertidas aparecem na leitura, isso não é necessariamente algo negativo. A carta já está na mesa e podemos simplesmente estender a mão e endireitá-la. Em outras palavras, o fator ou a influência representada pela carta já está presente na vida do consulente. Não há necessidade de incluir novos elementos. Em vez disso, o consulente pode tentar reverter os elementos existentes, de modo que eles funcionem a favor dele.

Uma carta invertida pode, portanto, indicar um ponto em que o consulente é capaz de melhorar sua situação com os recursos que já tem. Isso torna as cartas invertidas especialmente significativas. Durante a leitura, costumo endireitar as cartas invertidas, uma por uma, a fim de entender que mudanças o consulente pode fazer na vida e como as coisas serão se ele fizer essas mudanças. Podemos ver isso no exemplo a seguir:

O Diabo, A Papisa (invertida), O Louco (invertida)

A carta do Diabo, à esquerda, pode simbolizar um tipo particular de relação romântica. Ela está cheia de paixões e desejos, mas, na parte de baixo, existe um nível subterrâneo sombrio. Os dois diabinhos amarrados pelo pescoço podem simbolizar os parceiros no relacionamento, que não conseguem romper o vínculo mútuo mesmo sentindo que ele não é saudável. A Papisa pode ser uma mulher com grandes habilidades e inteligência, mas invertida, ela se rebaixa e se vê fraca. As muitas capas ao redor da figura podem expressar desconexão e aprisionamento num mundo interior secreto e próprio. A carta invertida do Louco descreve a confusão e a perda de direção que ela sente, seu olhar fixo no relacionamento do qual não consegue se desapegar.

O Diabo, A Papisa, O Louco

Quando endireitamos a carta da Papisa, ela passa a ficar consciente dos seus pontos fortes. Agora ela olha para o relacionamento a partir de uma posição de compreensão e desapego. O caráter fechado da carta pode agora expressar que ela é capaz de manter seus limites. A carta do Louco, quando colocada na posição normal, mostra a possibilidade de deixar o relacionamento problemático para trás e embarcar num novo caminho. Podemos entender que, para que isso seja possível, o consulente precisa endireitar a carta do meio e tentar melhorar sua autoestima.

Uma questão técnica, mas importante, é como obter cartas invertidas ao embaralhá-las. Existem diferentes maneiras de se fazer isso e eis aqui a que eu uso. Depois que tiro as cartas da caixa, eu as embaralho em minhas mãos. De vez em quando paro, divido o baralho em duas partes e giro uma delas para inverter a orientação das cartas. Tendo feito isso, recombino as duas partes num único monte novamente. Continuo a embaralhar, parando uma vez novamente para dividir e girar uma parte do baralho. Repito isso várias vezes. Depois entrego o baralho para o consulente e peço que ele faça o mesmo: embaralhar, inverter uma parte, embaralhar novamente e assim por diante, até sentir que já é suficiente.

Se o consulente estiver sentado à minha frente, como geralmente é o caso, quando ele devolve as cartas, eu as considero na posição normal ou invertida do ponto de vista dele. No entanto, ao pegar o baralho das mãos dele, vejo as cartas do ponto de vista oposto. Para ver as cartas da perspectiva do consulente, inverto o baralho inteiro mais uma vez e só então tiro as cartas. Eu procuro chamar a atenção do consulente para esse procedimento. A razão disso é não deixar que ele fique confuso ao ver as cartas pelo outro lado, enquanto eu falo delas como se estivessem na posição normal ou invertida.

Capítulo 4

A Linguagem Simbólica

Cada carta do baralho de tarô é única, mas existem elementos semelhantes que se repetem em diferentes cartas. Para sermos coerentes na nossa interpretação, precisamos de uma linguagem simbólica que dê significado a esses elementos. Por exemplo, qual é o significado da cor vermelha? Como interpretamos o número 3 (como número da carta ou como número de objetos)? O que os lados direito e esquerdo da carta representam? Qual é o significado das figuras de animais?

Os novos tarôs do século XX são muitas vezes baseados numa linguagem simbólica que pode ser aprendida com livros ou outras fontes escritas. Por exemplo, quando Waite ou Crowley criaram seus baralhos de tarô, eles também publicaram livros explicando o significado de vários símbolos das cartas. Mas o Tarô de Marselha evoluiu por muitos séculos nas mãos de muitas pessoas que não deixaram registros escritos sobre o seu significado. Portanto, nós não temos acesso direto à linguagem simbólica original. Temos que descobri-la por nós mesmos.

Para construir uma linguagem simbólica consistente para o Tarô de Marselha, podemos confiar em várias fontes. Primeiro, muitos símbolos do tarô também aparecem em outras obras de arte dos períodos medieval e renascentista. É provável que eles tenham mantido muito do seu significado original, quando foram transferidos para as cartas de tarô. Segundo, existem várias tradições espirituais e culturais que dão significado aos elementos simbólicos que aparecem nas cartas (por exemplo, cores, números ou figuras de animais). Terceiro, podemos aproveitar a experiência e os conhecimentos de muitos autores, adquiridos em mais de dois séculos de interpretação do tarô. E por último, mas não menos importante, cada um de nós pode confiar na própria intuição e nos nossos palpites, considerando as próprias cartas como nosso guia.

Nas seções a seguir, apresento os principais elementos de uma linguagem simbólica que pode ser aplicada ao Tarô de Marselha: direções, cores e matizes, números, figuras e partes do corpo. Uma vez que o Tarô de Marselha é a base original de quase todos os outros baralhos de tarô em uso hoje em dia, muitos elementos dessa linguagem simbólica também podem servir para interpretar outros tarôs.

Antes de continuarmos, quero fazer um comentário sobre preconceitos culturais e étnicos. O Tarô de Marselha é um produto do Renascimento e da Europa moderna. Como tal, suas ilustrações refletem os vieses e limitações típicos dessa cultura em particular. Por exemplo, símbolos religiosos são católicos, os relacionamentos dos casais são heterossexuais, a "cor da pele" é um tom avermelhado de bege, figuras de guerreiros são masculinas e assim por diante. Para entender os símbolos das cartas como originalmente pretendemos, temos que considerá-los de um ponto de vista que leve em conta esses preconceitos. No entanto, ao usar as cartas, devemos procurar o significado mais amplo por trás delas e adaptá-lo às circunstâncias particulares do consulente. Por exemplo, podemos interpretar os símbolos católicos como representando as aspirações religiosas ou espirituais do consulente, qualquer que seja sua afiliação religiosa. Vamos analisar um pouco mais a fundo esse ponto mais adiante, quando descrevermos as figuras masculinas e femininas das cartas.

Direções

Esquerda e direita

O eixo horizontal que vai da esquerda para a direita é marcado, nas ilustrações das cartas, pela superfície do solo e, assim, traz à mente a realidade terrena da vida cotidiana. O movimento ao longo desse eixo pode representar a sequência de acontecimentos em nossa vida, desde a infância até a velhice. Isso levanta a questão do tempo e sua direção ao longo do eixo horizontal: estaria o passado à esquerda e o futuro à direita ou vice-versa?

Para responder a essa pergunta, podemos recorrer às próprias cartas. Entre as cartas dos Arcanos Maiores, há duas que são excepcionais: O Louco e a Carta 13. Todas as outras cartas dos Arcanos Maiores têm um nome e um número escrito nelas, mas O Louco não tem número e a Carta 13 não tem nome.

Observe que, embora as ilustrações sejam bastante diferentes, as duas figuras têm uma postura semelhante.

O Louco, Carta 13

Como veremos nas descrições detalhadas das cartas, no Capítulo 6, essas duas cartas podem representar dois aspectos do conceito de tempo: o momento presente e a linha do tempo dos acontecimentos. O Louco parece estar vivendo apenas no aqui e agora. Assim, ele pode simbolizar o momento presente: sempre entre o passado e o futuro, sempre em movimento. A Carta 13, por outro lado, expressa a linha do tempo da história; isto é, a sequência de acontecimentos em que tudo nasce, vive e morre, abrindo caminho para novas experiências. Nas duas cartas, os números avançam para a direita. Se eles representam nosso movimento no tempo, do passado para o futuro, isso significa que o passado está à esquerda e o futuro está à direita. Podemos notar que o nome das cartas em francês também vai da esquerda para a direita tenha em mente que, para as pessoas acostumadas à leitura nas línguas ocidentais, o movimento nessa direção parece natural.

Essa ideia de movimento da esquerda para a direita pode ser aplicada tanto à imagem de uma única carta quanto à sequência de várias cartas numa tiragem. Numa carta, uma figura andando, olhando ou apontando para a direita está voltada para o futuro, enquanto uma figura voltada para a esquerda está se referindo ao passado. Também podemos pensar na direita como expansão e movimento, enquanto a esquerda representa retração e recolhimento. Na tiragem, interpretamos as cartas como uma história que vai da esquerda para a direita. As cartas à esquerda falam do que veio antes e as cartas à direita falam do que vem depois.

Ao falar da disposição dos objetos e das figuras com relação à borda da carta, essa interpretação da esquerda e da direita é clara. Mas, quando consideramos uma figura humana na ilustração da carta, surge outra questão: que lado da figura é a direita e qual é a esquerda? Por exemplo, se a figura é mostrada de frente para nós, devemos considerá-la como uma pessoa de verdade (de modo que a mão direita dela está do nosso lado esquerdo) ou como um reflexo de nós mesmos no espelho (ou seja, a mão direita dela está do nosso lado direito)?

Essa questão é significativa se quisermos interpretar os lados do corpo de acordo com o simbolismo tradicional de direita e esquerda. O lado direito do corpo é usado para representar solidez, ação e iniciativa. O lado esquerdo representa suavidade, receptividade e restrição. Então, que lado da figura representa ação e qual representa receptividade?

Podemos obter dicas sobre essa questão em três cartas dos Arcanos Maiores que mostram símbolos tradicionais conectados aos lados do corpo. Como veremos no Capítulo 6, a parte inferior da carta do Amante provavelmente se refere a uma história mitológica de Hércules, na qual ele está em pé entre uma mulher mais jovem e uma mulher mais velha. Segundo a lenda, a mulher mais velha está à sua direita. Mas, na ilustração da carta, a mulher mais velha está do lado esquerdo. Isso é como uma pessoa em pé na nossa frente, não como um reflexo no espelho.

Uma conclusão semelhante pode ser tirada das cartas da Justiça e do Papa. Em esculturas e pinturas da figura da Justiça, como é possível ver em tribunais hoje em dia, ela está segurando uma espada na mão direita e uma balança na mão esquerda. Na ilustração da carta da Justiça, a espada aparece do lado esquerdo e a balança do lado direito. A figura do Papa faz o gesto latino da bênção com dois dedos estendidos, o que é feito na tradição católica usando-se a mão direita, mas, na carta, a mão que faz o gesto está do lado esquerdo. Assim, nas três cartas, vemos os lados direito e esquerdo do corpo como se fossem de uma pessoa real à nossa frente. Podemos supor que a mesma observação sirva para as outras cartas.

O Amante, A Justiça, O Papa

Em cima e embaixo

A forma tradicional das cartas de tarô é um retângulo estreito. No tarô de Conver e no da CBD, a proporção entre os lados é quase exatamente dois para um, como dois quadrados, um sobre o outro. Essa forma sugere a ideia de dividirmos a área da carta numa parte superior e numa parte inferior, dando a cada uma delas um significado específico. Nas ilustrações das cartas, podemos ver essa divisão, não exatamente em duas partes iguais, mas ainda assim presente. Quando examinamos as cartas dos naipes, porém, podemos ver essa divisão assumindo duas formas distintas.

A maioria das cartas do início dos Arcanos Maiores mostra uma figura grande preenchendo toda a carta. Ali pela metade da sua altura, geralmente aparece uma linha ou faixa horizontal clara, dividindo-a em parte superior e inferior. Como veremos mais adiante, quando discutirmos o significado das partes do corpo, a parte superior pode representar as funções mais elevadas da razão e da emoção, enquanto a parte inferior pode representar as funções básicas ou inferiores do corpo e do desejo. Assim, a maneira como as duas partes da figura se relacionam entre si pode representar a relação entre as funções superiores e inferiores na vida do consulente.

A maior parte das cartas do final dos Arcanos Maiores mostra uma divisão diferente do eixo vertical. Na parte inferior da carta, está acontecendo alguma coisa no chão, enquanto a parte superior mostra algum objeto no ar ou no céu. O relacionamento entre essas partes pode ser interpretado como um encontro ou um elo entre a realidade terrena, embaixo, e uma realidade celestial ou superior, no alto. Podemos entender isso como uma conexão com níveis superiores do ser; por exemplo, receber mensagens ou proteção do alto. Também pode ser uma representação do céu e o que ele representa para: o bem superior, a felicidade, a caridade, a espiritualidade, a iluminação.

Em algumas cartas dos Arcanos Maiores, há também um terceiro nível: um abismo que aparece como uma abertura no chão ou como uma superfície preta na parte inferior da carta. O abismo pode representar forças profundas atuando no inconsciente, paixões obscuras e secretas ou algo escondido ou enterrado no chão. Se o abismo é negro, podemos interpretá-lo como dor, medos ou lembranças traumáticas de experiências passadas na vida ou no histórico familiar do consulente. Isso pode também ser interpretado como questões difíceis ou não resolvidas de encarnações passadas.

O eixo vertical, portanto, se manifesta em três camadas sobrepostas: o abismo, ou inferno; a terra; e o céu. Podemos considerar que esse é seu significado básico, embora, na maioria das cartas, só uma ou duas das três camadas apareçam. Assim, em contraste com o eixo horizontal "exterior", o eixo vertical pode representar a experiência interior – como o consulente se sente emocional e espiritualmente. Por exemplo, uma ilustração que sugira um movimento descendente pode indicar sentimentos fortes e difíceis, enquanto o movimento ascendente representa leveza, otimismo e felicidade. Como discutiremos no Capítulo 10, uma possível exceção é o eixo vertical das cartas numéricas.

A combinação dos dois eixos também é significativa. Às vezes podemos observar uma linha diagonal atravessando uma única carta ou talvez várias cartas numa tiragem. Essa linha pode ser percebida na organização dos detalhes mais marcantes da imagem, na orientação das formas coloridas ou das áreas com linhas, em objetos oblongos ao longo dela e assim por diante. Se essa linha diagonal for do canto inferior esquerdo até o canto superior direito e estiver subindo, ela é ascendente: à medida que o tempo avança na direção certa, a linha aumenta. Assim, ela pode indicar uma direção positiva de melhoria e avanço. Em contraste, uma linha diagonal que vai do canto superior esquerdo até o canto inferior direito marca uma descida ao longo do tempo, indicando recessão e declínio.

Cores

As cores das cartas têm um grande impacto no efeito emocional que produzem em nós. Cores brilhantes dão à carta um caráter leve e feliz, enquanto as cores escuras a tornam pesada e sombria. Cores quentes criam uma atmosfera de ação e movimento ou, quando sóbrias, de contato humano e sentimento. Cores frias sugerem calma, retraimento e distância emocional. As cores também têm um grande impacto nas conexões visuais entre as cartas. Áreas com a mesma cor em cartas vizinhas podem sugerir uma continuidade e, assim, reunir cartas separadas numa única imagem. Esse efeito é especialmente forte no Tarô de Marselha, no qual as cartas são pintadas com uma escala restrita de cores básicas e uniformes, que se juntam facilmente em diferentes cartas.

Para compensar a escala de cores limitada, o que foi necessário devido à técnica de coloração por estêncil, os fabricantes tradicionais de tarô introduziram a distinção entre áreas claras, de cor lisa, e áreas sombreadas, cobertas com linhas pretas paralelas, além da coloração. Existem vários padrões de linhas nas áreas sombreadas e cada um pode ter seus próprios significados.

Às vezes, as linhas são curtas e cobrem apenas um lado de uma forma colorida, que é assim dividida numa parte sombreada e numa parte clara. O lado sombreado pode representar um aspecto obscuro ou oculto de um problema, enquanto o lado claro pode representar um aspecto iluminado e visível. Outras áreas, como formações no solo, corpos d'água e também alguns objetos são preenchidos com longas linhas paralelas. Quando as linhas são onduladas, podem expressar fluxo, movimento e instabilidade. Quando são retas, podem indicar algo sólido e estável. Linhas retas também podem sugerir um objeto artificial ou terras cultivadas, ou seja, algo que foi trabalhado.

Em várias versões do Tarô de Marselha, geralmente existem entre sete e dez cores (incluindo o fundo branco e as linhas impressas pretas). Nos baralhos de tarô de Conver e da CBD, há oito cores básicas: branco, preto, vermelho, azul, amarelo, verde, azul-claro e cor da pele. O preto e o branco aparecem, naturalmente, em todas as cartas, mas algumas cores pintadas são usadas apenas em parte do baralho. Com poucas exceções, os Arcanos Maiores e as cartas da corte mostram todas as oito cores. Os números das cartas são pintados apenas em amarelo, vermelho e azul-claro. Os Ases de Ouros e os Ases de Copas têm amarelo, vermelho, azul-claro e verde, ao passo que, nos Ases de Paus e Espadas, adicionou-se a cor da pele.

No baralho da CBD, há outros efeitos coloridos que introduzi por várias razões. Em algumas das cartas originais do tarô de Conver, duas cores se sobrepõem. Por exemplo, o amarelo é pintado sobre o preto na parte inferior da Carta 13, e o azul-claro, sobre o amarelo (que dá origem a um tom esverdeado), no Ás de Ouros e no Ás de Copas. Para reproduzir um efeito semelhante com as modernas técnicas de impressão, usei uma textura colorida feita por computador.

Eu também adicionei um tom mais claro de cor da pele. No baralho original de Conver, muitos rostos e algumas mãos ficaram brancos – ou seja, sem cor. No entanto, o contraste entre a cor da pele e o papel branco é muito mais forte nas modernas técnicas de impressão. Deixar esses rostos brancos os tornaria estranhos e sem vida. Por outro lado, eu não queria perder a distinção de Conver entre os rostos brancos em algumas cartas e os rostos cor da pele em outras. Minha solução foi fazer os rostos originalmente brancos num tom mais claro de cor da pele, o que pode expressar uma atitude mais desapegada e menos emocional.

É interessante notar que, no baralho completo, as cores pintadas (ou seja, exceto o preto ou o branco) estão presentes em diferentes quantidades. A área total de formas coloridas em amarelo é, de longe, a maior. Ela é seguida pelo vermelho, azul-claro, cor da pele, verde e azul. Podemos ver que as cores quentes e ativas, o amarelo e o vermelho, são as mais comuns, enquanto as cores frias e calmas, o verde e o azul, são as mais raras. Se essa escolha foi motivada por considerações artísticas e não práticas (por exemplo, o preço alto do pigmento azul na época), podemos entender que Conver queria dar às suas cartas um caráter quente e dinâmico, em vez de frio e absorvente.

Na estrutura da linguagem simbólica, pode-se dar à cor das cartas um significado específico. A lista a seguir de significados para as oito cores dos baralhos de Conver e da CBD deriva de várias fontes, incluindo a arte tradicional e moderna, teorias místicas e livros de tarô. Eu também adicionei uma correspondência entre as oito cores e um modelo de oito elementos. Isso expande o modelo clássico de quatro elementos do grego e da cosmologia medieval. Os oito elementos são Luz, Escuridão, Terra, Fogo, Água, Ar, Vegetal e Animal.

BRANCO: A fonte e a unificação de todas as cores, sugerindo luz de uma fonte superior e espiritualidade pura. Como a cor de fundo das cartas, representa um espaço aberto de possibilidades, o indefinido e o ilimitado. Nas ilustrações das cartas, aparece como a cor do céu, simbolizando níveis elevados e benevolentes da existência, além do mundo material. Os detalhes em branco exibidos numa imagem representam pureza e inocência, uma ação idealista ou o afastamento da realidade prática. Também pode expressar sentimentos de superioridade, frieza emocional ou falta de energia vital.

PRETO: Aparece em todas as cartas, nas linhas das ilustrações, que definem o aspecto concreto e limitado dos detalhes da imagem. Em algumas cartas, também existem superfícies pintadas de preto. Elas podem expressar aspectos sombrios da realidade ou camadas sombrias da alma, como as profundezas do subconsciente, traumas passados ou sentimentos de dor e angústia. Na linguagem simbólica da alquimia, o preto é a cor da matéria básica, que é refinada para se tornar a Pedra Filosofal. Nesse sentido, superfícies pretas podem representar o ponto de partida para um processo de desenvolvimento das trevas para a luz.

AMARELO: Uma cor brilhante que dá às cartas um toque quente e um sentimento iluminado e otimista. Na tradição do tarô, geralmente simboliza a inteligência aplicada às necessidades práticas. O amarelo colorindo objetos, como coroas, xícaras e moedas, pode sugerir que eles são feitos de ouro. Como tal, essa cor pode simbolizar o sucesso material e a prosperidade ou uma força ativa e benéfica, como no simbolismo alquímico dos metais. Em muitas cartas, o chão aparece amarelo, como se estivesse iluminado pela luz solar. Isso pode representar uma bênção vinda do alto ou condições favoráveis para o crescimento e o avanço. O amarelo significa o elemento Terra.

VERMELHO: Uma cor forte e dinâmica, cheia de paixão e energia, o vermelho expressa atividade e movimento, o poder dos instintos e dos desejos, ação voltada para o exterior ou raiva e agressão. O vermelho está conectado com o planeta Marte na astrologia, com o ferro na alquimia e com os deuses da guerra em várias culturas. Pode representar combatividade, assertividade ou coragem diante dos desafios. O vermelho está associado ao elemento Fogo.

AZUL: Uma cor profunda e calma, o azul aparece nas cartas como o oposto do vermelho. Simboliza atração e movimento para mais perto, a capacidade de conter e aceitar, submissão às circunstâncias, autorreflexão, entendimento intuitivo ou empatia e compaixão. A cor azul numa carta também pode simbolizar sentimentos profundos e sentimentos difíceis de expressar em palavras claras. O azul representa o elemento Água.

AZUL-CLARO: A cor do céu, um tom mais claro de azul indica uma combinação de matéria e espiritualidade. Pode expressar clareza e transparência, verdade e honestidade, mas também frieza e desapego. É possível ver nela o símbolo de uma perspectiva mais ampla, mais abrangente ou uma ação que se eleva acima de considerações mesquinhas e egoístas. O azul-claro representa o elemento Ar.

VERDE: A cor das plantas, o elemento Vegetal que representa crescimento e mudança, tons verdes da natureza e das coisas naturais. O verde pode representar um impulso de crescimento e desenvolvimento, um potencial de fertilidade, um novo começo ou uma visão simples e pouco sofisticada da realidade.

COR DA PELE: Um tom avermelhado de bege expressa o que está vivo e é humano. Pode representar o corpo, a sensualidade, os impulsos animais ou a satisfação de necessidades físicas. Além disso, como elemento animal, pode representar movimento e fontes de movimento. Como a cor do corpo nu, também pode representar abertura, exposição ou vulnerabilidade. Um objeto cor da pele pode representar algo que faz parte da identidade ou da personalidade do consulente.

Números

O número pode aparecer numa carta de tarô de várias maneiras. Pode ser o número serial de uma carta dos Arcanos Maiores (por exemplo, a carta 4, O Imperador) ou dos Arcanos Menores (por exemplo, o 6 de Paus). Pode ser o número de um grupo de objetos ou os detalhes de uma ilustração da carta, como três janelas na carta da Torre, dois cântaros na carta da Temperança ou sete estrelinhas na carta da Estrela. A carta também pode mostrar uma forma geométrica que expresse um número, como um triângulo representando o número 3 ou um quadrado representando o número 4.

Existem vários métodos para vincular significados aos números, uma prática conhecida como numerologia. A maioria dos sistemas ocidentais de numerologia deriva das ideias de Pitágoras, um matemático da Grécia Antiga. No sistema pitagórico, os números pares são considerados femininos, estáveis e passivos, enquanto os números ímpares (exceto o número um) são masculinos, progressivos e ativos. O número 1 é considerado a raiz de todos os números, por isso representa uma unidade além da oposição entre masculino e feminino.

As relações matemáticas entre os números também têm ligação com o seu significado na numerologia. Por exemplo, o 4 corresponde a 2 x 2, o que enfatiza o caráter estável dos números pares. Assim, o 4 pode simbolizar a estabilidade da matéria. O número 6 é o produto da multiplicação do primeiro número feminino (2) e o primeiro número masculino (3). No Sistema de Pitágoras, esse é um símbolo do casamento, então o 6 pode representar harmonia e integração de opostos.

Existem outros sistemas numerológicos e alguns deles foram aplicados ao tarô. Por exemplo, vários tarôs da escola inglesa são baseados no sistema da Aurora Dourada, que atribuiu aos números outros significados relacionados ao simbolismo cabalístico e ao alfabeto hebraico. Os Arcanos Maiores do tarô também podem servir como fonte numerológica, porque a cada número podemos anexar o significado da carta correspondente dos Arcanos Maiores. Por exemplo, se nos perguntarmos sobre o significado do número 3, podemos pensar na Imperatriz, que é a carta 3 dos Arcanos Maiores.

Os números entre 1 e 10 são considerados mais significativos e os números mais altos são muitas vezes considerados uma repetição dos dez básicos. Vários autores de livros de tarô aceitam essa visão e consideram, por exemplo, a carta do Diabo (carta 15) como um aspecto mais complexo da carta do Papa (carta 5). Às vezes, no entanto, números maiores que o 10 podem ter sua própria identidade. Por exemplo, 12 é o número de signos do zodíaco – ou seja, um ciclo completo que passa por todas as possibilidades. O número 13 adiciona outra unidade, portanto representa uma interrupção do ciclo e uma abertura para um domínio novo e incerto.

Combinando elementos de vários sistemas de numerologia, uma lista de significados para os dez primeiros números que podem ser usados nas leituras de tarô é apresentada a seguir. Alguns números também têm formas geométricas típicas associadas a eles.

1: A unidade básica, raiz de todos os números. Como o início da série numérica, o número 1 abre todo o processo, contendo, assim, todo o seu curso como um potencial. Também pode representar a totalidade e a união dos opostos. A forma geométrica associada a ele é um ponto que representa concentração e foco, especialmente quando aparece no centro de um círculo. Nos Arcanos Maiores, a carta Um é o Mago, que abre os Arcanos Maiores e também expressa a individualidade de uma pessoa descomprometida. Nos Arcanos Menores, é a carta do Ás, que representa um começo, um impulso ou uma ação no domínio do Arcano.

2: Oposição, dualidade, polaridade. Pode representar uma parceria ou um relacionamento romântico, um conflito entre dois elementos ou um dilema entre duas opções. A tensão entre os polos tem potencial para gerar movimento, mas, devido à natureza estática do número par, isso ainda não acontece. Na tradição chinesa, o número 2 representa os elementos complementares yin e yang, o feminino/passivo e o masculino/ativo. Nos Arcanos Maiores, é a Papisa, com uma tela dividindo o mundo em duas partes, a revelada e a oculta. Dois pontos, dois objetos ou duas linhas paralelas numa carta expressam um par de opostos, que podem ser ativo e passivo, quando estão lado a lado, ou espiritual e mundano quando um está acima do outro.

3: A terceira unidade quebra o impasse do número 2 e adiciona movimento e criação. O número 3 representa dinamismo, fluxo, fertilidade e as forças da natureza. Em muitas culturas, é um número associado à feitiçaria, como uma fórmula de conjuração repetida três vezes. Sua forma correspondente é o triângulo equilátero, mas também pode ser representado por três linhas horizontais paralelas, simbolizando o abismo, a terra e o céu. Três objetos ou três pontos podem representar um movimento em direção à realização. Nos Arcanos Maiores, é a Imperatriz, muitas vezes associada à fertilidade e ao crescimento. Na tradição cristã, também sugere a Santíssima Trindade, representando assim uma presença divina no mundo material.

4: Sólido, estável, seguro e conservador. Representa coisas materiais, terrenas e tangíveis, considerações práticas e a estrutura dos sistemas ou instituições estabelecidas. Ele também simboliza a matéria (os quatro elementos: Terra, Água, Ar e Fogo) e o espaço físico (os quatro pontos cardeais). Sua forma típica é o quadrado, com uma base estável apoiada firmemente no chão. Nos Arcanos Maiores, o número 4 é o Imperador, expressando dominação no mundo físico. Quatro objetos numa carta podem representar uma realização prática ou o ato de alcançar um objetivo tangível. Pode-se também vê-los como simbolizando os quatro naipes dos Arcanos Menores, representando conquistas equilibradas em diferentes domínios.

5: A unidade ímpar quebra a estrutura estável do número 4 e acrescenta algo de outro plano. Ele pode representar ruptura de uma estrutura estável e segura, mas também a abertura para uma nova dimensão. A forma correspondente é uma estrela de cinco pontas com duas posições possíveis. Quando a ponta está voltada para cima, representa a figura de um ser humano (cabeça, dois braços, duas pernas) e serve como um símbolo mágico com uma influência benigna. Quando a ponta está voltada para baixo, pode representar forças negativas e magia negra. O cinco também é representado por uma pirâmide quadrada, com quatro cantos no chão e um ápice num plano superior. Nos Arcanos Maiores, é o Papa, que age dentro de uma instituição terrena, mas aponta para um nível espiritual superior. O número 5 também simboliza a estrutura do próprio tarô, com os quatro naipes básicos dos Arcanos Menores e o quinto naipe dos trunfos, ou Arcanos Maiores.

6: O número 6 expressa harmonia, como uma união de fatores opostos (2 x 3) ou como uma combinação de dois processos complementares (3 + 3). Os pitagóricos o chamavam de número perfeito, porque é igual à soma de todos os seus divisores (1 + 2 + 3). Na Cabala, é identificado com Tiferet, o centro da Árvore da Vida, representando os dez aspectos do Divino. A forma que ele representa é a Estrela de Davi, que é uma fusão de dois triângulos complementares. Nos Arcanos Maiores, é o Amante, que expressa um relacionamento romântico e também uma harmonia entre as escolhas humanas, na terra, e a lei divina, no céu.

7: Como 6 + 1, o número 7 cria um novo movimento a partir da harmonia do 6, mas, por ser 4 + 3, ele expressa uma combinação de estabilidade material e da energia do movimento. Assim, o 7 tem um caráter misterioso e às vezes confuso, com uma oposição interior não resolvida entre a abundância e o sucesso, por um lado, e uma instabilidade perturbadora, por outro. Essa oposição é expressa pela carta do Carro, com uma estrutura quadrada que envolve a forma triangular da cabeça e dos braços do condutor. A tensão interna do número 7 também pode ter um aspecto produtivo, abrindo todo um espectro de possibilidades, como as sete cores do arco-íris, os sete dias da semana, os sete metais na alquimia ou os sete planetas na astrologia antiga.

8: As diferentes combinações de 2 e 4 (2 x 2 x 2, 2 + 2 + 2 + 2, 4 x 2, 4 + 4) reúnem o aspecto divisor do número 2, com a capacidade de distinguir entre opostos e a estrutura sólida do número 4. Assim, o 8 pode representar construções racionais, sistemas de regras e leis bem definidos, discernimento e a consideração de detalhes, ou o trabalho longo e detalhado, necessário para construir uma estrutura estável. Nos Arcanos Maiores, é a carta da Justiça, cuja parte superior sugere uma estrutura lógica e severa, com linhas retas e ângulos retos.

9: Uma combinação de processos dinâmicos (3 x 3 e também 3 + 3 + 3), os quais também expressam complexidade, uma variedade de possibilidades e um movimento que não avança numa direção clara. O número 9 também é quase 10, por isso expressa um esforço para atingir a perfeição, mas também a incapacidade de atingir esse objetivo completamente. Nos Arcanos Maiores, é a carta do Eremita, que expressa busca espiritual e autoexame. Também pode sugerir uma realidade além dos sentidos e está relacionada à intuição e ao misticismo.

10: Como base do sistema numérico, o 10 representa totalidade ou culminação. Na Cabala, simboliza a Árvore da Vida, que são os dez aspectos do Divino. O 10 representa o resultado final da evolução, que começa com o número 1, e a abertura de um novo ciclo de números. Como 5 + 5, o 10 pode representar uma combinação tanto do que é bom quanto do que é ruim, como um processo cíclico que envolve tanto a ascensão quanto o declínio. Nos Arcanos Maiores, é a Roda da Fortuna, que expressa a conclusão de um ciclo e o retorno ao ponto de partida.

Figuras

As figuras humanas aparecem nas cartas dos Arcanos Maiores e nas cartas da corte dos Arcanos Menores. É interessante notar a diferença na representação de gênero entre essas duas partes do baralho. Nas cartas da corte de cada naipe, há três homens e uma mulher. Isso pode refletir o fato de que os Arcanos Menores se desenvolveram separadamente e suas cartas da corte se moldaram às estruturas de poder tradicionais da sociedade.

Em contraste, os Arcanos Maiores não mostram uma preferência clara pelos homens, em detrimento das mulheres. Existe até um equilíbrio entre os papéis masculinos e femininos, como o Imperador e a Imperatriz ou a Papa e a Papisa. As condições iguais dos dois gêneros podem parecer surpreendentes se lembrarmos que as cartas dos Arcanos Maiores foram projetadas numa era muito conservadora. Ainda assim, a oposição entre masculino e feminino é uma característica básica da maioria dos sistemas simbólicos tradicionais. Podemos presumir que, embora os criadores das cartas dos Arcanos Maiores não tivessem demonstrado uma preferência básica por um dos lados, eles tinham essa ideia e procuraram expressar o que cada um dos dois gêneros simbolizava.

Em muitos dos sistemas tradicionais, o lado masculino, ou o elemento yang, como é chamado na cultura chinesa, é considerado ativo, firme, progressivo e expansivo. O lado feminino, ou o elemento yin, é considerado passivo, gentil, contido e introvertido. Essa oposição, que pode ser inspirada pela forma e função dos órgãos sexuais, reflete-se nos sistemas simbólicos tradicionais por outros pares de opostos: direita e esquerda, o céu e terra, o sol e a lua, racional e emocional, o iluminado e o sombreado. Com algumas exceções (por exemplo, um deus da lua e uma deusa do sol no Japão), o primeiro elemento em cada um dos pares é geralmente considerado masculino, enquanto o segundo é considerado feminino.

Também podemos observar que três cartas dos Arcanos Maiores mostram um par de figuras humanas (ou semi-humanas), que parecem masculina e feminina. São essas as cabeças cortadas da carta 13, os diabretes da carta do Diabo e as duas figuras parentais da carta do Julgamento. Nas três, a figura à direita é masculina, enquanto a figura à esquerda é feminina. Isso pode sugerir que o simbolismo do tarô também aceita a identificação do lado direito como masculino e do lado esquerdo como feminino.

Carta 13, O Diabo, O Julgamento

Ainda assim, pode haver alguma estrutura mais profunda de interação entre masculino e feminino nas cartas. Se olharmos para as figuras dos animais, podemos ver alguns pares que parecem vagamente masculino e feminino. Mas, se os identificarmos desse modo, a disposição deles é o oposto do que ocorre com as figuras humanas. Jodorowsky observa que, na carta do Carro, o cavalo à direita parece feminino enquanto o cavalo à esquerda parece masculino. O mesmo pode ser dito sobre as cabeças de peixe do 2 de

Copas, ou mesmo sobre os dois cães da carta da Lua, quando observamos seus focinhos.

O Carro, 2 de Copas, A Lua

Confiar em associações tradicionais com o masculino e o feminino pode parecer ultrapassado nos dias de hoje. Mas um ponto importante a lembrar é que a figura de uma mulher nas cartas não representa necessariamente uma mulher na realidade. Hoje estamos cientes de que, em cada um de nós, independentemente do nosso gênero biológico, existe um lado masculino e um lado feminino. Portanto, uma figura feminina nas cartas pode representar um aspecto feminino ou um comportamento tradicionalmente considerado feminino, num homem. E, é claro, um homem numa carta pode representar uma mulher na realidade que age de uma maneira tradicionalmente associada com a masculinidade. Podemos, assim confiar no simbolismo tradicional do masculino e feminino sem presumir nada sobre o *status* real que os homens e as mulheres deveriam ter na sociedade.

Considerações semelhantes se aplicam à idade das figuras nas cartas. A figura de um jovem pode simbolizar o início de um processo ou os primeiros passos dados num novo domínio de ação. Também pode representar resistência, autoconfiança ingênua ou imprudência. Uma figura mais velha pode simbolizar maturidade, experiência e moderação. Essas qualidades podem descrever a personalidade, o comportamento ou a posição do consulente, independentemente da idade biológica.

As crianças e os animais também podem simbolizar aspectos da personalidade e do comportamento. A figura de uma criança numa carta pode expressar qualidades infantis como espontaneidade, imaginação, espirituosidade e falta de visão. Animais podem representar um estado primordial e não desenvolvido ou instintos e impulsos animalescos. Figuras específicas de animais podem representar traços de personalidade e comportamentos tradicionalmente associados a esse tipo de animal. Por exemplo, um leão pode simbolizar bravura, poder e perigo. Uma águia pode simbolizar percepção nítida ou a capacidade de voar alto, acima do terreno comum. Um cachorro pode simbolizar lealdade. Uma maneira mais formal de interpretar o leão ou a águia, que aparecem na carta do Mundo e em outras cartas, é identificá-los com os domínios dos Arcanos Menores, descritos no Capítulo 7. Nesse esquema, o leão corresponde ao naipe de Paus e representa desejo e criatividade, enquanto a águia corresponde ao naipe de Espadas e representa o intelecto.

Partes do corpo

As partes do corpo das figuras do tarô podem ser interpretadas de várias maneiras. Uma delas é interpretá-las metaforicamente, de acordo com sua função e utilidade. Por exemplo, uma mão simboliza o que o consulente está fazendo. Um olho simboliza o que ele pode ou quer ver. Os ombros podem representar o fardo que ele está carregando. Uma barriga é o que ele contém e mantém dentro de si. Uma figura de mulher com uma barriga arredondada pode expressar gestação de alguma coisa, não necessariamente de uma criança. As pernas representam a estabilidade da posição do consulente ou sua capacidade de se mover. O que quer que esteja embaixo delas pode ser a base que as sustenta.

Eu também aprendi com Jodorowsky outra maneira de interpretar as partes do corpo. Esse método se baseia na linguagem simbólica dos Arcanos Menores. Como veremos no Capítulo 7, os quatro naipes representam quatro domínios de atividade do ser humano: corpo, desejo, emoção e intelecto. Esses quatro domínios correspondem, de baixo para cima, a quatro partes do corpo humano: pernas, quadris, peito e cabeça. Quando vemos uma figura nas cartas, podemos verificar a posição e a aparência de cada parte e a relação e coordenação entre elas. Isso pode nos ensinar sobre os domínios correspondentes na vida de pessoa.

AS PERNAS representam o naipe de Ouros e o domínio material e físico, ou "aquilo em que nos apoiamos". Pernas fortes e estáveis representam uma posição segura, uma base material sólida e boa saúde. Uma figura andando significa que o consulente está avançando em alguma direção. Uma figura de pé, com os pés apontando numa direção, expressa um desejo ou uma intenção de se mudar para esse lugar, mas sem um movimento real ainda. Uma figura de pé, com os pés apontando para ambas as direções, pode expressar confusão, planos contraditórios, hesitação e dilema entre diferentes cursos de ação.

OS QUADRIS, que incluem os órgãos sexuais, representam o naipe de Paus e o domínio do desejo e da criatividade. Quadris proeminentes indicam fortes paixões. Quadris ocultados ou cobertos podem expressar repressão, desejos sexuais bloqueados ou falta de autoconsciência. Os quadris também podem simbolizar a expressão criativa, pois representam dar à luz algo que vem de dentro de nós: filhos, ideias ou projetos.

O PEITO, sede do coração, representa o naipe de Copas e o domínio da emoção. Um peito largo e aberto representa receptividade emocional e sensibilidade, ou a capacidade de expressar e reagir aos sentimentos dos outros. Um peito contraído ou bloqueado – com roupas apertadas ou oculto por uma armadura, por exemplo – pode simbolizar proximidade, proteção emocional e dificuldade para expressar intimidade. Tocar na área do coração indica um relacionamento com base no carinho e na confiança. Se o peito se inclinar para a outra figura, isso pode indicar afeto e sentimentos positivos ou o desejo de ter um relacionamento romântico com essa pessoa.

A CABEÇA representa o naipe de Espadas e o domínio do intelecto. Uma cabeça voltada para um lado significa que essa é a direção dos pensamentos do consulente. Uma cabeça coberta ou o cabelo preso simbolizam pensamentos controlados e ordenados, enquanto cabelos soltos ao vento representam um pensamento arejado e aberto. Uma linha que separa a cabeça do resto do corpo pode expressar desapego interior, com os pensamentos do consulente desconectados de outras partes da sua personalidade.

XXI

O • MUNDO

Capítulo 5

Os Arcanos Maiores

Quando as pessoas consideram a magia e o poder simbólico do tarô, que são os responsáveis pelo seu enorme impacto sobre muitas gerações, elas geralmente pensam nas 22 cartas dos Arcanos Maiores. Sem os Arcanos Maiores, teríamos um baralho semelhante ao do jogo normal de cartas: um recurso conveniente para ser usado em jogos de azar e adivinhação popular, mas não algo que poderia motivar séculos de preservação, desenvolvimento, interpretação e criatividade, como as cartas de tarô.

Os Arcanos Maiores no centro

A relação entre os Arcanos Maiores e os quatro naipes dos Arcanos Menores pode ser vista simbolicamente na carta do Mundo, que é a última dos Arcanos Maiores. Nos cantos dessa carta, há quatro seres vivos retirados da tradição bíblica: o touro, o leão, o ser humano e a águia. Eles podem simbolizar os quatro naipes dos Arcanos Menores e os quatro domínios da vida, que examinaremos no Capítulo 7: corpo, desejo, emoção e intelecto. As quatro figuras definem uma sólida estrutura retangular, que também lembra a estrutura regular dos quatro naipes. O elemento dinâmico aparece no meio, na forma de uma figura nua dançando dentro de uma coroa oblonga. No baralho de tarô, ela pode representar os Arcanos Maiores. Na esfera humana, pode simbolizar a consciência, que une as diferentes funções numa única entidade.

Muitos tarólogos veem os Arcanos Menores como representações apenas das dimensões externas e práticas dos acontecimentos da vida. Nas cartas dos Arcanos Maiores, eles veem uma representação mais completa e profunda da vida humana: tanto os acontecimentos externos quanto a vida interior da autoconsciência, dos processos psicológicos e das intuições espirituais. Essa pode ser a razão pela qual cartomantes populares, que não estão interessados em entrar em níveis profundos de análise, geralmente usam apenas as cartas de jogo normais, que são equivalentes aos quatro naipes dos Arcanos Menores. Por outro lado, os intérpretes das cartas de tarô atribuem muito mais importância às 22 cartas dos Arcanos Maiores.

Ordem e Caos

Os Arcanos Maiores diferem dos Arcanos Menores não apenas na riqueza de detalhes e na complexidade das ilustrações das cartas, mas também em sua estrutura menos ordenada e mais caótica. Os quatro naipes dos Arcanos Menores seguem um padrão totalmente previsível. Depois do 4 de Copas vem o 5 de Copas e, depois de um Valete de Espadas, há um Valete de Ouros. Por outro lado, as cartas dos Arcanos Maiores exibem uma sequência complexa e imprevisível. Para demonstrar essa observação, vamos considerar uma situação em que as pessoas examinem todas as cartas de tarô, desde o início dos Arcanos Maiores até uma determinada carta. A partir dessa informação, elas ainda não têm como adivinhar o título ou o assunto da carta a seguir.

Essa característica diferencia os Arcanos Maiores de outros sistemas de ilustrações simbólicas comuns do Renascimento. Um exemplo interessante é uma coleção de impressões em forma de carta, do final do século XV. Elas são conhecidas como Tarocchi del Mantegna (Tarô de Mantegna), embora não sejam realmente cartas de tarô e a atribuição ao famoso pintor Mantegna seja infundada.

As cartas do Mantegna são divididas em cinco naipes de dez imagens cada, com assuntos simbólicos retirados do mundo conceitual do Renascimento. Os cinco processos representam temas como profissões e posições sociais, artes ou ciências liberais, as nove musas, virtudes morais e objetos celestes. Alguns dos assuntos são semelhantes aos das cartas de tarô. Por exemplo, há um Imperador, um Papa e imagens representando A Força, A Justiça, o Sol e a Lua.

Ainda assim, as gravuras de Mantegna são muito diferentes das do tarô. Em primeiro lugar, nem está claro se elas foram feitas para serem usadas como um baralho de cartas. Nos originais que ainda restam, as imagens são impressas em papel fino e encadernadas na forma de um livro, talvez para fins educacionais. Isso lhes confere uma sequência única e bem definida. As cartas de tarô, por outro lado, podem ser organizadas e interpretadas em qualquer ordem. Isso significa que existe um elemento de caos inerente às cartas de tarô pelo fato de elas existirem como um conjunto de imagens que podem ser organizadas livremente.

O caráter mais ordenado das impressões de Mantegna também é expresso na estrutura regular dos cinco naipes, nenhum dos quais excepcional em tamanho ou estrutura. Todas as ilustrações são numeradas consecutivamente e cada uma delas tem um título escrito na parte inferior. Além disso, quando conjuntos de símbolos são utilizados, eles são apresentados em sua totalidade. Por exemplo, todas as nove musas aparecem consecutivamente, sem que falte nenhuma, e o mesmo vale para os sete planetas tradicionais, as quatro virtudes cardeais e assim por diante.

Em comparação, os Arcanos Maiores do tarô apresentam uma complexa interação entre ordem e caos. Aparecem repetidamente padrões ordenados e muitas vezes eles estão rompidos. Cada regra parece ter suas exceções e as exceções também diferem umas das outras.

A maioria das cartas dos Arcanos Maiores apresenta um título e um número ordinal, mas as duas cartas que representam o tempo, conforme discutimos no capítulo anterior, ou seja, o Louco e a carta 13, são excepcionais. A carta 13 não tem nome e a carta do Louco não tem número. Além disso, há uma faixa vazia, na parte superior da carta do Louco, onde deveria estar o número, mas não há uma faixa semelhante para o título que falta, na carta 13. Isso significa que cada uma delas é excepcional à sua própria maneira.

A tentativa de organizar as cartas dos Arcanos Maiores por meio de números sequenciais, como uma forma de estabelecer uma ordem padrão, mostra-se bastante confusa. O Louco já é problemático porque, sem um número, não podemos ter certeza da posição em que deveria estar. Colocando-o de lado e olhando para a sequência das outras cartas, descobrimos rapidamente que é muito difícil, se não impossível, encontrar uma lógica clara.

Logo após o início dos Arcanos, existem quatro cartas com figuras de autoridade e governo numa ordem surpreendente por si só: a Papisa, a Imperatriz, o Imperador e o Papa. Mas antes e depois delas, há algo completamente diferente. O Mago que precede essas figuras respeitáveis parece uma pessoa de reputação duvidosa. E depois do Papa, com seus símbolos cristãos, há algo ainda mais estranho: o Amante, com um Cupido pagão e três figuras humanas se tocando. Não está claro exatamente o que vemos aqui e por que essa carta aparece logo após as quatro figuras representativas da ordem social estabelecida.

O Mago, A Papisa, A Imperatriz, O Imperador, O Papa, O Amante

Mais padrões aparecem ao longo da fileira de cartas, apenas para serem mais uma vez rompidos. Três cartas dos Arcanos Maiores apresentam, a intervalos iguais, três das quatro virtudes cardeais da tradição cristã: A Justiça

(8), A Força (11) e A Temperança (14). Mas a quarta virtude, a Prudência, está ausente. A carta da Temperança apresenta outra exceção. É a única carta dos Arcanos Maiores cujo nome em francês é escrito sem o artigo definido: "Temperance" e não, "La Temperance".

A Justiça, A Força, A Temperança

Mais adiante, há três cartas com símbolos astronômicos e inspirados na alquimia: A Estrela, A Lua e O Sol. No entanto, antes delas encontramos A Torre, com uma linguagem simbólica diferente e de origem pouco clara. E depois dessas cartas vem a carta do Julgamento, que está ligada ao simbolismo cristão.

A Torre, A Estrela, A Lua, O Sol, O Julgamento

Muitos livros de tarô, nos últimos séculos, tentaram encontrar uma ordem uniforme e lógica para os Arcanos Maiores. Alguns dos seus autores basearam suas tentativas de ordenar as cartas, por exemplo, na divisão dos arcanos (sem o Louco) em três conjuntos de sete cartas ou em sete conjuntos de três cartas. Padrões mais complexos também foram experimentados. Nenhum deles provou ser convincente o bastante para ganhar a aceitação geral.

Outros autores tentaram encontrar ordem nas cartas impondo um sistema de símbolos retirados de outras fontes. Por exemplo, muitos tentaram estabelecer uma correspondência entre as cartas dos Arcanos Maiores e os símbolos astrológicos dos planetas e dos signos do zodíaco, mas o que chama a atenção é que cada um fez isso de uma maneira diferente. Os líderes da Aurora Dourada tentaram integrar as cartas à sua enorme tabela de correspondências em todo o mundo. Mas, novamente, um desacordo logo apareceu sobre como fazer isso, exatamente. Pelo que parece, em cada um desses esquemas, algumas cartas encontram naturalmente o seu lugar. Mas há outras que não se encaixam tão facilmente e, por fim, há algumas que realmente precisam ser forçadas a ocupar seus lugares correspondentes.

Algumas das correspondências criadas ao longo dos anos são interessantes e podem enriquecer nossa compreensão das cartas. Um exemplo é a correspondência entre as cartas e as letras hebraicas, descritas mais adiante neste capítulo. Mas talvez não devamos dar muita importância a qualquer tabela que dê ordem às cartas ou qualquer esquema para organizar as cartas de um modo definitivo. A quebra de padrões nos Arcanos Maiores poderia, por si mesma, transmitir uma mensagem importante para nós.

Os cientistas de hoje falam do fenômeno da vida como se ele surgisse "na beira do caos", uma espécie de região intermediária entre o caos e a ordem. A ordem perfeita é expressa por um cristal sólido, no qual tudo é fixo e bem ordenado. Ele não tem potencial para o movimento e, portanto, não tem lugar para a vida. O caos total é expresso pela fumaça, que não possui uma forma estável. Ali também não pode haver vida, porque toda estrutura se dissipa rapidamente. Os processos biológicos e sociais da vida ocorrem em algum lugar entre o cristal e a fumaça. Eles são caracterizados por um certo grau de ordem e estabilidade, mas também pela imprevisibilidade criativa e pelo colapso ocasional de estruturas ordenadas.

As cartas dos Arcanos Maiores, que expressam e refletem a infinita complexidade da vida, também podem ser consideradas como um sistema à beira do caos. Elas mostram algum grau de ordem e estrutura, mas também irregularidades caóticas e rompimento de padrões. Pode ser inútil, portanto, procurar uma estrutura básica por trás deles. O único padrão nas cartas são as cartas propriamente ditas.

Títulos e números

No Tarô de Marselha, a numeração das cartas é feita em números romanos. A notação, ou método de escrita dos números, é longa, na qual o 9, por exemplo, é escrito como VIIII e não como IX. Talvez isso tenha sido feito para evitar confusão quando se segurava as cartas de cabeça para baixo. Nos novos baralhos da escola inglesa, os números às vezes são escritos em algarismos romanos em notação curta (ou seja, o 9 é IX) e às vezes em numerais modernos.

Os números e títulos das principais cartas dos Arcanos Maiores são basicamente os mesmos nas duas escolas, mas há duas diferenças. Os líderes da Aurora Dourada queriam ter mais ordem nas cartas. Por esse motivo, deixaram as duas cartas excepcionais do Tarô de Marselha em conformidade com as outras. Eles deram o título de Morte à carta 13, e esse título aparece em muitos baralhos da escola inglesa. E também inseriram o número 0 na carta do Louco, colocando-o no início dos Arcanos. Existem também alguns baralhos nos quais o Louco recebe o número 22 e é colocado no final dos Arcanos.

Outra diferença entre as duas escolas está na numeração das cartas da Justiça e da Força. No Tarô de Marselha e em outros tarôs tradicionais, a Justiça é a carta 8 e A Força é a carta 11. Nos novos tarôs da escola inglesa, porém, a Força é a carta 8 e a Justiça é a carta 11. O motivo para isso está no complexo sistema de correspondências da Aurora Dourada. Combinando as cartas de tarô, textos cabalísticos e os signos astrológicos, os líderes criaram uma correspondência entre os doze signos e as doze cartas, organizadas de acordo com seus números. A carta da Justiça foi correlacionada ao signo de Leão e a carta da Força, ao signo de Libra (balança). Isso, no entanto, parece estranho, porque a balança está presente na carta da Justiça e um leão está presente na carta da Força.

Os líderes da Aurora Dourada acreditavam que o tarô original tinha uma ordem perfeita e que essa anomalia refletia algum erro surgido ao longo das eras. Para corrigi-la, eles trocaram as duas cartas. No sistema deles, a Justiça se tornou a carta 11, com uma correspondência com Libra, e a Força, que eles renomearam de "Force" para "Strenght", tornou-se a carta 8, com uma correspondência com Leão. Essa numeração modificada tornou-se o padrão para todos os novos baralhos da escola inglesa.

Escada da Criação

Por que é importante saber a verdadeira ordem das cartas, se podemos colocá-las na ordem que desejarmos? A resposta é que ambas as escolas acreditavam que a ordem das cartas não era arbitrária. Pelo contrário, havia alguma mensagem ou história que a sequência dos Arcanos deveria expressar. Muitos intérpretes do tarô, em sua busca para descobrir essa mensagem, foram influenciados pela filosofia neoplatonista. O Neoplatonismo é um conjunto de crenças que surgiu nos primeiros séculos depois de Cristo, e posteriormente foi revivido no Renascimento, além de também influenciar a cabala judaica. De acordo com a visão neoplatonista, o mundo foi criado a partir de uma série de "emanações", uma escada de passos consecutivos em que a plenitude divina, ou a luz, faz um movimento descendente. O nível mais elevado é a espiritualidade pura, e, a partir dela, a luz desce gradualmente até se tornar tangível e concreta. Por fim, ela atinge o nível terreno, que é a realidade cotidiana da matéria e da ação.

Alguns dos primeiros cabalistas do tarô francês interpretaram a sequência das cartas dos Arcanos Maiores como uma imagem da emanação neoplatônica. Eles consideravam o Mago (carta 1) e as cartas seguintes como uma representação do mais alto nível espiritual. Mais adiante, alegavam, a sequência de cartas desce na escala de emanação, até finalmente alcançar a última carta dos Arcanos Maiores, o Mundo (número 21), que representa a realidade material.

Os líderes da Aurora Dourada desenvolveram um pouco mais essa ideia. Eles dispuseram as cartas na forma de um diagrama cabalístico tradicional, a Árvore da Vida, que apresenta dez aspectos da essência divina e dos 22 caminhos que os conectam. Eles viram o mais elevado grau espiritual na carta do Louco, que colocam no início do baralho, como a carta número 0. Portanto, no sistema deles, o Louco aparece no topo da árvore. Então, descendo os caminhos da árvore, eles organizaram todas as outras cartas pelos seus números consecutivos, até finalmente chegar à carta do Mundo, na parte inferior.

Essa visão também influenciou o desenho gráfico dos novos baralhos da escola inglesa. Por exemplo, no Tarô de Marselha e em outros tarôs tradicionais, a carta 1, o Mago, mostra um jovem ilusionista, com uma postura de certa forma hesitante. Mas, na visão da Aurora Dourada, a carta 1 deve representar um elevado grau espiritual, e a figura foi modificada para ficar de acordo com essa ideia. No tarô de Waite, de 1909, a mesma carta exibe um poderoso mestre de magia, que parece muito confiante em sua postura de autoridade, com o símbolo do infinito pairando sobre a cabeça.

Ainda assim, essa leitura da sequência dos Arcanos Maiores como uma escala descendente, partindo de cima para a Terra, parece problemática se examinarmos mais de perto os temas das cartas. As primeiras cartas dos Arcanos Maiores (com números baixos) mostram figuras cujo papel social e o *status* são claros. Por exemplo, elas mostram um mágico mambembe, uma imperatriz, um guerreiro e um eremita errante. Por outro lado, as últimas cartas mostram corpos celestes e figuras humanas nuas em situações misteriosas e imaginárias. Isso inclui, por exemplo, uma jovem derramando água sob as estrelas, um anjo tocando sua trombeta sobre três figuras que se levantam do chão e uma mulher dançando, cercada por quatro seres divinos. Olhando para essas imagens, podemos pensar que talvez as *primeiras* cartas sejam terrenas e mundanas, enquanto as últimas cartas sugerem um nível mais elevado e misterioso de realidade.

Outra pista nessa direção vem do uso tradicional das cartas para jogos. Nos antigos jogos de tarô, como nos jogos de cartas mais comuns de hoje em dia, uma carta com um número alto tem mais valor que uma carta de número baixo. As últimas cartas dos Arcanos Maiores têm um valor maior, sobrepujando todas as cartas que as precedem. É razoável, portanto, supor que seus temas se destinem a representar os níveis mais elevados da realidade, e não os inferiores.

Essas considerações motivaram outros autores da escola francesa a adotar uma leitura oposta. Na opinião deles, os Arcanos Maiores descreviam uma escalada de níveis de realidade, que se estendia do material ao puramente espiritual. Mas, ao contrário da leitura anterior, a sequência dos arcanos avançava de baixo para cima. As primeiras cartas são terrenas e as últimas cartas são espirituais, não o contrário.

Partes dos Arcanos Maiores

Para obtermos uma melhor compreensão da sequência principal dos Arcanos Maiores e sua evolução, vamos examinar suas diferentes partes com mais detalhes. A maioria das cartas do início dos Arcanos mostra figuras com *status* social ou atividade profissional bem definida. O mágico mambembe, a imperatriz, o papa, o guerreiro numa carruagem e o eremita errante são todos eles figuras que têm seu lugar no mundo social da Idade Média. A maioria das figuras dessas cartas é grande o suficiente para preencher a carta inteira e elas estão todas vestidas de uma maneira que se encaixa com seu *status* e ocupação. Assim, no início dos Arcanos, podemos ver pessoas que vivem na sociedade humana normal.

Posteriormente, vemos figuras alegóricas de virtudes apreciadas pela sociedade cristã medieval: A Justiça, A Força e A Temperança. As figuras ainda são grandes e totalmente vestidas, mas agora representam ideias gerais e pessoas não concretas. Suas ações, como segurar um leão pela boca ou o ato de derramar líquido entre dois cântaros, também parecem representações mais simbólicas, em vez de coisas que pessoas de verdade realmente fariam.

A essas podemos acrescentar outra alegoria: a Roda da Fortuna, que é projetada de forma diferente e mostra um símbolo tradicional de altos e baixos na posição social. Juntas, essas cartas podem representar os dois conceitos básicos de virtude e fortuna, que são típicos do pensamento renascentista. Os estudiosos do Renascimento debateram a questão para saber o que é mais importante na vida humana: se é a virtude, que é uma qualidade moral de uma pessoa, ou a fortuna, que consiste na sorte. Assim, embora essas quatro cartas mostrem conceitos abstratos, em vez de pessoas ou papéis sociais específicos, elas ainda operam na esfera terrena da vida humana.

A parte seguinte dos Arcanos Maiores não se refere a posições sociais ou normas aceitas. Em vez disso, vemos cartas perturbadoras e desafiadoras que estão desanexadas da ordem social comum. As figuras dessas cartas não têm marcas de *status*, suas ações parecem misteriosas ou sobrenaturais, e algumas delas estão nuas. O Enforcado mostra um homem numa situação incomum, e não está claro se ele expressa sofrimento ou a escolha de mortificar a si próprio. A carta 13 mostra um esqueleto com uma foice num campo cheio de membros amputados. A carta do Diabo, com um corpo bissexual insolente e dois diabretes amarrados, zomba das normas convencionais. Até a carta da Torre, que à primeira vista pode parecer uma imagem realista de um raio atingindo uma estrutura alta, em vez disso sugere "fogo vindo do céu", com a referência misteriosa à casa de Deus em seu título.

No final dos Arcanos Maiores, vemos outro tipo de mudança, não apenas nos temas, mas também na estrutura das cartas. Agora elas são divididas verticalmente entre alguma ação no plano terreno e algum objeto ou figura no céu. As figuras humanas são menores e muitas delas estão parcial ou completamente nuas. Em contraste com as atividades concretas ou as alegorias simples do início dos Arcanos, agora não está claro o que as figuras estão fazendo exatamente e por quê. Quem é a jovem nua na carta da Estrela e por que ela está derramando água no rio? Qual é a relação entre ela e a estrela que dá nome à carta? E as duas crianças seminuas sob o sol ou os dois cães e o crustáceo sob a lua? Tudo isso está longe do mundo comum da vida prática e das alegorias simples. Em vez disso, elas parecem misteriosas, mitológicas e oníricas.

Como em qualquer padrão nas cartas, aqui também não há um desenvolvimento uniforme e ordenado. Pelo contrário, trata-se de uma história complexa com reviravoltas, saltos e exceções. As diferentes partes dos Arcanos Maiores se interpenetram, sem nenhuma separação clara entre elas. A carta do Amante aparece no início dos Arcanos Maiores, embora sua estrutura se assemelhe à última parte: uma divisão entre a terra e o céu, várias figuras pequenas e até um anjo nu ou cupido. A carta da Temperança aparece no meio dos Arcanos Maiores, como uma grande figura completamente vestida, numa atitude descontraída, em contraste com o caráter dramático e as figuras nuas das cartas circundantes. E no final dos Arcanos Maiores, a carta do Mundo tem uma estrutura simétrica e formal própria, que não se assemelha a nenhuma outra.

Proximidade e Exposição

Na primeira metade dos Arcanos Maiores, quase todas as figuras estão vestidas. Algumas delas também estão excessivamente cobertas – por exemplo, os xales e capas na carta da Papisa ou a armadura na carta do Carro. Em contraste, muitas figuras da segunda metade dos Arcanos Maiores estão nuas até certo ponto: parcialmente nuas nas cartas do Sol e do Mundo, totalmente nuas na carta do Diabo, da Estrela e do Julgamento e nua "até os ossos" na carta 13. A aparência de muitas figuras nuas no tarô é surpreendente, especialmente se lembrarmos que as cartas foram projetadas numa era conservadora.

Em nossa sociedade, a nudez geralmente é associada à sexualidade. Mas a única carta em que a nudez parece surgir num contexto sexual é a do Diabo, cujas figuras semi-humanas são lascivas e destituídas de vergonha, e não sexualmente atraentes. Parece que a aparência de nudez nas cartas não se relaciona a sexo. Em vez disso, pode estar ligada à ideia de *status* social. No começo dos Arcanos Maiores, as roupas não apenas cobrem o corpo, mas também nos dizem algo sobre a posição e a profissão da pessoa. Todas as figuras se vestem de maneira a expressar sua ocupação social: armaduras para o guerreiro, um traje real para o imperador, uma túnica simples para o eremita. O mesmo é verdade na vida real. Numa sociedade tradicional, existem regras claras que ditam quem pode usar determinada roupa, e em nossa sociedade também se pode adivinhar as ocupações e condições sociais das pessoas pela maneira como se vestem.

No final dos Arcanos Maiores, os sinais de *status* social desaparecem junto com as roupas. Nem os nomes das cartas nem os detalhes das ilustrações nos dizem quem são essas pessoas e qual é a posição social delas. Isso retira as figuras do contexto da vida terrena. Curiosamente, com a remoção dos significantes sociais, uma nova estrutura aparece nas ilustrações das cartas. Agora elas mostram as coisas acontecendo em dois níveis: no solo (terrestre) e no céu (espiritual).

A aparência do céu também pode significar uma abertura para um nível superior de realidade e consciência. É como entrar no espaço da leitura do tarô ou no círculo do ritual mágico. Estabelecemos contato com esferas mais elevadas, deixando de lado nossa identidade social mundana e nossas defesas, ficando expostos em nossa misteriosa existência como seres humanos. Essa pode ser a razão pela qual, em muitas culturas, é comum realizar rituais de magia nu ou com vestes uniformes e simples, que evitem todas as distinções causadas pelo *status* social.

Quando as pessoas solicitam uma leitura, elas ficam expostas, revelando detalhes íntimos do que se passa na vida e na mente delas. Essa é uma das características mais impressionantes da leitura de tarô: com que rapidez e intensidade as pessoas se abrem e compartilham conteúdos que geralmente mantêm secretos e longe dos olhos das outras pessoas e às vezes até de si mesmas. Mas fazendo isso, elas se expõem como seres humanos que compartilham as mesmas preocupações e problemas, independentemente do nível social, da condição econômica ou do nível de instrução. Diante das forças misteriosas que podemos sentir por meio das cartas, somos todos simplesmente humanos. A nudez das figuras pode ser apenas a maneira de as cartas nos lembrarem disso.

Na leitura, a nudez também pode fazer parte da linguagem simbólica das cartas. Ela pode simbolizar a exposição, a abertura e a remoção de defesas e barreiras. A associação da nudez com um nível espiritual, nas cartas, também pode significar abertura para mensagens das esferas mais elevadas. Num sentido negativo, isso pode ser interpretado como uma exposição perigosa, vulnerabilidade e natureza indefesa. Por outro lado, roupas apertadas e pesadas podem significar suspeita, fechamento, dificuldade em desapegar, necessidade de manter as defesas e autopreservação.

A paisagem nas ilustrações das cartas também pode refletir a oposição entre aberto e fechado. Um campo aberto expressa a exposição e a remoção de barreiras. Paredes e outras construções obstrutivas significam defesas e bloqueios. Podemos interpretar a roupa ou a nudez de uma figura como tentativas de se manter protegido ou ficar exposto, respectivamente, enquanto a natureza da paisagem circundante pode significar o grau de abertura ou fechamento que o ambiente propicia.

Como em qualquer padrão das cartas, a interação entre fechado ou vestido e aberto ou nu não é linear e uniforme. Começando no meio dos Arcanos Maiores, depois de cada carta com nudez ou abertura, vem uma carta com estruturas de bloqueio ou figuras vestidas e vice-versa. No Enforcado (12), a figura está vestida e bloqueada por todos os lados por uma moldura de madeira. A carta 13 apresenta nudez extrema, "até os ossos", e a carta 14 mostra a figura da Temperança vestida até o pescoço. A carta 15 apresenta o Diabo e seus diabretes descaradamente nus, enquanto a carta 16 mostra uma construção de tijolos e figuras vestidas.

A Estrela (17) novamente apresenta nudez livre e fluida num campo aberto, enquanto a Lua (carta 18) mostra uma paisagem bloqueada por torres fechadas. Mas agora uma terceira opção aparece, uma espécie de fusão entre aberto e fechado, com a parede baixa e a nudez parcial da carta do Sol (19). O Julgamento (20) novamente mostra figuras nuas, e aqui até a terra e o céu se abrem um para o outro. Os Arcanos Maiores terminam na carta do Mundo (21) com uma nova combinação de aberto e fechado: uma figura nua parcialmente coberta por um lenço leve e dançando dentro de uma guirlanda suave e protetora.

A Jornada do Louco

Não podemos ter certeza das intenções dos criadores originais do tarô. Mas, se eles de fato tinham algumas ideias neoplatônicas em mente, parece mais provável que pretendiam indicar uma progressão do mundano para o espiritual, e não o contrário. Examinando dessa maneira, podemos interpretar a sequência como uma história dinâmica da evolução pessoal ou como uma busca de iniciação. A história começa com o despertar de uma pessoa para o fato de que ela está encapsulada no mundo terrestre do *status* social e das posses materiais. A jornada passa por provações pessoais e o sofrimento causado pelas dificuldades, o que leva a uma plena realização da existência humana com o despertar espiritual, a abertura e a autoexposição.

No movimento da Nova Era, essa leitura ficou conhecida popularmente como "A Jornada do Louco". A ideia é que as cartas numeradas dos Arcanos Maiores representam etapas consecutivas de uma busca espiritual. Somente a carta excepcional do Louco parece não representar nenhum estágio específico. Em vez disso, ele é o próprio viajante, a pessoa que está passando pela jornada. Passo a passo, ele avança pelos estágios sinalizados por todas as outras cartas, chegando finalmente à sua plena realização com a imagem do Mundo.

Essa ideia é mais bem exemplificada com o Tarô de Marselha, no qual a carta do Louco é excepcional porque não é numerada. Isso é diferente da visão da Aurora Dourada, segundo a qual o Louco (0) era o objetivo final da jornada, não a pessoa que passa por isso. Também podemos ver uma sugestão dessa ideia na derivação do nome "tarô", que veio de "cartas do Louco". Na linguagem das cartas, talvez o Louco carregue na sua trouxa todas as outras cartas, tirando cada uma à medida que alcança as estações correspondentes ao longo do caminho.

Depois que Eden Gray, escritor de tarô da Nova Era, introduziu essa ideia, surgiram muitas versões da Jornada do Louco. Aqui está uma versão inspirada nas imagens Conver-CBD do Tarô de Marselha. Isso não significa que essa seja "a verdadeira história" por trás da sequência dos Arcanos Maiores, nem que seja o modelo universal a ser seguido por qualquer buscador espiritual. As cartas podem ser reorganizadas em muitas combinações possíveis e qualquer pessoa pode encontrar seu próprio caminho através delas. Em vez disso, a narrativa da Jornada do Louco é uma maneira de colocar em mente a ideia da sequência dos Arcanos Maiores como uma história coerente, com uma direção, um sentido e um propósito, antes de entrar nos detalhes de cada carta separadamente.

O Louco, A Roda da Fortuna

A Roda da Fortuna, carta de número 10 (que é significativo na numerologia), pode ser considerada uma reviravolta nessa história. A roda que gira pode simbolizar os ciclos da vida cotidiana, com seus altos e baixos. Por exemplo, ela pode representar o ciclo repetitivo de dias úteis, desde a hora de acordar até a hora de dormir. Pode simbolizar uma semana ou um ano, com seus ciclos regulares de feriados e reuniões sociais. Também pode representar o ciclo de gerações de uma família. E, em termos budistas, podemos vê-la como *samsara*, o ciclo repetitivo de nascimento e renascimento.

As cartas de números menores que o 10 podem representar estágios de crescimento na sociedade normal. O Mago, a carta 1, representa o primeiro despertar da nossa própria individualidade. Suas ferramentas espalhadas sobre a mesa podem representar capacidades e potenciais que podem ou não ser utilizados. As quatro cartas a seguir são figuras significativas de autoridade, que influenciam nossos primeiros anos de vida: os pais na Imperatriz (3) e no Imperador (4), os professores na Papisa (2) e no Papa (5).

O Mago, A Papisa, A Imperatriz, O Imperador, O Papa

A carta do Amante (6), com seu desenho incomum para esta parte dos Arcanos Maiores, volta nossa atenção para o indivíduo que está saindo da infância. A figura entre duas mulheres indica possivelmente as escolhas que fazemos quando jovens adultos, com consequências que nos acompanham pelo resto da vida. E a aparição do Cupido celestial na carta pode simbolizar a qualidade edificante e quase mística dos nossos primeiros encontros de amor.

O Amante

Podemos ver as próximas três cartas como uma única unidade. O Carro (7) e o Eremita (9) podem representar dois opostos. A carta da Justiça (8), com a balança e a espada, pode pesá-las, comparando-as, bem como cortar e escolher entre elas num dado momento. Por exemplo, podemos ver a figura adulta serena no meio, como um equilíbrio entre as figuras de um jovem e de um velho dos lados. O Carro pode simbolizar a vaidade da juventude e seu desejo de sair e conquistar o mundo, enquanto o Eremita significa maturidade e uma perspectiva cautelosa com base na experiência. Além disso, o Carro pode simbolizar uma ocupação com realizações externas, enquanto o Eremita indica uma busca interior por sabedoria e autoconsciência. A carta da Justiça também pode representar as leis e normas da sociedade, que governam nossas ações externas e a formação dos nossos valores interiores.

O Carro, A Justiça, O Eremita

Tudo isso faz parte da vida humana na sociedade cotidiana. A busca pelo despertar para um nível mais elevado de existência começa somente depois da carta da Roda da Fortuna. A Força (11), com uma mulher domando um leão cuja cabeça está nos seus quadris, pode significar uma batalha moral consigo mesmo para controlar os desejos animalescos. O misterioso Enforcado (12) leva seu próprio autoexame ao extremo. Pendurado de cabeça para baixo, ele coloca em questão todas as suas suposições sobre o que está acima e o que está abaixo. Ele também se arrisca, desistindo da base sólida da realidade aceita, enquanto paira sobre um abismo com as mãos atrás das costas.

A Força, O Enforcado

O próximo grupo de cartas mostra desafios e provas dramáticas com um efeito transformador. A aparência sombria da carta 13 a faz se sobressair entre todas as outras. Até a falta de título pode sugerir coisas assustadoras demais para serem nomeadas. A figura inflexível do esqueleto, a ponta afiada da foice e as cabeças e membros decepados indicam desintegração e mudança irrevogável. A cabeça coroada à direita pode simbolizar figuras de autoridade do passado e valores orientadores que agora são descartados e pisoteados.

Carta 13, A Temperança, O Diabo, A Torre

A carta da Temperança (14) aparece como um alívio temporário, na forma de uma reconciliação suave e um apaziguamento das tensões. Pode significar que vai levar um tempo para se conseguir pacientemente o resultado do teste extremo da carta anterior. Isso também pode ser necessário antes de se enfrentar os paradoxos lascivos e os anarquismos obscenos dos desejos decorrentes dos níveis obscuros do Diabo (15). Na Torre (16), podemos ver o colapso de antigas estruturas estabelecidas e dos valores, mas também uma abertura para forças superiores, vindas de cima. Além disso, essa carta pode representar a desistência de ilusões vãs e a descida ao terreno humilde, mas fértil, da existência real.

As três cartas a seguir podem significar, juntas, um estado desperto que vem depois dessas experiências tentadoras. Agora a vida na terra está infundida com uma consciência de níveis mais elevados, simbolizados pelo aparecimento dos corpos celestes acima. Mas também podemos vê-la como outra evolução: da ingênua e completa exposição da carta da Estrela (17), passando pelo confronto com as camadas profundas e obscuras da mente na carta da Lua (18) e chegando, por fim, à aceitação equilibrada e restrita da bem-aventurança celestial, na carta do Sol (19).

A Estrela, A Lua, O Sol

As duas últimas cartas, cujas imagens foram extraídas da visão cristã tradicional da redenção final, podem indicar o estado desejado de consciência espiritual, no final da busca. Na carta do Julgamento (20), vemos o céu, a terra e o abismo se abrindo uns para os outros. O eixo vertical espiritual encontra o eixo horizontal terrestre, e as três figuras podem recordar uma reparação psicológica das relações iniciais com as figuras parentais. A carta equilibrada e simétrica do Mundo (21) é a última estação da jornada, com todos os elementos encontrando seu lugar em perfeita harmonia.

O Julgamento, O Mundo

Ainda assim, essa visão sublime também pode ser uma armadilha. De uma situação perfeita não há para onde ir, não há lugar para melhorias adicionais. Talvez seja melhor se pensar na Jornada do Louco não como uma linha reta, mas como um círculo que se repete, cada vez em um nível superior. Com essa visão, podemos interpretar a forma oblonga e estranha entre as pernas da mesa do Mago tanto como uma abertura de onde ele nasceu quanto como uma forma esvaziada da guirlanda da carta do Mundo, agora vista como um útero. Quando o Mundo dá à luz o Mago, é hora de começar a jornada mais uma vez.

Também podemos pensar que a própria imagem das cartas como estações fixas numa trilha linear é muito restrita. Talvez seja melhor vê-la apenas como uma possível história entre muitas. Uma imagem mais rica aparece num romance de ficção fantástica de 1932, da autoria de Charles Williams, chamado *The Greater Trumps* [Os Trunfos Maiores] (um nome antiquado para as cartas dos Arcanos Maiores). Williams imagina as cartas de tarô como figuras douradas tridimensionais, que se movem incessantemente numa dança complexa, refletindo a grande dança da vida. Olhando para a dança das figuras do tarô, pode-se entender e prever os movimentos correspondentes dos acontecimentos da vida real.

Entre todas as figuras dançantes, apenas o Louco parece estar de pé, imóvel. Dizem que quem entende o significado desse fato vai decifrar o grande segredo do tarô. O segredo como tal não é revelado nesse livro de Charles Williams, mas podemos encontrar uma dica numa das personagens femininas, que é uma pessoa iluminada, dotada de amor incondicional. Só ela vê o Louco saltando constantemente para lá e para cá, desaparecendo e reaparecendo mais uma vez, sempre preenchendo as lacunas vazias entre as outras cartas.

Letras Hebraicas

Muitos escritores das escolas francesa e inglesa acreditavam que as 22 cartas dos Arcanos Maiores correspondiam às 22 letras do alfabeto hebraico. Essa correspondência era significativa para eles, porque textos cabalísticos tradicionais atribuem significados espirituais e poderes mágicos às letras hebraicas. Cada uma das duas escolas, porém, tinha seus próprios métodos para estabelecer as correspondências exatas.

O fundador da tradição francesa, Éliphas Lévi, ligou a primeira letra, *alef*, ao Mago, que é a primeira carta dos Arcanos Maiores. Lévi também via o formato do corpo do Mago, com um braço para cima e o outro para baixo, como uma sugestão da forma da letra hebraica *alef*. Ele ligava a segunda letra, *bet*, à carta da Papisa (2) e assim por diante, pela ordem padrão do alfabeto hebraico.

Essa correspondência cria outras ligações interessantes entre as cartas e as letras, das quais algumas Lévi talvez estivesse ciente. A letra *kaf* foi ligada à carta da Força. Em hebraico, *kaf* significa "palma", como as palmas das mãos segurando o leão da carta. O Enforcado, na carta 12, com sua perna dobrada, se assemelha à forma da letra *lamed*. A letra *mem* corresponde à carta 13, que às vezes é chamada de Morte (*mavet* em hebraico). O Diabo recebeu *samekh*, a letra inicial de Samael, que é o nome do diabo em hebraico. O corpo e as pernas da figura em queda à esquerda, na carta da Torre, são semelhantes à forma da letra *ayin*. Lévi também colocava o Louco antes da última carta, combinando-o com a letra *shin*. Essa é a letra inicial de *shoteh*, que em hebraico significa "tolo". *Tav* é a letra inicial de *tevel*, que em hebraico significa "o mundo".

A escola inglesa de tarô adotou um sistema diferente. Como a carta do Louco foi passada para o início dos Arcanos Maiores, ela correspondia à primeira letra, *alef*. O restante das cartas recebeu correspondências de acordo com a ordem da sequência, o que fez *bet* corresponder ao Mago, *gimel* (a terceira letra) à Papisa e assim por diante. Essa correspondência pode parecer estranha para quem conhece gematria, a notação tradicional de números por letras hebraicas, algo que é muito importante na Cabala. Por exemplo, *bet* na gematria é 2, mas no método da Aurora Dourada ela corresponde à carta 1. Mesmo assim, os líderes da Aurora Dourada a adotaram. Mais tarde, Crowley modificou ainda mais suas correspondências, trocando as cartas do Imperador e da Estrela.

O resultado é que existem diferentes maneiras de combinar as letras hebraicas com as cartas de tarô. Isso é um pouco confuso, porque, em vários tarôs mais novos, as letras hebraicas estão escritas nas cartas. Como alguns desses baralhos fazem isso pelo sistema inglês e outros pelo sistema francês, cada um deles mostra uma letra diferente na mesma carta.

Numa leitura aberta sobre problemas pessoais com o Tarô de Marselha, essa questão não é tão importante, pois as letras hebraicas não aparecem nas cartas. Portanto, todo o problema pode ser ignorado. Ainda assim, intérpretes que falam hebraico ou conhecem a Cabala podem usar as correspondências como uma camada adicional de significado. Por exemplo, muitos acreditam que o nome de uma pessoa influencia a vida dela. Para entender a influência de um nome específico, podemos escrevê-lo em hebraico, dispor as letras correspondentes numa fileira e lê-las. Um método semelhante pode ser usado com combinações de letras cabalísticas, que supostamente têm efeitos positivos. Fazendo isso, podemos criar um talismã da sorte feito de cartas de tarô. Como alternativa, uma carta que aparece numa tiragem pode receber um significado específico, buscando-se uma pessoa ou um local cuja primeira letra do nome corresponda à letra hebraica.

Se desejarmos usar uma correspondência com letras hebraicas, qual sistema devemos adotar? Uma escolha razoável seria nos basear no tarô que estamos usando. Com o Tarô de Marselha e outros da escola francesa, podemos usar o sistema de correspondências de Éliphas Lévi. Com os tarôs da escola inglesa, como o de Waite, é possível usar o sistema da Aurora Dourada. Se você não sabe a qual escola seu baralho pertence, é uma boa ideia verificar os números das cartas da Justiça e da Força. Na escola francesa, A Justiça é a carta 8 e A Força é a carta 11, e na escola de inglesa é o contrário.

A tabela a seguir relaciona todas as cartas dos Arcanos Maiores com seus títulos e números, e as letras hebraicas correspondentes em ambas as escolas. Os primeiros itens para cada carta são como na escola francesa: número da carta (em algarismos arábicos), nome da carta (como neste livro), número da carta em algarismo romano, título (como no Tarô de Marselha de Conver) e letra e glifo hebraico (de Lévi). Os itens da escola inglesa seguem, incluindo o número e a letra hebraica (padrão da Aurora Dourada). Observe que, no Tarô de Marselha, a carta 13 não possui título e C Louco não tem número.

Tabela I: Títulos dos Arcanos Maiores e Letras Hebraicas

CARTA		ESCOLA FRANCESA				ESCOLA INGLESA	
1	O Mago	I	Le Bateleur	Alef	א	1	Bet
2	A Papisa	II	La Papesse	Bet	ב	2	Gimel
3	A Imperatriz	III	L'Imperatrice	Gimel	ג	3	Dalet
4	O Imperador	IIII	L'Empereur	Dalet	ד	4	He
5	O Papa	V	Le Pape	He	ה	5	Vav
6	O Amante	VI	L'Amovrevx	Vav	ו	6	Zain
7	O Carro	VII	Le Chariot	Zain	ז	7	Khet
8	A Justiça	VIII	La Justice	Khet	ח	11	Lamed
9	O Eremita	VIIII	L'Hermite	Tet	ט	9	Yod
10	A Roda da Fortuna	X	La Rove de Fortvne	Yod	י	10	Kaf
11	A Força	XI	La Force	Kaf	כ	8	Tet

CARTA		ESCOLA FRANCESA				ESCOLA INGLESA	
12	O Enforcado	XII	Le Pendu	Lamed	ל	12	Mem
13	Carta 13	XIII		Mem	מ	13	Nun
14	A Temperança	XIIII	Temperance	Nun	נ	14	Samekh
15	O Diabo	XV	Le Diable	Samekh	ס	15	Ayin
16	A Torre	XVI	La Maison Diev	Ayin	ע	16	Pe
17	A Estrela	XVII	Letoille	Pe	פ	17	Tsadi
18	A Lua	XVIII	La Lune	Tsadi	צ	18	Kof
19	O Sol	XIX	Le Soleil	Kof	ק	19	Resh
20	O Julgamento	XX	Le Jugement	Resh	ר	20	Shin
21	O Mundo	XXI	Le Monde	Tav	ת	21	Tav
	O Louco		Le Mat	Shin	ש	0	Alef

Capítulo 6

Os Arcanos Maiores

I

O · MAGO

Carta 1: O Mago

Bateleur é uma palavra francesa arcaica que significa mágico, malabarista, artista de prestidigitação, um *showman* popular ou, às vezes, um charlatão. O homem vestido com roupas extravagantes parece um mágico mambembe numa performance. Alguns dos objetos em suas mãos e na mesa podem ser reconhecidos como instrumentos de conjuração. Outros podem estar escondidos no que parece uma bolsa estranha. A mão levantada às vezes é interpretada como se estivesse direcionando a varinha na direção de poderes superiores acima, mas pode ser apenas um truque de conjuração para desviar a atenção do que a outra mão está fazendo.

O Mago está diante do portal

Tradições místicas muitas vezes descrevem um guardião que fica entre o domínio mundano e a outra realidade, da magia e da feitiçaria. Antes de embarcar numa jornada para o outro mundo, é costume pedir a permissão e a bênção do guardião. No tarô, essa figura pode ser representada pelo Mago, que abre a sequência dos Arcanos Maiores. Podemos pensar na forma alongada no horizonte, entre as pernas do Mago, como o portal para uma realidade mágica. A carta pode ser usada para focar nossa atenção quando começamos uma experiência que vai além da realidade terrena; por exemplo, uma cerimônia mágica ou uma sessão de visualização orientada.

O mágico mambembe é um homem comum, de condição social inferior, mas, depois que o espetáculo começa, ele aparece como um poderoso mago, usando poderes misteriosos para mudar os acontecimentos da vida real. Também podemos pensar que ele é, na verdade, um mágico de verdade, que se disfarça de humilde conjurador de rua. A respeito disso, a carta pode sugerir a ideia de que o pensamento cria a realidade, o que significa que nossas ideias e nossa vontade podem mudar os acontecimentos da vida. Ela também pode se referir ao uso de feitiçaria, geralmente com bons propósitos, assim como indicar uma pessoa que realiza rituais místicos e mágicos.

O Mago começa algo novo

Como a primeira carta dos Arcanos Maiores, o Mago pode significar um começo. Por exemplo, ela pode representar o processo de embarcar numa jornada ou o início de uma nova iniciativa. A ilustração colorida e o rosto jovem do mago, com seus cachos fluidos, dão a sensação de um bom começo. O chapéu com uma aba que se abre para cima reflete uma vontade de aprender e se desenvolver. O pé do lado esquerdo aponta para o passado e está fechado por todos os lados. O pé à direita toca uma superfície branca aberta, o que representa um passo em direção a um futuro ainda indefinido.

Num sentido mais profundo, podemos ver na carta o ponto de partida da jornada da vida. A forma alongada entre as pernas pode ser vista como o canal do nascimento de onde o mago saiu. Além disso, a forma branca entre as pernas do mago e a mesa sugere quadris femininos. As marcas no chão podem ser os primeiros passos a partir do momento real de nascimento. A carta pode, assim, se referir à fase da infância, em que desenvolvemos uma autoconsciência da nossa existência como indivíduos únicos, o que também é sugerido pelo número 1. Ela também pode simbolizar o ego ou indicar uma personalidade imatura e egocêntrica.

O Mago usa instrumentos

Alguns instrumentos na mesa são mais fáceis de reconhecer do que outros. Três deles lembram os símbolos dos Arcanos Menores: um copo (que lembra o naipe de Copas), uma faca (que pode sugerir o naipe de Espadas) e esferas semelhantes a moedas (outro nome do naipe de Ouros). Junto com a varinha na mão do mago, podemos ver os símbolos dos quatro naipes, que representam os domínios da vida terrena. A carta pode simbolizar os instrumentos e os meios que estão à disposição do consulente. Pode sugerir a aquisição de novas habilidades profissionais ou indicar improvisação e uso dos meios existentes de uma maneira criativa.

A varinha e o objeto de formato estranho na mão direita do Mago podem ser símbolos do masculino e do feminino, que ele aponta um para o outro. O Mago tenta fazer com que os opostos se encontrem. No entanto, com uma medição precisa, podemos ver que a continuação da linha da varinha passa acima da outra forma e não diretamente através dela. Isso pode indicar uma tarefa que não foi alcançada ou a experiência de não atingir um objetivo por causa de imprecisão ou negligência. Pode-se ver também aqui um encontro fracassado entre um óvulo e um espermatozoide, significando falha na concepção.

O Mago cria ilusões

O Mago, com suas roupas extravagantes, é uma figura encantadora e sedutora. Mas sua aparência pode ser uma ilusão, uma demonstração calculada de truques. Ele pode representar uma pessoa com charme pessoal, um caráter carismático e uma figura persuasiva ou uma personalidade extrovertida. A carta também pode se referir a alguém que faz performances em público, um ator ou alguém envolvido no *show business*, um vendedor ou um profissional de relações públicas. Ele também pode ser um charlatão, um manipulador ou um vigarista.

Uma visão mais filosófica pode vincular a carta à ideia mística de que a realidade terrena e a ideia de um eu separado são uma ilusão, algum tipo de magia mostrando que nossa consciência brinca consigo mesma. O número da carta expressa a ideia de individualidade. A tabela e a organização das ferramentas são objetos e situações que percebemos no espetáculo ilusório deste mundo. O chão sob os pés do mago é a realidade material, a suposta base da nossa existência. Mas podemos notar que o chão não continua além das pernas da mesa, então talvez também faça parte da grande ilusão.

O Mago vê apenas uma parte

Acima da superfície da mesa, o Mago demonstra confiança e habilidade. Mas, sob a mesa, os pés apontam para direções opostas, indicando hesitação e indecisão. A presença da mesa, que esconde os quadris, também pode simbolizar um bloqueio da energia sexual ou criativa.

O Mago parece não ter consciência do que se passa nos níveis básicos do seu ser, o que também pode estar relacionado às influências da sua primeira infância. Seu campo de visão é incompleto: a mesa se estende para fora da moldura da carta e a bolsa pode conter outros instrumentos dos quais ele não tem conhecimento. A carta pode, assim, indicar uma falta de autoconsciência psicológica ou confusão interior escondida sob uma aparência confiante. Também pode simbolizar uma ignorância de fatores básicos, mas possivelmente significativos. Numa nota positiva, pode indicar potenciais e oportunidades inexploradas.

II

A · PAPISA

Carta 2: A Papisa

Nos baralhos ingleses, esta carta é chamada de "A Alta Sacerdotisa", mas "La Papesse" em francês significa "A Papisa". A carta pode se referir à lendária história do Papa Joan (Johanna), que era muito conhecida no final da Idade Média. Segundo a história, Johanna era professora de filosofia, no século IX, em Roma. Devido às convenções sociais da época, Johanna tinha que ensinar disfarçada de homem. Sua grande sabedoria a tornou popular e logo ela ficou conhecida como a melhor professora de Roma. Naquela época, o papa morreu e Johanna, ainda se passando por homem, foi eleita para substituí-lo. Ela foi papa por vários anos, mas seu segredo foi revelado quando ela deu à luz durante uma procissão e a multidão enfurecida apedrejou a ela e ao bebê, matando ambos.

A Papisa é uma mulher sábia

A Papisa segurando um livro lembra a deusa da sabedoria de várias mitologias, como Athena na Grécia, Sophia em seitas helenísticas e Saraswati na Índia. A faixa do título, na parte superior da carta, é excepcionalmente estreita, o que faz com que a ponta da tiara da Papisa se estenda até mais para cima, em comparação com outras cartas. Isso pode indicar um tipo mais elevado de sabedoria ou intuição de fonte sublime. O fato de o livro estar inclinado para a esquerda, que representa o passado, sugere a posse de conhecimento antigo ou tradicional. O livro indica sua capacidade de entender e expressar em palavras. Ele está aberto, mas parcialmente escondido pelo manto: a Papisa está disposta a compartilhar conhecimento com as outras pessoas, mas é preciso fazer um esforço para recebê-lo e entendê-lo.

A carta pode significar sabedoria antiga, possivelmente com um personagem do sexo feminino. Por exemplo, pode ser o tipo de conhecimento transmitido tradicionalmente entre as mulheres, como a magia popular ou os métodos de cura natural. Evidentemente, ela também pode se referir a um homem que aplique esse conhecimento. A história do Papa Joan também pode ser interpretada como uma ênfase ao conhecimento subversivo, que enfraquece as convenções estabelecidas e o poder existente nas estruturas da sociedade.

A Papisa é uma mãe espiritual

De acordo com as escrituras das seitas agnósticas, nos primórdios do Cristianismo, a antiga deusa da sabedoria, Sophia, é a mãe do deus masculino que criou o mundo e depois se esqueceu quem lhe deu à luz. Essa é a figura antiga da "Mãe de Deus", que no Cristianismo se tornou Maria, mãe de Jesus. Nas pinturas tradicionais da anunciação cristã, Maria aparece com um livro semelhante ao que vemos na carta.

O tema da maternidade também aparece na história do Papa Joan. Mas o corpo coberto e o livro passam uma impressão de distância e intelectualidade. A carta pode se referir à maternidade expressa, não como colo e carinho, mas como sábios conselhos e orientações. Também pode indicar uma mãe fria e desapegada. Ela pode ainda se referir a uma mãe real ou representar uma mãe espiritual, atuando como guia ou professora.

A Papisa estabelece limites

A Papisa está visivelmente mais vestida do que outras figuras dos Arcanos Maiores em trajes. A região do peito é totalmente coberta, os quadris e as pernas estão completamente escondidos sob a túnica, e o rosto, embora visível, está envolto em panos. Na linguagem simbólica das partes do corpo, a Papisa se expressa apenas no domínio intelectual e faz isso também de forma controlada e limitada. Os outros domínios do corpo, desejo e sentimento, são bloqueados e reprimidos. O tecido ao fundo sugere a ideia de virgindade, ligando ainda mais a figura à Virgem Maria.

A carta pode simbolizar uma atitude fechada e protetora ou falta de sensualidade. Também pode significar a escolha de se manter espiritualmente imaculado, conservadorismo puritano ou visões preconceituosas da sexualidade. Do ponto de vista psicológico, pode indicar o estabelecimento de barreiras firmes com relação ao eu, seja para definir os limites do ego, seja para evitar contato íntimo. Também pode expressar o estabelecimento de barreiras morais para si mesmo ou para as outras pessoas. Em questões práticas, a carta pode expressar conhecimento e compreensão, mas não ação real.

A Papisa esconde seus poderes

A história do Papa Joan é sobre uma mulher que precisa ocultar sua feminilidade e seus pontos fortes, num mundo dominado pelos homens. Essa é uma situação que também pode ser relevante hoje. Por exemplo, a carta pode representar uma mulher adotando atitudes "masculinas" para ser aceita numa empresa ou ambiente profissional. Também pode indicar dificuldade em aceitar um relacionamento em que as habilidades ou a condição social da mulher superam as do parceiro. No caso de um homem, a carta pode descrever a pressão social que o impede de expressar traços considerados femininos.

Num nível mais geral, a carta pode expressar a necessidade de ocultar características pessoais, como orientação sexual, opiniões pouco aceitáveis ou qualquer outra coisa considerada fora do comum ou ilegítima pelos padrões da sociedade. Como alternativa, ela pode simbolizar uma pessoa tímida ou modesta, que não se gaba de suas qualidades e virtudes.

A Papisa guarda um segredo

A natureza velada da carta é expressa não apenas nas roupas, mas também no tecido atrás da Papisa, como se ela estivesse ocultando algo atrás de si. A carta da Papisa pode se referir a segredos pessoais, movimentos secretos ou assuntos delicados que não devem ser revelados abertamente. Também pode indicar um mistério ou sugestão de um segredo espiritual que deve ser protegido dos que não merecem conhecê-lo. Num sentido negativo, pode indicar sigilo excessivo e dificuldade para se abrir ou se expor.

A carta da Papisa também pode se referir à própria leitura das cartas de tarô. Como uma figura que conhece segredos "por trás do véu", a Papisa pode representar o intérprete. A carta também pode significar que o consulente está escondendo algo do intérprete das cartas. Como a última carta da leitura, ela pode indicar que a resposta à consulta está escondida atrás de um véu, por isso não pode ser revelada no momento.

III

A IMPERATRIZ

Carta 3: A Imperatriz

A águia heráldica é um símbolo comum das famílias reais da Europa. Um cetro com uma cruz sobre uma esfera combina elementos que também estão ligados à realeza tradicional. Esses elementos também aparecem na carta do Imperador, indicando que as duas figuras pertencem à mesma família e são possivelmente casadas. Como emblema hereditário, o escudo da águia pode representar legitimidade, tradição e herança familiar. O cetro representa poder e autoridade. Enquanto o Imperador mantém os dois a distância, a Imperatriz os abraça. Essa diferença pode indicar que o Imperador depende de meios externos de controle e dominação, enquanto a atividade da Imperatriz flui do seu próprio ser e dos seus instintos.

A Imperatriz promove a fertilidade e o crescimento

Se a Papisa é a deusa da sabedoria e do mistério espiritual, a Imperatriz pode representar outra divindade feminina tradicional: a deusa da terra e da fertilidade. Essa figura da "Mãe Terra" remonta à Era Paleolítica e pode ser encontrada em várias culturas ao redor do mundo. Muitos autores de livros de tarô vincularam a carta a essa ideia de natureza feminina, como se ela simbolizasse a matéria vivificada por meio da sensualidade e das paixões.

Podemos ver sugestões de fertilidade sensual nas partes inferiores do corpo, largas e arredondadas, na posição sentada e no grande cetro partindo dos quadris. A pequena forma branca na barriga pode ser um símbolo da sexualidade feminina ou uma semente no útero. O número 3 também sugere fertilidade, criatividade e crescimento. Ele é enfatizado pela composição triangular, com o ápice na decoração peitoral e nos dois lados marcados pelas formas verdes inclinadas, nas bordas da carta.

Nesse aspecto, a carta da Imperatriz pode representar um processo que produz frutos por meio da evolução natural. Em questões práticas, ela expressa progresso, desenvolvimentos positivos ou um sentimento de abundância e fartura. A carta também pode ser usada como um foco para o sucesso de projetos que ainda estão em fase de desenvolvimento.

A Imperatriz é uma mãe terrena

A ligação com a deusa mãe e as sugestões de fertilidade feminina também podem dar à carta um significado literal de maternidade. Os brasões de águia representam a família imperial e a Imperatriz mantém o seu brasão próximo do coração. Também podemos ver a imagem do pássaro como um ser mais jovem, simbolizando uma criança que a Imperatriz está nutrindo. O toque dos dedos dela no corpo dele indica um relacionamento próximo, com muito carinho e emoção. É possível ver isso como evidência de um envolvimento excessivo e até irritante, por parte da mãe, na vida dos filhos.

Nesse aspecto, a carta pode se referir a uma figura materna calorosa e protetora. Talvez seja a própria mãe do consulente ou uma figura maternal forte e dominante na vida dele. Também pode se referir a uma consulente do sexo feminino, que é a mãe propriamente dita. Além disso, a carta também pode expressar instinto maternal ou o desejo de ter um filho.

A Imperatriz combina o natural e o artificial

As linhas e formas da carta da Imperatriz parecem mais naturais e fluidas do que as do Imperador. Além disso, o modo como ela segura o escudo e o cetro é mais suave e relaxado em comparação com o aperto rígido da mão do Imperador. Até o encosto do assento parece macio e inacabado, lembrando asas primitivas.

Ainda assim, a Imperatriz não é totalmente natural. Suas roupas combinam linhas arredondadas e fluidas com listras e ângulos agudos, que parecem trabalhados e artificiais. No canto inferior esquerdo da carta, vemos marcas de terra suaves e fluidas e, no canto superior esquerdo, a parte de trás do trono é traçada numa linha viva e orgânica. No lado direito, no entanto, as formas do piso e a linha externa do trono são retas e ascendentes. Assim, a ilustração da carta combina recursos naturais e qualidades artificiais. A Imperatriz expressa forças orgânicas da natureza e fertilidade, mas tudo isso dentro da estrutura artificial da sociedade e do governo.

A carta pode simbolizar um toque de suavidade e calor natural dentro de um sistema ou instituição que funciona de acordo com leis fixas. Por exemplo, pode ser um toque emocional ou humano no ambiente frio e calculado de uma empresa comercial. Também pode significar um conjunto de tendências "de volta à natureza", em contraposição a um estilo de vida moderno.

A Imperatriz age com paixão

O cetro grande encostado ao peito e inclinado para a direita sugere o naipe de Paus e o domínio dos desejos e da criatividade. Pode significar uma ação proveniente "das entranhas" e motivada por um impulso apaixonado, não por uma razão calculada. Mas também é possível interpretar a águia como um símbolo do intelecto, como aparece na carta do Mundo. A águia aparece no meio do corpo, indicando que nessa carta a racionalidade não é o fator dominante, mas é integrado com sentimentos e paixões. O olhar da águia é direcionado para a base do cetro, como se o intelecto servisse para controlar e direcionar a expressão dos desejos.

A Imperatriz expressa poder feminino

Uma interpretação natural da carta é vê-la como a figura de uma imperatriz – isto é, uma mulher numa posição forte e dominante. A carta pode refletir sua posição social, como administradora ou comandante, ou pode indicar uma personalidade forte e segura de si. Em contraste com a Papisa, que esconde sua feminilidade, a Imperatriz a exibe abertamente, como fonte de poder.

Ainda assim, existem também algumas características masculinas na Imperatriz. Em seu pescoço aparece um traço do pomo de adão, e o grande cetro apoiado no abdômen pode ser interpretado como um símbolo fálico. Podemos ver nessas características mais manifestações de autoconfiança. A Imperatriz não teme parecer não feminina ao fazer sua voz ser ouvida de maneira imponente ou quando emprega poder e autoridade para impor sua vontade.

O IMPERADOR

Carta 4: O Imperador

A coroa em forma de elmo lembra a nobreza guerreira da Idade Média e indica que o Imperador é soberano e guerreiro. A águia heráldica representa o Sacro Império Romano, que conferiu autoridade e legitimidade aos reinos e principados medievais da Europa Central. O objeto na mão direita do Imperador é uma combinação de dois símbolos reais tradicionais. Reis europeus eram frequentemente retratados segurando um cetro numa mão e um orbe esférico encimado por uma cruz na outra. O cetro simboliza poder e autoridade. O orbe representa a terra e a cruz acima indica que o domínio terreno é subordinado à lei cristã ou espiritual.

O Imperador domina a matéria

Em termos medievais, a figura do Imperador representa a autoridade terrena do Estado, em oposição à autoridade espiritual da Igreja. O número da carta também simboliza a estabilidade do domínio material e alguns também interpretam as pernas cruzadas como uma alusão à forma do número 4. A carta pode representar autoridade no domínio terrestre, como um governo oficial, um comandante militar ou o gerente de uma empresa. Dessa forma, ela pode se referir ao consulente ou ao seu superior. Também pode indicar uma condição financeira estável ou uma pessoa rica. De maneira geral, pode se referir à fonte de renda do consulente, assim como a seu local de trabalho.

O Imperador impõe sua vontade

A postura autoritária e a maneira firme de segurar o cetro trazem à mente uma pessoa imponente, alguém que dá ordens e espera que as outras pessoas as obedeçam. O cetro como símbolo fálico pode representar a dominação masculina; ele também pode ser usado como uma maça nas batalhas. Mas podemos vê-lo como uma referência ao naipe de Paus, simbolizando desejo e criatividade.

A carta pode significar uma personalidade forte, autoconfiança, assertividade e liderança. Do lado negativo, pode expressar um ditador, uma personalidade tirânica ou uma constante necessidade de estar no controle e administrar a vida de outras pessoas.

A carta também pode indicar uma atitude machista em relação às mulheres. Como a águia na carta do Mundo, a águia do Imperador pode representar o intelecto. A aparência dela sob o assento indica que o Imperador baseia sua posição na razão, mas seu poder e seu domínio reais dependem da sua capacidade de usar a força.

O Imperador é um pai terreno

A autoridade masculina do Imperador pode simbolizar uma imagem paternal tradicional. Como na carta da Imperatriz, o escudo da águia pode representar a família. O Imperador coloca o escudo atrás dele, como se visse a si mesmo como alguém protetor e provedor, e não como alguém que precise se envolver emocionalmente nos assuntos da família.

A carta pode se referir ao papel da paternidade do solicitante ou ao papel do seu próprio pai. Também pode representar alguém servindo como uma figura paterna; por exemplo, alguém que serve como patrono ou benfeitor. Além disso, a carta pode indicar os valores conservadores da honra, da virtude e da disciplina, ou talvez uma educação severa e autoritária.

O Imperador está pronto para lutar

O elmo militar e a força com que segura o cetro, com o punho fechado (de um jeito que parece que ele está pronto para dar um soco), dá à carta um caráter bélico e difícil. A postura sentada do Imperador também não é relaxada. Ele parece pronto para se levantar e lutar a qualquer momento. A carta pode expressar determinação, assertividade, autoconfiança e vontade de lutar e proteger seu território. Também pode expressar uma atitude beligerante e agressiva ou simbolizar alguém de pavio curto e propenso à raiva. Além disso, a carta pode se referir a questões militares e de segurança. A postura sentada e tensa pode indicar medo de inimigos reais ou imaginários, o que faz o consulente nunca baixar a guarda.

O Imperador se controla

A mão esquerda segurando o cinto dá a impressão de que o Imperador está se contendo. Pode-se ver também um significado semelhante nas pernas cruzadas. É como se a perna direita estivesse bloqueando a esquerda. Nas imagens dos primeiros reis medievais, pernas cruzadas indicam um rei agindo como juiz ou ditando leis – uma situação que exige disciplina e autocontenção. A cruz acima do orbe e do cetro também indica valores espirituais e morais acima dos desejos pessoais.

De acordo com os códigos de honra tradicionais da nobreza, o poder do Imperador deve se basear na autodisciplina e no comportamento irrepreensível, embora seja possível interpretar a perna cruzada como um bloqueio. Também podemos vinculá-lo ainda mais ao olhar voltado para a esquerda. O domínio do Imperador depende de realizações passadas, que em geral são as de seus predecessores. Assim, a atitude dele é basicamente conservadora: é difícil para ele abandonar as vantagens da sua condição social e seguir em frente.

O Imperador esconde suas fraquezas

Se olharmos apenas no quarto superior esquerdo da carta, veremos formas claras refletindo o poder e o controle do Imperador. Mas, do lado direito, as linhas são mais arredondadas e os contornos da terra são ambíguos. A parte inferior do escudo pode até ser vista como se estivesse posicionada sobre um buraco na terra. É possível interpretar isso como significando o abismo ou as profundezas da alma. Também pode representar fraqueza e vulnerabilidade, que não são mostradas na superfície.

Desse ponto de vista, a carta pode descrever uma pessoa que esconde seus medos e pontos fracos por trás de uma aparência dura ou poderosa. Por exemplo, taalvez faça referência a uma pessoa que teme se abrir para um relacionamento íntimo e revelar sua vulnerabilidade, então ela vive na defensiva e reage agressivamente contra quem tenta se aproximar.

V

O • PAPA

Carta 5: O Papa

O termo *Le Pape*, em francês, refere-se ao papa católico, cujos atributos aparecem na ilustração. A mão direita do Papa, com dois dedos estendidos, esboça o gesto latino da bênção usado pelos padres católicos. As pequenas cruzes nas mãos sugerem as luvas que geralmente são usadas pelos papas. As três coroas, simbolizando o domínio da Igreja no plano terreno, aparecem na tiara papal desde meados do século XIV. Uma versão anterior dessa carta tinha apenas duas, como na carta da Papisa, o que poderia ser entendido, portanto, como "uma história antiga". Até o século XIV, os papas também tinham barba. Outro atributo tradicional do Papa é a cruz de três barras, geralmente ligada à Santíssima Trindade.

O Papa oferece conselhos

As formas pouco claras na parte inferior da carta parecem duas pequenas figuras de costas. A cabeça delas está raspada na forma de tonsura, indicando membros ou aspirantes ao clero católico. O Papa parece ensiná-las e orientá-las, e elas talvez sejam seus pupilos ou discípulos. O círculo amarelo à esquerda pode ser um chapéu retirado em respeito. As cabeças descobertas poderiam simbolizar disposição para aprender e receber conselhos.

A carta do Papa pode representar uma figura de autoridade que oferece orientação e conselho ao consulente. Se a carta estiver na posição normal, pode indicar bons conselhos que devem ser ouvidos. A carta pode se referir a alguém que já esteja influenciando o consulente ou indicar que é necessário aconselhamento. Tal como acontece com a Papisa, o Papa também pode ser uma referência à própria interpretação das cartas. A diferença é que a Papisa representa o aspecto misterioso e intuitivo da sessão de tarô, enquanto o Papa representa orientação e terapia.

O Papa transmite conhecimento

Como chefe da Igreja, o Papa representa um sistema de conhecimento e valores com uma longa tradição e instituições bem estabelecidas. A carta pode se referir a qualquer tipo de conhecimento institucional. Por exemplo, ela pode simbolizar uma escola, uma universidade, um hospital ou um tribunal. Além disso, pode se referir à aprendizagem ou ao ensino numa instituição, ou a um método ou conduta que ocorra ali.

A carta também pode indicar os conselhos de um especialista profissional, como um médico, terapeuta, advogado, treinador ou qualquer outro tipo de orientador. Em questões jurídicas, talvez faça referência ao tribunal como um mecanismo mediador e não de julgamento, como podemos ver na carta da Justiça. Em matéria de terapia e cura, ela indica métodos convencionais e institucionais, em vez de abordagens alternativas, baseadas na intuição.

No relacionamento de um casal, a carta do Papa pode representar um procedimento oficial de reconhecimento do *status* entre as duas pessoas. No entanto, pode se tratar de casamento ou divórcio. Se houver um casal em dificuldades, a carta também pode representá-los buscando a ajuda de um terapeuta de casais ou um conselheiro matrimonial.

O Papa é um pai espiritual

A origem da palavra *papa* é "pai", o termo usado, em alguns idiomas, para se dirigir a um sacerdote. Ao simbolizar a figura de um pai e de um professor, a carta pode se referir a uma pessoa que teve um papel significativo na educação ou na evolução pessoal do consulente. Também pode indicar um líder religioso, um guia espiritual ou um guru. Em outros casos, a carta pode se referir ao pai propriamente dito e descrevê-lo como uma pessoa de altos ideais, um modelo de moral ou um pai racional e distante. A carta também pode representar uma parte de nossa própria personalidade, expressando a voz da nossa consciência, a educação que recebemos e os valores que absorvemos em nossa infância.

Os membros protestantes da Ordem da Aurora Dourada, que queriam eliminar as referências católicas, chamavam essa carta de "Hierofante". Hierofante é uma combinação de palavras gregas que significa "mostrar coisas sagradas". Na Grécia antiga, era o título do sumo sacerdote em rituais secretos conhecidos como mistérios eleusinos. Existem também alguns tarôs mais novos em que essa carta é chamada de "O Sumo Sacerdote", mas seu significado básico permanece o mesmo.

O Papa aponta para o céu

A mão direita do Papa aponta para cima, num gesto de bênção, marcando uma linha diagonal de progresso e ascensão. No entanto, a linha passa pelo cajado com a cruz, que simboliza a religião institucionalizada. É como se o Papa indicasse que o caminho para a salvação passa pela Igreja, que ele representa.

Ainda assim, diferentemente das cartas posteriores dos Arcanos Maiores, o que vemos aqui não é a esfera celeste em si, mas apenas um homem apontando para o céu. A orientação do Papa pode ser esclarecida e a carta pode representar um conselho inspirado. Mas também pode representar alguém que expressa seus próprios preconceitos e limitações, fingindo que representa o decreto do céu ou uma realidade objetiva. Por exemplo, a carta pode simbolizar reivindicações infundadas feitas em nome da religião ou supostamente baseadas na ciência objetiva.

O Papa se identifica com o sistema

As luvas cor da pele que o Papa usa indicam que é difícil separar a pessoa e a personalidade do Papa da instituição que ele representa. Desse ponto de vista, a carta pode simbolizar uma pessoa que se identifica com os valores e as normas do sistema de que faz parte. Pode-se ver aqui uma imagem positiva de uma pessoa que sinceramente aplica o que prega. Mas também pode ser um burocrata ou alguém que serve cegamente aos interesses de um sistema estabelecido – por exemplo, uma instituição ou empresa comercial. A carta também pode representar uma pessoa que defende valores conservadores, tradicionais e conformistas.

O Papa mostra preferências

Os dois discípulos na carta não recebem tratamento igual do Papa. Ele volta sua atenção para o discípulo à direita e parece ignorar o da esquerda. Assim, o discípulo à direita levanta a mão e o da esquerda aponta para baixo. A carta pode representar o ato de preferir alguém por uma razão justificada, mas também pode expressar desigualdade, discriminação e preconceito. Por exemplo, talvez represente uma instituição preferindo aqueles que estão em conformidade com as suas normas e rejeitando aqueles que são diferentes e dissidentes. A carta também pode indicar uma preferência por um filho em detrimento dos outros da mesma família. A forma azul-clara sob a mão levantada do discípulo à direita pode ser uma faca escondida, que indica a traição daquele que era o predileto.

VI

O AMANTE

Carta 6: O Amante (ou O Enamorado)

Nos novos tarôs ingleses, essa carta é chamada de "Os Amantes", mas o nome francês, *L'amoureux*, significa "o amante", no singular. O cupido acima da figura masculina central pode sugerir que ele está apaixonado, mas as mulheres dos lados podem estar ligadas a uma das histórias sobre Hércules, o herói mitológico grego. Quando Hércules era jovem, ele refletia sobre qual caminho escolher na vida. Um dia, ele teve a visão de duas mulheres numa encruzilhada. A mulher à esquerda era jovem e sedutora, simbolizando o caminho das satisfações fáceis e dos prazeres sensuais. A mulher à direita era mais velha e estava vestida com modéstia, simbolizando o caminho da sabedoria, da virtude e do autocontrole.

O Amante está num relacionamento

Nas duas escolas de tarô, a carta do Amante sofreu muitas mudanças em seu significado e desenho. Talvez esse seja um sinal de confusão e complexidade, pois a ilustração mistura dois temas diferentes. O nome da carta e a flecha do cupido sugerem a ideia de amor, mas a história de Hércules fala sobre escolhas. Há também muita divergência na referência mitológica ligada à carta. Vários autores a vinculam à história da escolha do príncipe Paris entre três deusas que levou à Guerra de Troia, embora não haja, na ilustração, uma sugestão direta a isso. No baralho da Aurora Dourada, a ilustração foi substituída por uma imagem do herói Perseu salvando a princesa Andrômeda de um monstro marinho, e a carta foi nomeada "Os Amantes", no plural. Waite, que não gostava de referências pagãs, redesenhou a carta com as figuras bíblicas de Adão e Eva.

A escola inglesa enfatizou o aspecto amoroso da carta e a interpretou como um relacionamento romântico, literalmente, ou como uma metáfora do amor celestial. A flecha do Cupido sugere de fato a ideia de paixão, seja um novo amor na vida do consulente ou a chama da paixão reacendendo num relacionamento mais antigo. Mas as três figuras com os braços emaranhados e o toque mútuo também podem indicar um relacionamento complexo envolvendo várias pessoas. Por exemplo, uma das mulheres talvez seja a esposa do homem, enquanto a outra pode ser sua amante. Também pode ser que a figura mais madura seja a mãe, empurrando o filho com uma mão para que ele encontre uma noiva e deixando a outra mão pesar no ombro dele, para fazê-lo ficar com ela. É possível ver outras situações também, e devemos lembrar que uma figura masculina na carta pode representa uma mulher e vice-versa.

O Amante está numa encruzilhada

Muitos autores da escola francesa enfatizaram o aspecto da escolha e alguns até nomearam a carta como "Os Dois Caminhos". Os pés apontando para ambos os lados sugerem um dilema, e a carta pode representar o consulente numa encruzilhada, sem saber para onde ir. As mãos que o tocam podem significar influências externas agindo de diferentes direções. Seu corpo se inclina mais para a jovem, mas sua cabeça se volta para a mulher mais velha.

Na linguagem das partes do corpo, isso significa que seus desejos e emoções tendem para a primeira direção, enquanto sua razão tende para a segunda. Como na história de Hércules, pode-se ver na carta uma dificuldade em escolher entre o caminho do desejo e o caminho da sabedoria, talvez na vida amorosa ou em outros assuntos.

O Amante faz uma escolha decisiva

A escola francesa vinculou a carta à letra Y, cuja forma invertida é sinalizada pelo corpo e pelas pernas do homem. Seguidores de Pitágoras, na Grécia Antiga, consideravam a forma do Y um símbolo das escolhas que uma pessoa faz em sua juventude. A linha abaixo é o curso da infância. No ponto de bifurcação ao centro, tudo está aberto, e um pequeno impulso para a direita ou para a esquerda pode decidir qual estrada a pessoa vai trilhar. Mas, uma vez que a vida avance ao longo de um dos dois ramos, torna-se difícil e, por fim, impossível voltar atrás e reverter a escolha.

A mão na barriga da jovem pode sugerir uma gravidez futura; isto é, a criação de uma nova vida, dependendo da escolha do amante. A ilustração apresenta indicações conflitantes quanto a saber de quem é a mão – dele ou dela. Talvez possamos entendê-la como a mão comum de ambos. A carta pode indicar uma escolha com implicações importantes em longo prazo, como as escolhas que uma pessoa faz quando está no início da idade adulta ou a decisão conjunta de um casal de ter um filho. A carta pode significar uma decisão crucial em outras áreas também.

O Amante é influenciado pelo passado

A mulher madura à esquerda representa as influências do passado. O olhar do homem voltado para ela pode indicar que a maneira de pensar do consulente ainda está enraizada em padrões antigos. A carta pode descrever uma dificuldade em se libertar da influência dos pais ou de uma figura de autoridade do passado, ou em geral uma dificuldade para se desvencilhar dos relacionamentos existentes e dos velhos hábitos. Pode ser também que o consulente tenha tomado uma decisão no passado e agora esteja preocupado com dúvidas e arrependimentos, em vez de aceitá-la e seguir em frente.

O amante segue um sinal dos céus

Na história tradicional, Hércules escolhe o caminho da sabedoria representada pela mulher mais velha. Por isso, sua história era popular na Idade Média como uma parábola didática que defendia a repressão e o adiamento das satisfações. Mas a ilustração da carta mostra várias dicas na direção contrária. O cupido pode ser um anjo. Sua flecha apontando para a direita começa no centro de um círculo branco no céu, um símbolo de pureza e consciência superior. Talvez a flecha seja um sinal dos céus, direcionando o homem para a jovem e para um futuro compartilhado com ela. A mão dela está sobre o coração do homem, sugerindo que é ele quem ganha a afeição dela, e o pé virado na direção da jovem está mais à frente do que o outro pé. Aqui, os dois aspectos da carta estão combinados, com o amor se expressando ao escolher um parceiro e desistindo de todas as outras opções.

Se o consulente enfrenta um dilema, o toque no coração da figura representando o futuro e a cabeça voltada para o passado podem significar que é melhor decidir com base no sentimento e na intuição e não com base em argumentos racionais. A flecha no céu pode sugerir que convém prestar atenção aos sinais e coincidências que são como pistas indicando a direção certa. O pé mais à frente também indica que podemos examinar pequenos incidentes e indicadores que expressem a escolha real do consulente. Por exemplo, se ele estiver dividido entre duas parceiras românticas, podemos considerar qual ele procura com mais frequência, inventando desculpas para visitar o bairro em que ela mora. Embora aparentemente isso pareça insignificante por si só, essas pequenas escolhas podem sinalizar a preferência do coração.

O CARRO

Carta 7: O Carro

Alguns autores associaram esta carta ao deus Sol, que, em várias tradições, cruza os céus com sua carruagem. Outros viram o cavaleiro armado como Marte, o deus romano da guerra, em seu carro. Mas a ilustração da carta lembra representações medievais de uma conhecida história sobre Alexandre, o Grande. Depois de conquistar muitos países, Alexandre decidiu dominar o céu. Ele colocou um arreio em dois grifos (criaturas aladas lendárias) e os prendeu ao seu carro, depois de fixar uma lança com um pedaço de carne sobre a cabeça deles. Os grifos famintos, ao tentar alcançar a carne, levantaram voo, carregando o carro com eles. Porém, no caminho, um homem prodígio, com a capacidade de voar, apareceu e avisou Alexandre de que era melhor desistir do plano. Alexandre baixou a lança e o carro pousou em segurança.

O Carro celebra uma vitória

O cavaleiro de armadura, com sua lança, parece um guerreiro. Mas a atmosfera calma e as decorações sugerem uma marcha triunfal, não a partida para a guerra. Do ponto de vista histórico, isso faz sentido: os carros de guerra representaram seu papel simbólico nos desfiles da vitória muito tempo depois de se tornarem obsoletos na guerra. A coroa na cabeça do homem pode ser um símbolo de vitória e não uma marca de realeza.

A carta pode representar alguém que acabou de superar uma dificuldade ou um confronto com um adversário. Agora, essa pessoa pode desfrutar da sua vitória numa posição forte e segura. Ela também pode descrever uma vitória que já foi conquistada ou a possibilidade de uma vitória futura. O traje do guerreiro indica que a vitória vem para quem é ousado e está pronto para lutar.

Existem vários pontos de vista sobre o significado das letras "V.T", inscritas na placa frontal. Elas mudam de um tarô para outro e podem ser as iniciais de um dos artesãos que produziram as chapas de impressão. Também podem adquirir outro significado, se associadas a algo relevante na leitura das cartas.

O Carro está em movimento

O número da carta, 7, combina uma estrutura sólida (4) com o movimento (3). Também podemos ver essa mesma combinação no carro quadrado e no formato triangular do corpo do homem. Mas o carro apresenta uma estrutura clara apenas na sua parte superior. A parte inferior da ilustração é assimétrica e tem muitas características estranhas, que lhe conferem uma aparência intangível e onírica. Isso pode indicar que as estruturas sólidas de *status* e poder, sugeridas pela imagem, não têm base real.

A natureza etérea da base do carro dá a impressão de flutuar no ar. Esse recurso torna a ilustração mais dinâmica, em contraste com a simetria e solidez pesada da parte superior. O carro é uma estrutura sólida, mas seu papel é servir como veículo de transporte. A esse respeito, a carta pode se referir ao avanço em direção a uma meta desejada. O consulente tem meios e recursos que podem ajudá-lo, mas estes talvez sejam um fardo que dificulte seu progresso. A carta do Carro pode representar um desejo de partir numa viagem ou referir-se a assuntos relacionados a veículos.

O Carro é um símbolo de *status*

Nos tempos antigos, o carro era um símbolo de alto escalão ou um símbolo de excelência conferida pelo governante, como na história bíblica de José do Egito. Nos dias de hoje, um carro de luxo também é considerado um símbolo de *status*. A forma quadrada do Carro e os quatro polos na parte superior sugerem prestígio e dominação no mundo material. Uma forma de flor-de-lis, que era o símbolo da casa real francesa de Bourbon, aparece acima da placa frontal do carro e nas decorações da coroa. A carta do Carro pode, portanto, representar honra e prestígio, aspiração a um elevado *status* social, em posições de destaque. Pode, assim, significar esnobismo, oportunismo e desejo de progredir a qualquer custo.

O Carro está protegido do lado de fora

A armadura, a coroa, a lança e o corpo do carro criam um sólido e resistente invólucro para o condutor, protegendo-o de todos os lados. Só as mãos e o rosto dele ficam expostos e dão uma impressão de fragilidade e fraqueza. A carta pode expressar uma aparência de confiança e poder, exaltada por símbolos externos de sucesso, mas que esconde uma personalidade fraca. Talvez o consulente esteja confiando demais nos recursos externos, em vez de fazer uso dos seus recursos internos. A carta pode, portanto, significar dependência dos mecanismos materiais ou tecnológicos em detrimento do fator humano. Nos relacionamentos, a superproteção do condutor pode significar relutância em se soltar e se abrir ou um bloqueio emocional causado por medo de intimidade e exposição.

A carta também pode se referir à vaidade e à arrogância, que são expressas na história de Alexandre. A posição da mão do condutor pode ser uma tentativa pretensiosa de imitar o modo seguro com que o Imperador segura o cinto e o cetro. Nesse aspecto, a carta pode expressar excesso de confiança e falhas ao reconhecer as próprias limitações, o que talvez leve a situações perigosas. Às vezes, pode ser simplesmente a ambição natural de um jovem, seguro de si e excessivamente otimista, como se fosse conquistar o mundo.

O Carro fica sem controle

As escrituras indianas dos Upanishads comparam o homem não desenvolvido a uma carruagem cujas partes estão desgovernadas, como se ninguém a conduzisse. Nessa metáfora, o condutor é a mente consciente e as partes da carruagem são os vários aspectos da personalidade do indivíduo. Podemos ver algo semelhante na carta do Carro. O condutor não segura nada nas mãos e parece que os cavalos estão puxando o carro de acordo com a própria vontade, inclinando-se para o lado esquerdo da carta. As duas máscaras nos ombros podem representar pensamentos conflitantes ou desejos opostos. Talvez o consulente não saiba aonde quer ir e, enquanto isso, os velhos hábitos o impulsionam para o conhecido e o familiar. Também pode ser que, em vez de estabelecer seus próprios objetivos, fatores externos, como o *status* e os ativos do consulente, determinem seu curso.

VIII — A JUSTIÇA

Carta 8: A Justiça

A moralidade cristã da Idade Média emprestou da filosofia grega a ideia das quatro virtudes cardeais: Justiça, Força, Temperança e Prudência. As três primeiras aparecem como figuras do tarô, e uma delas – a Justiça, com uma espada e uma balança – ainda é usada como um conhecido símbolo da justiça hoje em dia. A balança se originou de Maat, a deusa egípcia da Justiça, que pesava o coração dos mortos, usando como contrapeso uma pena. Se o coração fosse mais leve, seria considerado puro e a pessoa poderia prosseguir para uma vida feliz após a morte. A balança de Maat foi adotada por Themis, deusa grega da Justiça. Nas pinturas cristãs medievais do Juízo Final, a espada e a balança são dois atributos do Arcanjo Miguel. Ele luta contra as forças do mal com sua espada e pesa as ações das pessoas com sua balança, a fim de decidir se devem ir para o céu ou para o inferno.

A Justiça é equilibrada e íntegra

O primeiro significado da carta refere-se a questões jurídicas e relativas à Justiça. Ela pode significar procedimentos legais ou a figura de um juiz, e geralmente indica que a Justiça vai prevalecer. A balança expressa deliberações judiciais ou o ato de pesar prós e contras, mas também podem indicar um veredito justo. Em situações não relacionadas com os tribunais, a carta pode descrever uma decisão que leva em consideração todos os fatores. Além disso, a balança pode simbolizar uma "justiça distributiva", pela qual todos merecem partes iguais.

A Justiça é crítica e contundente

A espada empunhada na mão direita pode representar a justiça equitativa dos tribunais criminais, que punem crimes e transgressões. A imagem da espada pode significar dor ou prejuízo sofrido pelo consulente como resultado dos seus erros. Portanto, indica uma atitude de julgamento, que pode ser interpretada como um elevado padrão moral ou como um virtuosismo hipócrita. A carta pode significar um "juiz interno", que talvez se manifeste como uma consciência desenvolvida ou como sentimentos de culpa e desejo de automortificação. Podemos, portanto, ver nessa carta a figura de um pai crítico e recriminador. O olhar direto nos olhos pode ser um convite à introspecção e ao autoexame.

A Justiça rompe e decide

Assim como um tribunal deve obter um veredito claro e preciso, a espada na mão da figura pode significar uma necessidade de rompimento e decisão. A carta pode descrever uma decisão clara, tomada talvez depois de uma longa reflexão sobre os prós e contras. Talvez essa decisão já tenha sido tomada ou a carta pode incentivar o consulente a terminar suas longas deliberações e se comprometer de alguma maneira. A espada do lado esquerdo pode, portanto, indicar a decisão de romper com o passado e com os compromissos assumidos.

A Justiça age com a razão

A natureza estruturada e cerebral do número 8 é expressa na postura sentada e ordenada e nas linhas perpendiculares retas que aparecem na parte superior da carta. O domínio do intelecto é enfatizado pela espada e a coroa na cabeça. O nome da carta refere-se à palavra francesa *juste* ("justo"), que significa justiça e precisão. A carta pode representar um pensamento claro e racional ou uma perspectiva científica fundamentada em teorias e conceitos precisos. Pode significar uma ação calculada para agir de acordo com leis e normas socialmente aceitas. É possível ver nela uma atitude rígida e conformista que não excede os limites da ordem vigente.

A Justiça controla as paixões

A natureza precisa e artificial da parte superior da carta, que é mais atraente à primeira vista, contrasta com a terra ondulada e as linhas suaves das roupas na parte inferior. O peito protegido significa contenção emocional, mas os quadris proeminentes e sólidos expressam desejos fortes e criatividade. O encontro entre as duas partes ocorre na altura da balança, onde quem dita a ordem é a parte superior, que controla e direciona o fluxo orgânico da parte inferior. É possível ver aqui o domínio da mente sobre as paixões. Nesse contexto, a espada empunhada pode expressar um alto grau de autodisciplina, mas também pode representar forte autocrítica, que reprime a criatividade e a autoexpressão.

A Justiça inclina a balança

Nem a espada nem a trava da balança estão muito alinhadas com a moldura da carta; elas pendem levemente para o lado direito, o que simboliza o futuro. Essa inclinação não acontece só aí: é possível vê-la também no cotovelo da figura, que toca a balança, pressionando-a para o lado direito. Voltando ao antigo simbolismo da balança, talvez possamos considerar o prato mais próximo da espada como o prato das falhas, cheio de transgressões. A figura da Justiça intervém e inclina a balança para o lado do mérito, que representa as boas ações.

Nesse aspecto, a carta pode significar a necessidade de adicionar um toque humano além da aplicação estrita da lei, de maneira que o prato positivo fique mais pesado. De modo geral, a carta pode significar um toque de graça intervindo favoravelmente num conjunto de considerações racionais. Num espírito semelhante, Mishna diz: "Julgue todo ser humano no prato do mérito". Por outro lado, se a carta estiver invertida, podemos considerar que ela significa um julgamento injusto e desonesto.

VIIII

O EREMITA

Carta 9: O Eremita

A palavra "eremita" vem de um termo grego que significa "deserto". A paisagem árida, o manto e o capuz ligam a carta à tradição cristã dos monges solitários, que viviam no deserto e faziam votos de pobreza e penitência. Barba e cabelos longos e sem corte são marcas tradicionais de ascetismo em várias tradições. O objeto semelhante a uma lâmpada na mão dele traz à mente a história do filósofo grego Diógenes. Desprezando as normas aceitas, Diógenes escolheu se afastar da sociedade e viver em pobreza absoluta, dormindo num barril velho. Em certa ocasião ele foi visto no movimentado mercado de Atenas, andando em plena luz do dia com uma vela acesa na mão. Quando lhe perguntaram por quê, ele disse que estava procurando um ser humano.

O Eremita está em busca da verdade

Quando Diógenes diz que está procurando um ser humano num mercado cheio de gente, está se referindo ao que ele considera um verdadeiro ser humano – ou seja, alguém honesto e virtuoso. O eremita, na tradição religiosa, também está procurando algo que represente a verdade, como a graça divina ou a iluminação mística.

O Eremita pode expressar uma busca sincera por algo de valor, com disponibilidade para pagar o preço, como o isolamento ou a privação. Essa pode ser uma jornada psicológica em busca de uma verdade interior ou uma busca espiritual pela verdade religiosa ou mística. Num sentido mais amplo, a carta pode descrever uma busca em geral; por exemplo, a busca por uma pessoa ou um objeto perdido ou talvez para encontrar um caminho.

A fronte bem desenvolvida da cabeça do Eremita pode significar sabedoria. As três linhas horizontais na testa se assemelham a um símbolo chamado *vibhuti*, típico dos seguidores do deus hindu Shiva. O local onde o símbolo é desenhado é o "terceiro olho", que representa a iluminação e uma visão mística da verdade. Existem várias interpretações para as três linhas, uma das quais fala sobre três níveis de realidade: material, mental e espiritual. No simbolismo do tarô, elas podem representar as três camadas das cartas dos Arcanos Maiores: céu, terra e abismo. O Eremita talvez esteja procurando uma visão verdadeira que abranja todas as três. Uma forma semelhante de três linhas horizontais aparece no cajado do Papa e pode ter um significado semelhante.

O Eremita está focado em seu objetivo

A ideia de um eremita religioso representa um compromisso total de alguém, que dedica sua vida a uma causa única. Assim, o olhar e a postura do Eremita da carta estão totalmente concentrados na direção da sua busca. Acima da mão que segura a lâmpada, aparece um círculo com um ponto no centro, simbolizando um foco. As formas e linhas coloridas da ilustração também conduzem o olhar para o mesmo ponto focal. Os dedos da mão criam uma forma nítida apontada para a frente. Isso pode expressar determinação e foco ou rigidez e uma recusa em se comprometer com a realidade.

A carta pode representar determinação para atingir uma meta desejada e disposição para fazer sacrifícios por causa dela. Mas a curva na direção esquerda pode também expressar uma atitude conservadora, que busca soluções dentro do arcabouço de ideias existente. É possível ver também, na carta, teimosia obstinada, extremismo ideológico ou fanatismo religioso.

O Eremita abre mão de satisfazer prazeres

O hábito simples e a aparência de monge do Eremita indicam que ele está pronto para desistir do conforto e dos prazeres materiais. A carta pode, portanto, significar autoprivação, ascetismo ou talvez apenas um estilo de vida simples e modesto. Pode ser uma escolha para toda a vida ou uma fase temporária pela qual o consulente passa. As razões podem, portanto, variar – talvez seja um período de dificuldades econômicas ou talvez ele tenha em mente alguns objetivos que exijam concessões em curto prazo.

A imagem de um monge ou eremita sugere, assim, a ideia de celibato e privação de satisfações sexuais. De maneira geral, ela aponta para a desistência da satisfação de qualquer tipo de desejo – por exemplo, a necessidade de fazer dieta e privar-se de uma comida saborosa. Ainda assim, com referência ao sexo, o bastão curvo na mão do eremita talvez seja uma referência ao naipe de Paus e represente desejos pervertidos. Talvez, como a estranha forma amarela na região da virilha, o Eremita esconda algumas paixões estranhas e transviadas sob seu manto puritano.

O Eremita examina o passado

Com o olhar concentrado no lado esquerdo, o Eremita pode estar observando e examinando o passado ou olhando para dentro de si mesmo. Por exemplo, ele pode estar tentando compreender suas experiências passadas e entender como elas afetam sua vida presente. Portanto, pode ser uma tentativa de descobrir o que realmente aconteceu, como no trabalho de historiador, psicólogo ou detetive. Em termos práticos, a carta expressa um período de autoexame, portanto inatividade. Dessa forma, pode ser uma parada temporária para entender melhor as camadas mais profundas da situação.

O Eremita avança com cautela

O olhar concentrado, com a lâmpada erguida na frente dos olhos, indica que o Eremita examina tudo meticulosamente. É por isso que vários intérpretes viram essa carta como uma expressão de Prudência, a quarta virtude cardinal, ausente dos Arcanos Maiores. É como se o Eremita verificasse bem a região antes de fazer qualquer movimento. Num aspecto positivo, a carta pode descrever uma atitude cautelosa. Num aspecto negativo, pode sinalizar um caráter excessivamente desconfiado e dificuldade em confiar nos outros. Os pés escondidos e a curva para a esquerda também podem indicar muita cautela, impedindo o avanço do Eremita.

O Eremita evita contato

O significado literal da carta é uma pessoa solitária que evita contato com as outras. A manga do manto em torno da lâmpada também cria a sensação de manter a luz para si mesma. A carta pode representar uma pessoa com um pensamento independente, que não se importa muito com o que os outros pensam dela. Esse é exatamente o exemplo que Diógenes oferece. Num sentido positivo e brando, a carta descreve a solidão, a introspecção, o medo da intimidade e a dificuldade para manter o contato humano. No sentido romântico, a carta pode representar um período de vida solitário ou um sentimento de alienação num relacionamento existente. Talvez o consulente seja muito crítico e busque obsessivamente falhas nas outras pessoas, ou ele pode estar procurando com muita avidez um parceiro ideal e usando isso como desculpa para evitar um contato verdadeiro.

A·RODA·DA·FORTUNA

Carta 10: A Roda da Fortuna

O nome da carta refere-se à Fortuna, a deusa romana da sorte. A roda aparece em várias fontes tradicionais como um símbolo dos altos e baixos da vida. O Talmude também diz que "é uma roda que faz o mundo girar". As pinturas medievais mostram a Roda da Fortuna com quatro figuras humanas. Uma está subindo e, ao lado dela, aparece a legenda "Eu reinarei". A segunda, no alto, está sentada num trono com uma coroa e um cetro, e sua legenda é "Eu reino". A terceira está descendo, com a legenda "Eu reinei". A quarta está deitada sob a roda e sua legenda é "Não tenho reinado". Uma imagem semelhante de uma roda giratória está na origem da palavra "revolução", usada originalmente na França para indicar a derrocada do antigo regime monárquico.

A Roda da Fortuna leva para cima e traz para baixo

O símbolo tradicional da roda é muitas vezes usado como uma mensagem de consolo. A vida é uma série de sucessos e fracassos, e, mesmo que estejamos agora descendo ladeira abaixo, um dia voltaremos a subir. Mas a roda é redonda e a mudança de posição nessa carta funciona nos dois sentidos. Quem ou o que quer que esteja caindo um dia vai subir e quem quer que esteja subindo um dia vai cair. Com relação à posição dos animais na ilustração, podemos entender que o lado direito da Roda está subindo e o lado esquerdo está descendo. Isso se encaixa na interpretação dos lados como passado e futuro. Se houver cartas vizinhas numa tiragem, a carta à direita indica um fator crescente, enquanto a carta à esquerda indica uma queda.

No pensamento renascentista, a fortuna se opunha à virtude como o principal fator determinante do curso da vida humana. Nessa visão, alterações simbolizadas pela roda devem-se aos caprichos da sorte, não ao mérito pessoal. A sorte arbitrária mostrada nessa carta é diferente do destino, que direciona os eventos para uma meta previamente estabelecida. Portanto, é possível ver a carta como uma roleta ou uma loteria e interpretá-la como uma referência a jogos de azar.

As três figuras com partes animal e humana representam as estranhas combinações do impulso animal e das considerações humanas com que reagimos às mudanças da vida. O animal subindo pode ser um burro, simbolizando a ambição oportunista. O animal descendente pode ser um macaco velho e enrugado mostrando a figura ridícula da grandiosidade vã, que já pertence ao passado.

A Roda da Fortuna é perigosa no topo

A criatura com a coroa e a espada parece uma esfinge, um antigo animal lendário cujo corpo combina os quatro seres vivos da carta do Mundo: um touro, um leão, um homem e uma águia. A esfinge supostamente está com tudo, mas a superfície onde está apoiada parece instável. Ela pode estar prestes a cair e se tornar como o rei destronado das pinturas tradicionais. Mas também podemos pensar que ela não está se movendo com a roda; em vez disso, está esperando alguém chegar ao cume para golpeá-lo com a espada. Desse ponto de vista, a carta pode descrever o perigo que aguarda quem atingir a posição mais alta.

A roda e o dispositivo ao qual está conectada são instáveis. As linhas do chão parecem ondas e a parte de trás do eixo está faltando. Talvez a carta esteja avisando o consulente para ele não fazer pouco-caso das coisas. Os mecanismos que foram postos em movimento até agora podem perder sua base, e não se deve presumir que as mesmas rodas vão girar da mesma maneira indefinidamente. Por exemplo, a carta pode simbolizar o mecanismo de um sistema burocrático que trabalha de acordo com regras previsíveis. Em face disso, suas rodas parecem não ter freios. Mas uma mudança inesperada nas condições ou uma exceção que não se encaixe nas regras fixas pode corrompê-las e, assim, tornar o sistema inoperante.

A Roda da Fortuna se move sozinha

Nas pinturas medievais, às vezes é possível ver a deusa Fortuna girando a roda. Mas, no Tarô de Marselha, não há ninguém segurando a manivela. Os dois animais nas laterais não estão movendo a roda; é a própria roda que se coloca em movimento. Talvez a situação do consulente mude para melhor ou pior, mas isso acontece como resultado de forças externas aleatórias que ele não pode controlar. Isso pode ocorrer devido à pura sorte ou a eventos maiores que estão acontecendo e pelos quais o consultante só pode ser influenciado. De uma maneira ou de outra, como as coisas estão agora, o consulente não é mestre do próprio destino, mas às vezes é uma boa ideia conferir a carta que está do lado da manivela: afinal, talvez queiramos ver alguém ou algo girando a roda e manipulando a situação do consulente.

A Roda da Fortuna representa ciclos

A roda que gira pode representar processos que se repetem ao longo do tempo, como o número 10, que fecha o primeiro ciclo de números e começa uma nova série de 10. Podemos compará-la com o desenho circular chinês dos dois elementos: yang, o ativo e extrovertido, e yin, o passivo e introvertido. No curso natural dos acontecimentos, o elemento yang cresce até atingir o apogeu, no qual o yin aparece. O yin cresce, por sua vez, chega ao cume e dá lugar a uma nova fase do yang, e assim por diante. As revoluções de yin e yang se manifestam como ciclos de mudança, como dia e noite, verão e inverno, avançar e recuar na vida ou ciclos internos do corpo e da mente.

A roda pode representar ciclos astrológicos e biorrítmicos, mudanças periódicas de humor ou ciclos biológicos, como acordar e dormir ou o ciclo mensal da fertilidade feminina. Pode também representar a programação repetitiva da rotina da vida diária; simbolizar ciclos de tempo como semanas, meses ou anos; ou apontar o ciclo de gerações de uma família (por exemplo, problemas psicológicos que se repetem de geração em geração). Podemos, também, vê-la como uma representação de encarnações passadas ou futuras, no ciclo de morte e renascimento.

Outro significado que podemos ver na carta é o fechamento de círculos e um retorno ao ponto de partida. Por exemplo, pode significar o retorno a um local ou a um relacionamento pessoal significativo no passado. Pode-se também ver nessa carta um círculo vicioso a partir do qual sente-se que a vida está se movendo em círculos, sem nenhum progresso real.

Também é interessante comparar a carta com os versículos bíblicos em Ezequiel 1:14, que fala de um movimento de vaivém: "E os seres viventes corriam, e voltavam, à semelhança de um clarão de relâmpago". As criaturas vivas da visão de Ezequiel, que montam em rodas mágicas, têm quatro faces cada. São os rostos dos quatro animais que compõem a esfinge da carta.

A Roda da Fortuna tem um centro fixo

As pinturas budistas tibetanas mostram uma roda dividida em seis partes, que representam formas de vida, como animais, pessoas, demônios e deuses. Essa roda é *samsara*, a roda da existência. De acordo com a visão budista, toda criatura morre e renasce incontáveis vezes, subindo ou descendo da roda de acordo com as ações em encarnações anteriores. Uma pessoa que executou boas ações vai renascer num plano mais elevado e agradável, mas mais cedo ou mais tarde cairá outra vez. A roda de *samsara* também opera numa única vida, na qual representa o ciclo interminável de desejo e satisfação: os desejos buscam satisfação, mas, uma vez satisfeitos, novos desejos aparecem. Nós podemos ver na roda de *samsara* uma ideia para a carta da Roda da Fortuna. Curiosamente, no centro do desenho tibetano há também três animais: um porco, uma cobra e um galo, respectivamente os "três venenos", a ignorância, a raiva e o desejo.

Segundo a visão budista, a situação ideal não é quando alguém atinge uma boa posição na roda, mas quando o movimento para cima e para baixo da roda se interrompe completamente. Essa situação é chamada de iluminação, ou nirvana. Na carta, não podemos ver a roda parando, mas seu ponto central é um lugar que não se move nem para cima nem para baixo. Talvez esse seja o centro do ciclo para onde o Eremita está olhando. A carta pode estar encorajando o consulente a encontrar um ponto fixo de tranquilidade dentro do qual ele não sofra com os altos e baixos das mudanças de humor. Também pode ser uma sugestão dos métodos de meditação e exercícios espirituais, seja no Budismo ou em outras tradições espirituais, que servem para deter a roda, levando-nos a abrir mão dos desejos, em vez de satisfazê-los.

XI

A·FORÇA

Carta 11: A Força

Lutar com um leão é um símbolo comum de força e coragem. A Bíblia menciona Sansão e Davi lutando contra leões e o herói mítico grego Hércules matando um leão numa de suas doze tarefas. A figura feminina pode vir de outro conto grego sobre a ninfa Cirene, filha de um rei mortal. Um dia, quando cuidava das ovelhas do pai, Cirene lutou e matou um leão que ameaçou devorar os animais. O deus Apolo, que estava passando, assistiu à luta e se apaixonou por Cirene. Ele a levou para a costa da Líbia, onde a fez rainha da região conhecida naquela época como Cirenaica. Uma deusa montando um leão ou um tigre é também conhecida na Índia, onde ela aparece como a poderosa deusa lutadora Durga, ou Kali, num aspecto mais sombrio.

A Força age com delicadeza

A carta da Força representa claramente vigor e dominação, mas não se trata da dominação dura e masculina que vemos no Imperador, com sua mão segurando o cetro com força. A figura da Força é uma mulher; sua postura e o ato de segurar a boca do animal parecem suaves e gentis, e o olhar dócil do leão sugere mais um animal de estimação do que um predador selvagem. Talvez seja uma situação de submissão e domínio por meio da colaboração, em vez de uma luta feroz contra um adversário cruel.

A carta expressa autoconfiança e força pessoal, sem a necessidade de violência ou opressão. Ainda assim, a hierarquia de controle é inequívoca: é a mulher domando o leão e não o contrário. Se o consulente estiver numa posição forte ou dominante, a carta poderá indicar que outros respeitam a autoridade dele e não há necessidade de usar a força. Em vez disso, as coisas podem ser organizadas e feitas de maneira suave e amigável. Como alternativa, se o consulente estiver na posição do leão e sujeito a uma força superior, a carta pode indicar uma opção para cooperar em vez de se rebelar e lutar.

A Força exibe autocontrole

Nas imagens tradicionais de homens lutando com leões, o homem e o leão muitas vezes se enfrentam como oponentes, mas, na carta da Força, a mulher e o leão estão voltados para a mesma direção. O leão até parece estar surgindo da parte inferior do corpo da mulher, como se ele fizesse parte dela. Talvez o leão não seja um agente externo, mas seu próprio animal selvagem pulsando. Pode-se vê-lo como uma imagem de autocontrole, na qual uma pessoa domina e doma seus próprios impulsos selvagens naturais. Por exemplo, ela pode estar controlando sua raiva ou impedindo-a de agir por impulso.

A cabeça coberta com um chapéu largo, que parece uma coroa, representa o intelecto, guiando as mãos e domando os desejos animais. Uma linha no pescoço separa a cabeça do resto do corpo e o corpete apertado cobrindo o peito indica emoções bloqueadas. Num sentido positivo, isso pode significar o desapego necessário para controlar emoções e desejos. Num sentido negativo, talvez indique uma racionalidade desconectada e perda do contato com sentimentos e paixões.

A Força domina as paixões

Um leão aparece na carta do Mundo, na qual representa o naipe de Paus e o domínio do desejo. Na carta da Força, parece que ele está surgindo dos quadris da mulher, por isso é natural interpretá-lo como impulsos sexuais ou criativos. A boca aberta do leão pode simbolizar o órgão sexual feminino. Seus dentes afiados lembram o obscuro mas recorrente símbolo da "vagina dentada", que expressa o medo masculino da sexualidade feminina. Essa sensação de perigo é evidente na carta, portanto, consulte os perigos associados com os rompantes de paixão.

As linhas do olhar da mulher e do leão encontram-se, em algum ponto, à direita da carta. Podemos pensar nisso como se estivessem convergindo para algum objetivo futuro. Nesse aspecto, seus esforços conjuntos criam uma força poderosa difícil de combater. As seis pontas no chapéu da mulher se assemelham aos seis dentes da boca do leão e podem indicar que ela está transformando as paixões ferozes em parte da sua força. A colaboração entre as diferentes partes do ser da figura pode, portanto, indicar que o consulente tenta reunir todos os seus recursos internos para enfrentar uma tarefa ou superar um desafio.

A Força permite uma expressão aberta

A mulher segura delicadamente a boca do leão, tocando-a com as pontas dos dedos. Não está claro se ela está tentando abri-la, fechá-la ou apenas mantê-la como está. Poderíamos entender isso como uma ação que não bloqueia sua expressão sob controle. Como o leão pode simbolizar impulsos criativos, é possível ver na carta uma tentativa controlada, mas ativa de expressão criativa.

A Força se arrisca

Segurar a boca de um leão, mesmo que sob controle, requer atenção e vigilância constante. Pode-se pensar que há algo de traiçoeiro no olhar do leão, como se ele estivesse esperando o momento certo para se soltar e morder. O dedo dentro da boca aberta pode indicar perigo. A carta pode, portanto, descrever coragem e ousadia; mas, num sentido menos positivo, pode representar imprudência e a decisão de assumir riscos não calculados. A carta pode simbolizar uma ameaça ou um conflito interno que está atualmente sob controle, mas causa tensão constante.

Há muito pouco terreno na parte inferior da carta e nenhum do lado direito. Sob o solo ausente, existem linhas paralelas na faixa do título, o que confere a ela um aspecto sombrio. Esse pode ser o abismo que representa camadas profundas da alma, das quais surgem as pernas do leão. Pode-se entender, a partir dessa imagem, que as paixões se originam em níveis profundos, além do controle da mente racional. O pé da mulher parece ter seis dedos. O pé largo pode representar uma tentativa de se manter no chão com a maior firmeza possível. Esse impulso talvez seja o resultado do sentimento de que alguém está à beira do abismo. Por outro lado, pode ser que o leão selvagem das paixões seja a conexão com uma fonte básica de vitalidade que existe sob o intelecto desapegado e da emocionalidade bloqueada.

XII

O ENFORCADO

Carta 12: O Enforcado (ou O Pendurado)

Em outros tempos, suspender uma pessoa de cabeça para baixo era uma forma de tortura que combinava dor e humilhação.* Muitas vezes, ela era aplicada em pessoas com crenças pouco ortodoxas. No Império Romano, essa punição era aplicada aos cristãos; e, na Espanha medieval, em judeus e muçulmanos. Mas na visão invertida da carta do Enforcado, tudo está de cabeça para baixo: sofrer por causa da fé que se tem não é humilhação, mas uma grande honra. Muitos autores viram essa carta como uma representação de Jesus na cruz ou como se ela estivesse ligada a outros deuses sacrificados, como Odin, da mitologia nórdica. Odin se enforcou na árvore do mundo Yggdrasil, mergulhou nas profundezas da existência e, assim, descobriu as mágicas letras rúnicas. A carta pode nos lembrar de um *bungee jump*, cujas origens estão num ritual de passagem dos nativos de ilhas do oceano Pacífico.

O Enforcado recebe uma punição

Em alguns antigos baralhos em italiano, essa carta é chamada de "O Traidor". Ela pode ser uma referência não a Jesus, mas a Judas Iscariotes, que se enforcou numa árvore depois de trair Cristo. Nessa visão, o consulente pode estar recebendo uma punição por uma ação imprópria ou inaceitável que tenha executado. A punição talvez seja infligida por uma fonte externa ou o consulente pode estar castigando a si mesmo por falhas reais ou imaginárias.

Mesmo que renunciássemos ao elo tradicional entre o enforcamento e a punição, O Enforcado está claramente numa situação desagradável. A moldura de madeira o circunda e isola dos arredores e de outras pessoas. As pontas vermelhas dos galhos cortados indicam aspereza e agressão, com pontas exteriores (voltadas para os outros) e interiores (voltadas para si mesmo). A carta pode, assim, descrever o sentimento de que "tudo está de cabeça para baixo", o que significa que a pessoa não está mais entendendo o que está acontecendo na vida dela.

O Enforcado faz um sacrifício

O elo mitológico com um deus que se sacrifica motivou muitos autores a verem essa carta como uma expressão de renúncia aos interesses pessoais por

---

* Embora o título dessa carta seja, na maioria das vezes, traduzido como "O Enforcado", ela na verdade mostra a imagem de um homem pendurado de cabeça para baixo, por isso a explicação do autor. (N.T.)

uma causa superior. Em alguns novos baralhos, essa interpretação é enfatizada por uma expressão calma e um halo de luz ao redor da cabeça. Talvez o consulente esteja aceitando o processo de passar por dificuldades ou esteja renunciando a interesses vitais em prol de outra pessoa, por algum motivo político ou uma causa ideológica ou como parte de um processo de iniciação espiritual.

O Enforcado se abstém da ação

As mãos do Enforcado podem estar amarradas nas costas ou mantidas ali por escolha própria. De qualquer maneira, isso significa uma aceitação passiva do que está por vir. A postura pendurada e a moldura de madeira circundante não dão espaço para manobras. As doze pontas dos galhos podem simbolizar toda uma gama de possibilidades, como o círculo completo do zodíaco. O corte pode significar desistência de todas as formas de ação possíveis. Existe a dor provocada pelo abandono de toda iniciativa, como indicam as pontas vermelhas – que parecem gotas de sangue.

A carta pode descrever o consulente desamparado e num estado de estagnação. Ou ele talvez esteja reagindo a uma situação complexa desistindo de qualquer ação e aceitando o que quer que aconteça, mesmo que isso acabe sendo o contrário do que ele esperava. A carta pode, assim, indicar rendição e reconciliação com a realidade como ela é. Como alternativa, ela pode descrever o estado emocional em que a pessoa se considera uma vítima passiva e desamparada, para não ter de assumir a responsabilidade pela situação ou para fazer chantagem emocional.

O Enforcado vê o mundo de cabeça para baixo

A posição do Enforcado parece angustiante, mas isso é apenas uma questão de perspectiva. Como ele está pendurado de cabeça para baixo, seu ponto de vista é o inverso da perspectiva normal. A carta não tem paisagem, exceto o chão verde nas laterais, que também se parece com a copa das árvores. Isso pode sugerir que é impossível decidir qual é o ponto de vista correto – o do Enforcado ou as opiniões aceitas por pessoas de fora. Também podemos encontrar alguma semelhança entre essa carta (12) e a figura central da carta do Mundo (21) em posição inversa.

A carta pode descrever uma pessoa única, que vê as coisas do seu próprio jeito. Ela também pode incentivar o consulente a pensar de maneira original e em termos não conformistas, que pode se opor à lógica comum. Se uma carta invertida sair ao lado da carta do Enforcado, na posição normal, pode ser que, a partir da perspectiva especial do consulente, o que geralmente é visto como uma desvantagem ou uma crise talvez pareça uma vantagem ou oportunidade.

O Enforcado aceita ser diferente

Quando a carta do Enforcado é invertida, supostamente retornamos à situação normal, mas a figura adquire uma impressão estranha. Ela permanece fechada e isolada, como se lhe faltasse "um contato firme com o chão". Podemos ver aqui uma tentativa inútil de alguém ser "normal" e viver em conformidade com valores comuns a todo custo. Em contraste, na posição vertical, com a cabeça apontando para baixo, a carta mostra a figura reconhecendo o fato de que é diferente e que as soluções comuns não são válidas para ela. Em vez de fazer esforços inúteis para "se endireitar", ela aceita a si mesma, enquanto se esforça para fazer o melhor com suas qualidades únicas.

O Enforcado examina a profundidade

O eixo horizontal da realidade terrena é completamente bloqueado pela moldura de madeira de ambos os lados. O eixo vertical é também bloqueado em cima e a única direção aberta é a que tem um orifício no chão. Isso pode significar que a única maneira de avançar é refrear a ação e iniciar um profundo autoexame. A carta também pode sugerir um conhecimento aprofundado, como as runas misteriosas na história de Odin, ou a capacidade de "ver a questão a fundo", numa dada situação.

Em termos simbólicos, ficar de ponta-cabeça significa desistir de todos os pressupostos, incluindo a distinção evidente entre o que está em cima e o que está embaixo. Isso significa que, diferentemente do Eremita, que busca a verdade enquanto mantém suas crenças, o Enforcado está pronto para questionar tudo. A posição desconfortável e a moldura que o deixa isolado indicam disposição para pagar o preço da reclusão pessoal e social. Semelhante ao rito de passagem do *bungee jump*, isso pode ser algum tipo de teste iniciatório que prepara o consulente para experiências transformadoras nas cartas seguintes.

XIII

Carta 13

Nos baralhos mais novos, a Carta 13 é chamada de "Morte", mas, nos baralhos tradicionais, essa carta não tem nome. A figura esquelética com uma foice é a figura popular do sombrio Ceifador. Não se trata do anjo da morte medieval, que era retratado com um corpo cheio de olhos, mas claramente representa alguma personificação da morte. Uma foice aparece na mão do titã grego Cronus (o Saturno romano), que representava o tempo e a colheita, e era rei das ilhas Afortunadas, morada dos mortos abençoados. Nas culturas grega e romana, o esqueleto simbolizava a morte inevitável, que carregava uma mensagem hedonista: "Coma, beba e se alegre, pois amanhã iremos todos morrer". Na Idade Média cristã, um esqueleto era usado para transmitir a mensagem oposta: a vida terrena é efêmera, por isso devemos nos preparar melhor para a vida eterna, no outro mundo.

A Carta 13 corta as amarras com o passado

A imagem esquelética, a grande lâmina da foice, as partes do corpo espalhadas e a aparência geral sombria da carta sugerem a ideia da morte interrompendo a vida e colocando um ponto final nela. O tom amarelo que se vê no solo escuro, acima da lâmina da foice, expressa a natureza definitiva do corte, pois ela colore tudo por onde passa. Ainda assim, há uma regra tradicional que devemos observar: nunca preveja a morte de alguém que está vivo. No máximo, a carta pode indicar a influência de uma morte que já ocorreu sobre aqueles que estão vivos. Por exemplo, ela pode descrever como lidar com a perda ou um período de luto.

Normalmente, essa carta representa o fim de algo. Por exemplo, o fim uma fase da vida, o fim de um relacionamento, uma mudança para começar vida nova em outro lugar, uma renúncia ou a demissão de um emprego e assim por diante. O caráter contundente e decisivo da carta indica um término abrupto, não um declínio gradual. Ela também evoca uma sensação de inevitabilidade.

As duas cabeças no chão, de um homem e de uma mulher, uma delas coroada, podem representar os pais ou outras figuras de autoridade que foram significativas para o consulente. O ato de pisar na cabeça da mulher e passar a lâmina pela cabeça do homem pode indicar uma rebelião contra sua influência ou o fim da dependência emocional com relação a eles.

A Carta 13 está enfrentando uma mudança

O chão preto, o esqueleto com a foice, os membros cortados e o significado sombrio do número 13 dão à carta um caráter inquietante e temível. Isso expressa o fato de que uma mudança significativa na vida sempre envolve uma crise emocional. Mesmo quando se trata de uma mudança positiva, como nos afastar de uma situação ruim para nós, a carta sugere um afastamento do que é seguro e conhecido rumo ao domínio novo e assustador da incerteza. Esse aspecto fica mais forte quando a carta está invertida, com o chão preto na parte superior significando a dificuldade do consulente para enfrentar a mudança.

A aparência sombria da carta pode ser perturbadora para um consulente que não tenha familiaridade com as cartas de tarô. Portanto, se a Carta 13 aparecer na leitura, talvez seja melhor explicá-la logo de início e esclarecer que ela é uma referência a alguma mudança, não necessariamente à morte. Para uma pessoa que deseja se desvencilhar de padrões do passado e começar algo novo, a Carta 13 é um bom sinal. Podemos também perceber que o esqueleto está empunhando a foice não na frente de uma pessoa viva, mas sobre cabeças e membros já espalhados no chão. Assim, a carta pode indicar o fim de algo que já perdeu sua integridade e vitalidade.

A Carta 13 enfatiza o que é essencial

Essa é a primeira carta dos Arcanos Maiores que mostra uma figura completamente nua, mas de uma maneira extrema e flagrante, pois ela está "nua até os ossos". O esqueleto, que permanece quando outras partes do corpo já se deterioraram, é um elemento constante e estável. O osso do pescoço é dividido em quatro partes e pode assim representar a estabilidade da matéria. As escrituras judaicas antigas falam sobre o osso *Looz* (essencial), que permanece após a deterioração de todos os outros. Essa é a semente da qual o corpo vai brotar novamente, na ressurreição final. Alguns o identificam com o osso do pescoço e outros com a base da coluna, marcada em vermelho na carta.

Essa carta pode descrever um choque ou uma crise, que expõe a verdadeira natureza das coisas. Assim, ela pode simbolizar o essencial e a desistência do superficial. Por exemplo, pode se tratar de um período financeiramente difícil em que torne necessário abrir mão de luxos e prazeres superficiais. O esqueleto resistente pode ser uma espécie de "espinha dorsal moral", que se revela em tempos de crise.

A Carta 13 coloca as coisas em perspectiva

No livro *Viagem a Ixtlan*, de Carlos Castañeda, um xamã nativo norte-americano ensina ao autor que a morte é uma boa conselheira. Como muitas culturas expressam em seus próprios termos, uma consciência da inevitabilidade da morte nos dá uma perspectiva correta do que é realmente importante na vida. Na Roma Antiga, era costume evocar *memento mori* ("lembre-se da morte") num desfile triunfal, para recordar ao herói vitorioso que ele era apenas um mortal. Num espírito semelhante, monges budistas meditam sobre um crânio humano ou num cemitério, para ficarem conscientes da natureza temporária da existência humana.

A cabeça coroada, na parte inferior da carta, pode expressar a ideia de que, diante da morte, todos somos iguais, reis e pessoas simples. Nesse aspecto a Carta 13 pode indicar uma visão madura e equilibrada da realidade, que é capaz de distinguir entre o que é importante e o que não é.

A Carta 13 abre um novo caminho

Ao contrário da associação mórbida da carta, a ilustração está cheia de movimento e dinamismo. O esqueleto está voltado para a direita, indicando um avanço para o futuro. Os membros cortados no chão podem nos lembrar da visão de ossos secos no livro de Ezequiel: desintegração seguida de reencontro e ressurreição numa nova forma. A lâmina da foice também pode ser vista como uma espécie de caminho sinuoso para cima, na direção futura. Nós podemos entender que, do ponto de vista da situação atual e das estruturas existentes, a carta expressa final e perda. Mas a desintegração do velho abre caminho para algo novo nascer. A esse respeito, a Carta 13 não indica apenas o fim de estruturas passadas, mas também a possibilidade de um novo começo.

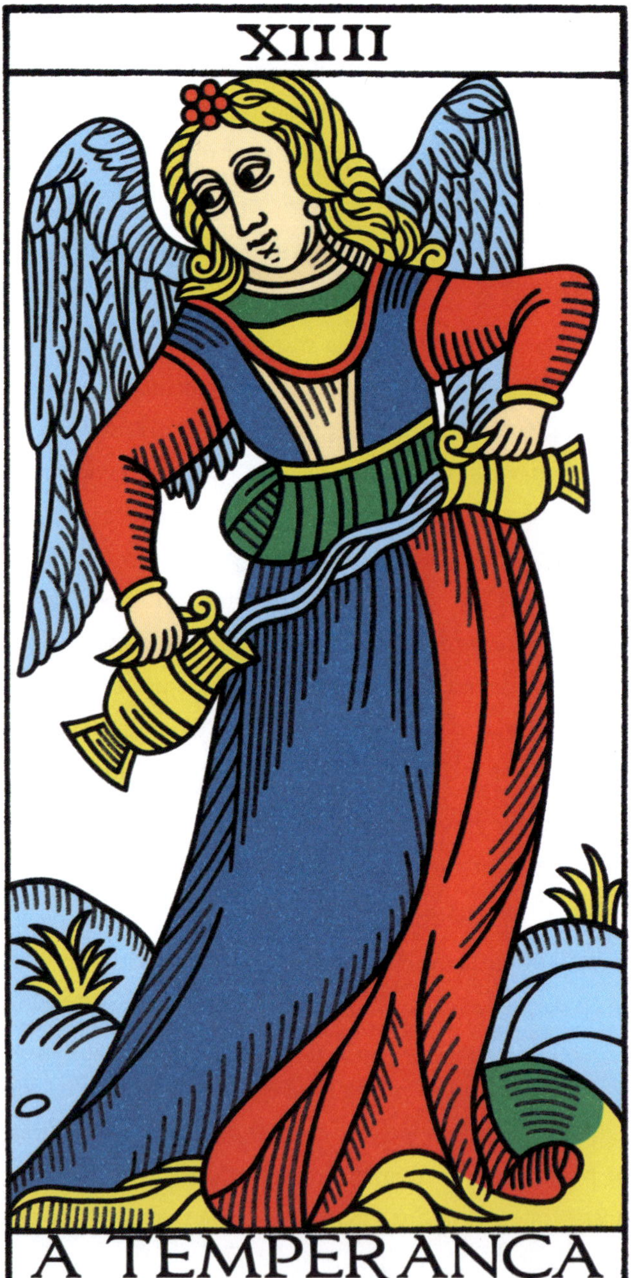
XIIII
A TEMPERANÇA

Carta 14: A Temperança

A palavra "temperança", de origem latina, significa "derramar ou misturar líquidos para obter uma mistura equilibrada". É usada especificamente para o ato de verter água no vinho. Como figura de linguagem, indica um comportamento moderado, sem exageros e, nesse sentido, tornou-se uma das quatro virtudes cardeais do cristianismo. "Temperar o vinho com água" é uma expressão popular em francês, que significava se acalmar depois de ficar com raiva. Hoje é usada para quem faz concessões em seus princípios, seja num sentido positivo ou negativo. Na missa católica, a água é derramada no vinho para simbolizar a natureza dual de Cristo, como humano e divino. Uma figura vertendo líquido de um jarro para outro apareceu na Idade Média em representações do milagre de Caná, quando Jesus transformou água em vinho para servir os convidados de um casamento.

A Temperança encontra um meio-termo

O líquido que flui entre os dois jarros lembra o significado original do título da carta: uma mistura de dois líquidos, que implica um comprometimento entre suas qualidades opostas. Outros elementos da ilustração também expressam uma combinação de dois opostos. A metade inferior do corpo da figura se inclina para a direita e a metade superior, para a esquerda. O vestido combina as cores opostas vermelho e azul. As asas da figura sugerem a capacidade de voar, mas ela tem uma ampla base solidamente plantada no chão. A mistura católica da água e do vinho para simbolizar a natureza dual de Cristo também pode ser vista como a reconciliação entre dois elementos incompatíveis.

Originalmente, a Temperança como virtude significava um comportamento equilibrado que segue o caminho do meio sem se deixar levar por nenhum dos lados. Essa é a "doutrina do meio-termo" preconizada na Grécia antiga por Aristóteles: em qualquer coisa, sempre mantenha a medida certa entre o excesso e a escassez. Ideias semelhantes foram desenvolvidas em filosofias budistas e confucionistas. A virtude medieval da Temperança era frequentemente interpretada como moderação e restrição à satisfação dos desejos, e posteriormente foi associada ao consumo de álcool. Por fim, foi identificada com completa abstinência, que é claramente contrária ao significado original.

A carta pode indicar um compromisso entre dois opostos. Por exemplo, ela pode descrever uma reconciliação entre partes conflitantes ou a descoberta de um modo para conciliar interesses díspares. Também pode indicar uma pessoa que serve como mediadora. No caso de um dilema, a carta pode descrever um meio-termo, que combina as vantagens de ambas as opções. De modo geral, pode significar comportamento moderado, sem exagero de nenhuma das partes.

É interessante notar a evolução entre as três virtudes cardeais. Na carta da Justiça, a ordem racional da parte superior da carta empunha uma espada e subjuga com força o fluxo de vida natural da parte inferior. Na carta da Força, o elemento superior ainda comanda o inferior, mas isso é feito de maneira suave, permitindo a expressão. Na carta da Temperança também podemos ver uma parte mais alta e uma parte mais baixa, cada uma com seu próprio recipiente, mas nesta carta as duas partes são unidas pelo fluxo líquido.

A Temperança faz o impossível

O líquido parece desafiar as leis da física, pairando no ar e, no entanto, a figura parece estar fluindo. Nós podemos imaginar que seja algum tipo de líquido mágico que pode fluir para frente e para trás entre os jarros. As asas angelicais, a flor na testa e talvez a ligação com o milagre de Caná podem representar habilidades extraordinárias. A carta da Temperança pode indicar uma ação precisa e hábil, alcançando algo que normalmente pareceria impossível. Nós podemos também vincular essa leitura à anterior e interpretar a carta como um compromisso entre lados aparentemente irreconciliáveis.

A Temperança procede com paciência

A atmosfera geral da ilustração é serena e o ato de derramar o líquido para frente e para trás parece lento e paciente. A carta pode descrever paciência, perseverança e esforços de longo prazo. Por conseguinte, pode indicar um ritmo lento de acontecimentos, preparativos em curso ou hesitações intermináveis entre opções, sem que se dê um passo de verdade. A calma e a natureza fluente da carta, bem como a aparência angelical da figura, podem expressar paciência, aceitação e perdão em relação a conflitos internos e fraquezas nos outros e em si mesmo.

A Temperança gera um fluxo interior

A faixa de líquido que flui na frente do abdômen da figura pode representar não um fluxo externo, mas um fluxo interno. Isso pode trazer à mente métodos da medicina tradicional que consideram os processos da vida como um fluxo entre os elementos. Por exemplo, a medicina ocidental medieval falava sobre os quatro líquidos (humores) do corpo, em que o bem-estar do corpo e da alma era visto como resultado da mistura correta e equilibrada desses líquidos. Um conceito semelhante de bem-estar existe na medicina chinesa, que fala da energia da vida (*chi*) fluindo entre o elemento ativo (*yang*) e o elemento passivo (*yin*). Nesse sentido, a carta pode se referir à medicina alternativa e holística ou a métodos naturais de terapia corporal e mental. Por exemplo, pode se referir à yoga, ao tai chi chinês ou aos métodos desenvolvidos pela Nova Era de equilíbrio e harmonia interior. Também pode indicar nutrição saudável e um estilo de vida bem equilibrado.

A Temperança se destila

Vários autores ligam essa carta à alquimia espiritual, que interpreta os escritos alquímicos como uma alegoria à transformação pessoal da matéria bruta (o estado normal da consciência) até a pedra filosofal (consciência pura e iluminada). O milagre na vila de Caná é, portanto, algum tipo de alquimia; a água humilde se torna o vinho exaltado. Essa interpretação não fala de uma mistura, mas do processo de tornar o líquido mais refinado e puro. A figura que gera o fluxo através do meio do seu corpo pode estar envolvida nesse processo de autodestilação. As asas do anjo e as flores na testa podem simbolizar inteligência superior e benevolente e, portanto, indicar que a destilação é impulsionada por um elemento puro e espiritual em seu ser.

Ainda assim, o fluxo na carta é direcionado apenas para dentro. A figura imóvel, enraizada no chão, expressa a falta de movimento real, e a elevação dos cotovelos pode estar impedindo outras pessoas de invadir o espaço pessoal. Isso talvez indique uma preocupação excessiva consigo mesmo e com os próprios processos internos, que não deixam espaço para avanços práticos ou para o contato próximo com outras pessoas.

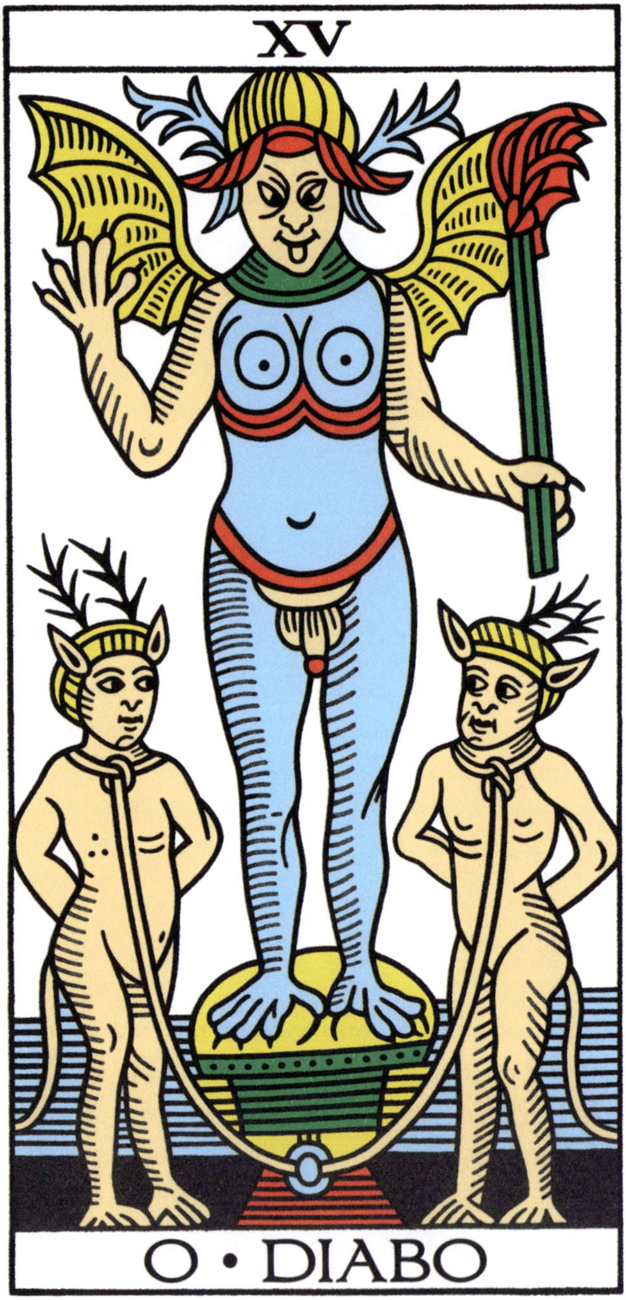
XV
O • DIABO

Carta 15: O Diabo

Le Diable, em francês, pode ser o diabo cristão, que representa o mal absoluto. Mas também pode ser um demônio ou diabinho travesso e indomável, mas não totalmente malévolo. Novos tarôs da tradição inglesa adotaram a primeira interpretação e mostram um demônio assustador. Mas, no Tarô de Marselha, as figuras sorriem e parecem obscenas e desavergonhadas, em vez de malévolas. Os pés e chifres, semelhantes aos de animais, parecem descrições medievais do diabo das crenças populares e dos manuais de caça às bruxas. Mas eles também podem estar relacionados a Pan, o deus grego dos pastores, que representa as forças indomáveis da paixão natural. A imagem se assemelha muito a uma antiga placa babilônica conhecida como Alívio de Burney, exposta no Museu Britânico e datada de 1800 a.C. Alguns acreditam que represente Ereshkigal, a rainha do submundo.

O Diabo zomba da lógica convencional

A carta do Diabo (15) é às vezes associada à do Papa (5), com uma estrutura semelhante de uma figura grande e duas pequenas. Mas podemos ver sua parte superior como uma imagem distorcida da Carta da Justiça. O Papa e a Justiça representam os valores socialmente estabelecidos e aceitos, enquanto o Diabo representa o seu oposto. A língua para fora lembra o órgão sexual masculino no centro da carta, expressando zombaria e desafio às convenções e normas sociais. A grande figura está, portanto, cheia de contradições: um corpo humano com elementos animais e um órgão sexual masculino com seios femininos.

O Diabo pode representar anarquismo, subversão e desafio às normas convencionais. Portanto, indica paradoxos e contradições interiores que vão além da lógica tradicional e das classificações binárias simples de bom e ruim, masculino e feminino ou humano e animal. Pode expressar um comportamento limítrofe que atinge os limites da respeitabilidade e da aceitação. Por exemplo, pode representar uma exibição audaciosa de um estilo de vida libertino ou licencioso. Portanto, pode indicar um desejo de experimentar coisas proibidas ou um pensamento original e fora dos padrões, que desafia as normas convencionais.

O Diabo expressa impulsividade e paixão

A nudez aparece em muitas cartas dos Arcanos Maiores. Mas apenas a carta do Diabo, com o órgão sexual exposto bem no centro, faz referência à sexualidade. A natureza flagrantemente lasciva da carta sugere uma expressão desenfreada de desejos. Por exemplo, os dois diabinhos ou duendes, um do sexo masculino e outro do sexo feminino, podem ser dois parceiros com uma ligação tempestuosa e apaixonada. Suas características animalescas e seus olhares para a ponta do pênis da figura principal expressam uma relação centrada no sexo e no desejo impulsivo. Ao mesmo tempo, as cordas amarradas no pescoço simbolizam dificuldade para se separarem. Em geral, a carta expressa qualquer comportamento irracional, motivado por desejos e paixões.

Pode-se ver também escravidão e o objeto empunhado à guisa de chicote como uma indicação de dominação sexual ou experiências sadomasoquistas. Não está nem claro se o pênis e os seios são genuínos: talvez eles sejam usados como acessórios artificiais, indicando que, embora tudo esteja exposto, não se pode acreditar em tudo que se vê. A carta pode, assim, expressar fantasia, imaginação e inventividade em assuntos sexuais. Voltando à ligação simbólica entre desejo e criatividade, podemos ver também na carta um impulso criativo que rompe os limites do convencional e vai além dele.

O Diabo surge do abismo

A área preta na parte inferior da carta representa o abismo, que aparece em outras cartas. Podemos interpretá-la como camadas profundas de sentimentos sombrios, traumas passados, medo e dor. A sensação de movimento na carta é ascendente, o que pode representar forças originando-se nas profundezas ocultas da alma e saindo para o ar livre. O comportamento selvagem e impulsivo do Diabo talvez seja a expressão de um distúrbio de personalidade subjacente ou um pedido de ajuda numa situação de sofrimento emocional. A carta pode, portanto, representar a influência de impulsos obscuros, como raiva e agressividade, indicando a liberação do "demônio interior".

O movimento ascendente também tem seu aspecto luminoso. Os dois diabretes parecem indicar o crescimento das plantas, os pés são semelhantes a raízes de árvores e os chifres parecem galhos. Também podemos observar suas caudas, que simbolizam um caráter animalesco. Comparada a eles, a grande figura central tem mais aspectos humanos, e suas asas até sugerem um potencial angelical. Podemos relacioná-la ao mito do Diabo como um anjo caído e interpretar o movimento ascendente como um retorno à sua dignidade original. Nesse sentido, a carta expressa um processo de crescimento pessoal a partir de um estado de dor e de sofrimento emocional.

Os diabinhos também podem representar os pais, e a figura maior lembra o rosto sorridente e vesgo de um bebê. Os pais ainda estão atados pelo pescoço à escuridão de onde vieram, mas a geração seguinte já consegue se libertar do passado doloroso e expressar sua força vital e criatividade. Nesse aspecto, a carta do Diabo pode indicar um processo de reparação e cura de traumas familiares passados.

O Diabo está vinculado à satisfação dos desejos

Outro paradoxo da carta do Diabo diz respeito às noções de liberdade e escravidão. Por um lado, sua exibição aberta da sexualidade e do desejo aparece como um ato livre e deliberado de autoexpressão. Por outro lado, essa é a única carta com figuras de escravos presos pelo pescoço. Esse é o paradoxo inerente do desejo: agir de acordo com ele pode ser visto como uma libertação de normas inibidoras, mas também como uma dependência do prazer e da satisfação. A carta pode representar qualquer tipo de comportamento compulsivo ou viciante; por exemplo, a dependência de sexo ou drogas, distúrbios alimentares e assim por diante. Muitas vezes essa dependência é negada pela pessoa viciada, que afirma estar no controle da situação e agir por vontade própria. A figura maior, que domina os diabinhos, também pode representar uma relação de abuso e manipulação, exploração de outras pessoas para fins egoístas ou a influência negativa de alguém que busca da própria satisfação pessoal.

O Diabo provoca sua própria ruína

O objeto vertical na mão esquerda da figura grande pode ser uma tocha acesa, e a cor vermelha da ponta da asa pode indicar que ele também está em chamas. A tocha talvez lembre o naipe de Paus, representando paixões e desejo ardente. O desejo desenfreado pode levar à satisfação e ao prazer, como sugere o sorriso tentador da grande figura, mas também tem seu preço. A carta pode descrever uma conduta contraproducente, que pode acabar prejudicando o consulente, ou uma má influência que pode levá-lo ao fracasso. Ainda assim, é possível pensar que, se a carta representa uma única experiência libertadora e não um modo de vida constante, pode valer a pena pagar o preço de uma asa chamuscada.

XVI

A · TORRE

Carta 16: A Torre

A torre é um símbolo masculino de poder e dominação. Quando atingida por um raio, torna-se um símbolo do orgulho sofrendo um golpe. Alguns autores viram essa carta como uma referência à Torre de Babel, cujos construtores foram punidos por sua vã tentativa de alcançar o céu. As três janelas, a coroa no topo e o raio podem se referir à história de Santa Bárbara, que era filha de um rei pagão. Para impedi-la de se converter ao cristianismo, o pai a trancou numa torre com duas janelas. Determinada a se converter, Barbara mandou que abrissem uma terceira janela e sobre ela esculpiu o símbolo da Santíssima Trindade. O pai, zangado, mandou executá-la, mas, no momento em que a filha era degolada, um raio caiu sobre ele e o matou. As esferas coloridas no ar não estão relacionadas a essa história. Elas se assemelham a imagens medievais do maná, que desceu do céu para os israelitas, quando eles atravessavam o deserto.

A Torre derruba as estruturas sólidas

A imagem de uma torre sendo atingida por um raio, com figuras que parecem estar caindo, sugere a ideia de um golpe repentino que atinge e destrói uma construção sólida. A carta pode significar o colapso repentino de uma estrutura de aparência sólida. Por exemplo, as duas figuras talvez representem um relacionamento ou uma parceria que está chegando ao fim. Como indicam as posições dos corpos, os parceiros agora vão viver separadamente. A carta pode descrever a perda de uma posição no local de trabalho, o desmoronamento de crenças e opiniões, uma crise econômica ou política e assim por diante. A coroa na torre pode indicar que, mesmo aqueles com poder e autoridade, não estão protegidos da queda.

A desintegração de estruturas sólidas também pode ser positiva. As paredes de pedra da torre podem ser algum tipo de prisão na qual o consulente foi trancado, mas da qual ele agora pode se libertar. A carta talvez signifique a libertação de um confinamento, que pode ser a remoção de barreiras externas ou uma emancipação interior de ideias limitantes e restritivas.

A Torre se abre para o céu

O título da carta em francês, *La Maison Dieu*, traduz-se literalmente como "A Casa Deus" (com a gramática defeituosa do original). Isso sugere algum tipo de templo, não um desafio punível contra os céus. O significado espiritual de um templo é uma estrutura material que se abre para receber a graça celestial. Isso pode explicar a forma indefinida e colorida que sai do objeto circular cuja ponta é apenas visível no canto superior direito. Podemos ver isso como energia divina entrando na torre a partir de cima.

A carta da Torre pode representar algum tipo de milagre ou uma repentina intervenção divina no domínio terrestre. A torre cor-da-pele também pode representar o corpo físico, com sua parte superior coroada simbolizando a cabeça. Nessa interpretação, o ser humano é uma espécie de templo vivo, que recebe a influência ou as mensagens de níveis mais elevados, como num transe divino ou profecia. De maneira geral, a carta pode indicar uma revelação repentina ou uma visão, a exemplo de uma ideia que nos atinge como um raio e dramaticamente muda nossa visão das coisas.

A abertura do topo da torre à penetração da energia também pode ser vista como um símbolo da sexualidade feminina, enquanto a torre masculina com as esferas voando ao redor pode sugerir um orgasmo masculino. As duas janelas mais curtas e a terceira, mais alongada, sugerem a forma da genitália masculina. A carta pode, portanto, significar uma união sexual apaixonada ou, em geral, um estado de êxtase que pode ir além da experiência normal da realidade.

A Torre é construída lentamente e desaba rapidamente

A Torre é feita de tijolos dispostos em camadas. Se a considerarmos um templo, então o raio da graça divina não é uma catástrofe inesperada. Pelo contrário, é o momento em que o propósito do edifício é realizado. Nesse sentido, podemos ver na carta um processo contínuo atingindo um ponto crítico, em que tudo de repente começa a entrar em movimento. Por exemplo, pode ser a realização repentina de um projeto após longos e trabalhosos preparativos. Vista no sentido negativo, a imagem pode transmitir a tensão que se acumula até explodir – por exemplo, um ressentimento pessoal oculto que vai se acumulando e de repente se revela como uma discussão declarada. De um jeito ou de outro, a natureza tempestuosa da carta indica uma reviravolta intensa e dramática nos acontecimentos.

A Torre suspende as leis da realidade

Não está claro se as duas figuras estão realmente caindo da torre. A da direita pode estar apenas rastejando atrás da torre, e a figura à esquerda talvez estejam pairando no ar, com as mãos apenas tocando o chão. Pode parecer uma suspensão temporária da gravidade, ou seja, das leis comuns da realidade. Podemos interpretar essa carta como um ponto crítico de compreensão, que muda tudo. Mesmo que tenha sido planejado e esperado, quando finalmente acontece, é um choque que pode gerar uma sensação de realidade fantástica na qual, por um instante, tudo é possível.

A carta pode descrever um período de comoção pessoal, durante o qual o consulente não consegue ter certeza dos limites da realidade. Ele pode ter dificuldade para se adaptar e sentir como se tudo estivesse de cabeça para baixo, mas também pode ver novas e promissoras possibilidades que não existiriam numa situação normal. Em outras palavras, pode aproveitar o momento em que as regras antigas caem por terra, para transformar uma crise em oportunidade.

A Torre retorna ao chão

A Torre é uma estrutura artificial que se eleva, enquanto as figuras na carta parecem estar voltando ao chão. As mãos delas estão estendidas, quase como se tocassem as plantas. Como alternativa, se interpretarmos os pequenos círculos coloridos como o maná, as mãos podem estar coletando pedaços que caíram no chão. Talvez possamos ver a torre como um símbolo de ilusões de grandeza e planos absurdos. As figuras estão retornando ao terreno sólido da realidade com planos modestos, mas produtivos, e aspirações. Nesse sentido, a carta pode incentivar o consulente a se concentrar em objetivos de pequena escala, mas realistas, em vez de arquitetar planos de longo alcance, mas incertos. A carta pode sugerir o retorno a um modo de vida modesto, mas decente, sem luxos excessivos além dos meios reais do consulente.

XVII

A • ESTRELA

Carta 17: A Estrela

A Estrela é a primeira de três cartas com uma estrutura semelhante: um objeto celeste na parte superior e uma cena onírica na parte inferior. A estrela grande assemelha-se à rosa dos ventos de mapas antigos. Sua posição central pode ser uma referência à Estrela do Norte, que é o ponto fixo em torno do qual todos os outros objetos celestes giram. Alguns autores identificaram as sete estrelas pequenas como um grupo das Plêiades. Na mitologia grega, as Plêiades eram sete ninfas irmãs que atraíram a atenção do sensual caçador Orion. Para salvá-las da perseguição, o deus Zeus transformou as sete irmãs em pombas. Voando para o alto, elas alcançaram os céus e se tornaram estrelas. Várias histórias mitológicas referem-se a alguém se apaixonando por uma deusa ou uma mulher que está tomando banho nua – ou seja, numa situação que combina pureza e vulnerabilidade.

A Estrela revela a verdade

O sol, a lua e uma estrela são uma combinação comum de símbolos na alquimia renascentista. E, nos emblemas alquímicos, eles são representados de forma muito semelhante à das cartas. No sistema simbólico alquímico, o sol é o princípio masculino, a lua é o princípio feminino e a estrela expressa a união mística entre eles. Essa combinação é também significativa na cosmologia medieval, que identificava os objetos celestiais com esferas semelhantes a cristais ("órbitas") aninhadas umas nas outras. A esfera da lua era a mais próxima da Terra. A esfera do sol estava no meio. A esfera das estrelas fixas era a mais distante da Terra e a mais próxima do reino divino.

O caráter calmo e fluido da ilustração da carta, junto com a visão simbólica de uma estrela como algo puro e sublime, motivou muitos autores a associar a carta da Estrela com as imagens fantásticas da natureza, como o jardim do Éden ou a fonte da juventude. Esses autores viam a figura nua da carta como um símbolo de honestidade e verdade: nada a esconder, tudo revelado.

Em contraste com alguns novos tarôs nos quais o corpo da mulher é idealizado, no Tarô de Marselha, ele apresenta distorções físicas, principalmente na parte inferior, embora isso não estrague a beleza da ilustração. Podemos interpretá-la como disposição para mostrar ou aceitar as coisas como elas são, com suas fraquezas e falhas. A abertura na carta também pode simbolizar inocência e intenções puras.

A Estrela se lava

Nas religiões ocidentais e orientais, o ato de tomar banho ou derramar água sobre si é considerado um símbolo de limpeza e purificação espiritual. Enfatiza-se muitas vezes que a água deve vir de uma fonte natural. A figura na carta está lavando a parte inferior do corpo. Isso pode ser resultado de sentimentos de culpa ligados ao corpo e à sexualidade.

A figura nua e a paisagem aberta expressam a renúncia a estruturas artificiais e sofisticadas e um retorno ao simples e natural. Por exemplo, ela pode significar um momento de afastamento do ritmo de vida moderno e das ocupações cotidianas habituais. Também pode representar um ritual ou uma experiência pessoal que dê uma sensação de autopurificação e limpeza de influências negativas. E pode representar também experiências reais de nudez física ou emocional.

A Estrela retira coberturas e limites

A eliminação dos limites na carta da Estrela não é apenas pela nudez, mas também pela mistura de detalhes na parte inferior da carta. O fluxo no lado direito funde-se com a coxa da mulher. Os detalhes da paisagem à esquerda complementam o jarro e criam uma forma complexa e estranha. Perto da mão direita, uma parte da paisagem é da mesma cor que o corpo da mulher. A fronteira entre a água e a terra não é clara. Nesse sentido, a carta expressa um abrandamento dos limites rígidos e das separações evidentes, dando origem a uma sensação de fluxo e adaptação.

A carta também pode indicar uma dificuldade em estabelecer limites para si ou para os outros. Ainda assim, na ausência de bordas fixas, a figura mantém distinções entre o que faz parte dela (o fluxo no abdômen e nos órgãos sexuais) e o que não faz (o fluxo do outro jarro, que ela segura a uma distância maior do corpo). Em outras palavras, os limites são muito flexíveis, mas não completamente ausentes. A Estrela do Norte acima da cabeça da mulher também pode indicar que ela ainda está em seu ponto focal, mesmo que não esteja olhando diretamente para a estrela. Isso significa que a mulher está fazendo a coisa certa intuitivamente e com seus instintos.

A Estrela doa generosamente

O líquido que sai dos jarros pode significar a vontade de doar e compartilhar com os outros. Isso pode ser generosidade ou desperdício e esbanjamento. A figura despejando água numa espécie de lago também pode ser uma referência a uma expressão popular francesa, "levar água ao rio", que significa investir esforços desnecessários em algo que já existe.

Pode-se também pensar que a figura nua no cenário aberto está muito exposta e vulnerável. O pássaro na árvore pode ser a silhueta de uma pomba, referindo-se à história das Plêiades fugindo do seu perseguidor. Além disso, sua cor preta pode indicar incerteza e perigo. Nesse aspecto, o consulente pode estar exposto e indefeso diante de uma ameaça.

A Estrela flui para a terra

Numa interpretação mais mística, podemos ver a grande estrela como um símbolo da consciência divina ou cósmica e as estrelas menores como seu reflexo na mente de cada pessoa. A estrelinha acima da cabeça da figura é seu próprio "eu superior", no nível intermediário entre sua individualidade pessoal e a consciência cósmica. Várias tradições descrevem essa presença pairando logo acima da cabeça, como o chakra da Coroa na Índia ou o Shekhina, pelo qual os judeus demonstram respeito cobrindo a cabeça. A comparação entre a multidão de seres humanos e as estrelas é também comum; por exemplo, na visão de Abraão, no livro do Gênesis.

Podemos imaginar algo como plenitude divina ou riquezas fluindo da estrela central através dos fios de cabelo dela e, em seguida, assumindo a forma da água derramada dos jarros na terra. A esse respeito, a carta pode representar a ideia de energia cósmica fluindo para a realidade terrena, como em métodos de terapia espiritual, por exmplo o Reiki, em que a cura é feita pela imposição das mãos ou a canalização de mensagens de seres superiores.

A Estrela brilha com esperança

O abdômen arredondado da figura pode indicar gravidez. A natureza agradável da carta e a vontade de correr riscos, expondo-se a si própria, expressa um sentimento de otimismo. A estrela principal também pode ser uma alusão à Estrela de Belém, que anunciou o nascimento do Cristo Salvador, ou pode evocar a sensação de que alguém do alto está protegendo você. Podemos ver a carta como uma mensagem de esperança, incentivando-nos a deixar as coisas fluírem naturalmente e esperar que algo bom resulte disso.

    É possível, portanto, conectar a carta com a palavra hebraica *mazal*, que significa "sorte". Originalmente, ela se referia às estrelas e a algo líquido e fluido, uma combinação expressa na ilustração. Nesse sentido, a carta pode significar sorte vinda dos céus.

Carta 18: A Lua

A imagem da Lua na carta foi extraída do simbolismo alquímico, no qual ela representa o princípio feminino, que absorve e contém. Por tradição, a Lua está ligada à ideia de um ciclo repetitivo (fases lunares, ciclo menstrual) e assuntos relacionados à água (marés). Uma ligação entre a Lua, a água, um crustáceo e ideias tradicionais sobre a feminilidade também aparece na astrologia, na qual a Lua rege o signo de Câncer (Caranguejo), associado com o elemento Água e representando o útero, a maternidade e a casa. Na cosmologia medieval, a órbita da Lua é uma zona fronteiriça entre o domínio terrestre e as esferas celestes. Na crença popular da Lua cheia, as noites estão muitas vezes relacionadas a ritos de feitiçaria e a um comportamento "lunático".

A Lua evoca uma realidade diferente

As áreas azul-claras da carta passam a impressão de uma paisagem banhada pelo luar, onde as coisas parecem diferentes do que seriam em plena luz do dia. As figuras de animais e os edifícios estranhos criam uma atmosfera misteriosa, encantada, inquietante. Ela pode sugerir uma realidade onírica noturna, na qual conteúdos profundos e estranhos emergem e inundam a mente, como o crustáceo emergindo da piscina. É como se os animais, as gotas flutuantes e até o chão entre os cães fossem atraídos para cima. Isso expressa a qualidade da atração atribuída à Lua, no simbolismo alquímico.

Não se pode realmente tocar a Lua e os raios pontiagudos sugerem que é melhor nem tentar. A carta talvez expresse um desejo de algo além da realidade normal. Também pode representar atração por um ideal perigoso ou por uma pessoa emocionalmente inacessível. É possível que a carta também esteja relacionada à expressão popular francesa sobre o cachorro que late para a lua, indicando uma tentativa fútil de se opor a algo sobre o que não se tem nenhuma influência.

O significado medieval da Lua como zona fronteiriça do domínio terreno pode vincular a carta com uma inclinação para o oculto e a realidade sobrenatural da magia e da feitiçaria. A carta da Lua também pode representar uma percepção alterada da realidade, como nos sonhos ou no consumo de drogas psicodélicas.

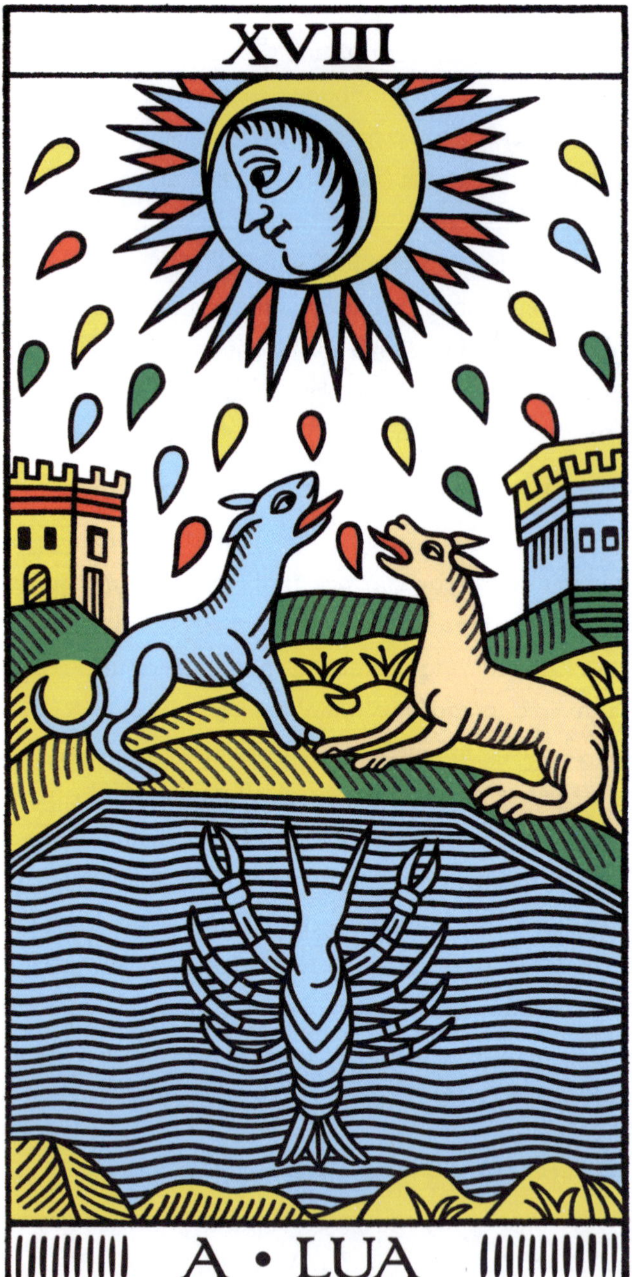
XVIII
A • LUA

A Lua desperta forças ocultas

A parte inferior da carta pode ser vista como a margem mais próxima de quem vê a carta, mas também como o fundo da piscina. Essa margem mais próxima é feita de rochas brutas, em contraste com a parte superior, que é uma estrutura artificial e elaborada. A borda superior pode representar as construções da racionalidade e dos mecanismos de defesa psicológicos, que geralmente bloqueiam o conteúdo subconsciente. Sob o luar, eles perdem seu poder e seus conteúdos ocultos são revelados. A carta pode descrever o despertar de emoções vagas, mas fortes, ou de ações motivadas por sentimentos profundos e não por considerações racionais. A carta pode se referir à própria sessão de tarô, o que talvez desperte conteúdos carregados de emoção, como lembranças dolorosas ou emoções reprimidas, alertando o intérprete para ser cuidadoso e sensível.

Num sentido mais amplo, a carta pode descrever fatores subjacentes, ocultos da percepção da "luz do dia". O crustáceo e os cães (ou talvez os lobos) são animais perigosos e a carta pode expressar um perigo oculto. Os dois cães latindo um para o outro também podem simbolizar uma briga cujos motivos reais são diferentes do que é visto na superfície.

A Lua olha para o passado

O lado esquerdo da carta, simbolizando o passado, parece ser mais proeminente do que o lado direito. A face da Lua está voltada para a esquerda. O cão da esquerda está numa posição mais elevada, com o rabo levantado, enquanto o da direita está com o rabo caído. A torre à esquerda parece aberta e iluminada, enquanto a torre da direita parece fechada e sombria. A borda superior da piscina está inclinada, de modo que o lado esquerdo parece mais alto que o lado direito e o caranguejo está ligeiramente voltado para a direita, como se estivesse atacando o cachorro que está desse lado.

A carta da Lua pode descrever influências passadas emergindo e causando impacto sobre o presente. A profundidade da piscina sugere que essas influências são de um passado distante, não do passado recente. Por exemplo, a carta pode ser sobre pessoas ou acontecimentos com que nos deparamos muito tempo atrás ou de experiências da primeira infância. Ela também pode estar relacionada a vidas passadas, gerações anteriores da família ou a influência de eventos históricos distantes. A conexão simbólica entre a Lua e a maternidade, além dos animais voltados para a Lua, pode expressar uma necessidade insatisfeita de amor maternal na infância do consulente. A carta também pode descrever uma pessoa preocupada com memórias e pensando constantemente no passado. Como alternativa, a carta pode indicar a necessidade de dar um passo atrás para avançar posteriormente.

A Lua desce até as profundezas

A natureza perturbadora da carta – com os cachorros, a estranha paisagem e o crustáceo emergindo – pode expressar um conflito difícil com conteúdos que estão emergindo das profundezas. Mas a posição avançada da carta na sequência dos Arcanos Maiores indica que o consulente tem a maturidade e os recursos pessoais necessários para vencer esse desafio.

O movimento na carta é ascendente. Talvez isso represente o mítico tema da descida ao mundo subterrâneo, a fim de ressurgir com novos poderes e ideias. A Lua também pode significar que é preciso enfrentar um problema aprofundando-nos até suas raízes, em vez de nos contentarmos com soluções. Ela também pode nos incentivar a olhar para os elementos básicos de uma situação complexa e confusa.

A Lua descobre terreno firme

A carta da Lua pode expressar declínio emocional e depressão ou até sugerir uma ligação simbólica entre a Lua e a loucura. Mas, se considerarmos as pedras, na borda inferior da carta, como o fundo da piscina, então percebemos que a pessoa não pode cair indefinidamente. No fundo, há uma base sólida e confiável. A carta pode incentivar o consulente a não resistir ou reprimir sentimentos sombrios como dor, raiva ou medo. Em vez disso, ele pode vivenciar esses sentimentos, confiante de que no fundo do seu ser existe uma base sólida que pode ser confiável.

Avançando da esquerda para a direita, podemos ver que, acima da piscina, o eixo horizontal da carta está bloqueado e não oferece caminho para o futuro. Mas, na borda inferior, é possível ver uma mudança em relação às rochas estéreis e sombreadas à esquerda, que se tornam o terreno limpo e fértil à direita. No ponto médio entre os dois lados, o fundo sólido quase desaparece, mas a onda menor adiciona sua cor às rochas. Isso pode representar a obtenção da ajuda de outras pessoas justo no momento mais difícil, ou pode ser a moeda de ouro, que simboliza tesouros escondidos, só encontrados quando se mergulha fundo.

A ligação simbólica entre a Lua e ciclos repetitivos (fases crescente e minguante) ou marés (alta e baixa) pode sugerir que o sofrimento no presente é como a tempestade que elimina as nuvens do céu. A passagem estreita das rochas no fundo também pode nos lembrar das palavras do Rebbe Nachman de Breslov: "Saiba que este mundo é uma ponte muito estreita e o essencial é não ter medo de nada".

XVIIII

O • SOL

Carta 19: O Sol

O Sol desempenha um papel central entre os corpos celestes, tanto na astronomia da Idade Média, na qual o movimento aparente desse astro é a base de todos os movimentos celestes, quanto na astronomia moderna, como centro em torno do qual todos os planetas giram. No simbolismo alquímico, o Sol tem um caráter masculino e paternal, que irradia e emana luz e calor. Na era da monarquia absolutista, na França, o Sol era considerado um símbolo do rei, que emana sua graça sobre seus súditos. Na astrologia, o Sol é considerado o regente do majestoso signo de Leão. As duas crianças da carta são frequentemente identificadas com os gêmeos que aparecem em mitos de várias culturas. Às vezes, eles são os filhos diretos do pai dos deuses ou do deus solar, e são considerados heróis que lutam pelas forças da luz. Na mitologia indiana, eles são chamados de gêmeos Ashvin e possuem poderes de cura.

O Sol irradia luz e calor

As cores quentes e brilhantes, juntamente com o toque entre as crianças, dão à carta um caráter alegre e otimista. As linhas radiais retas ao redor do Sol criam uma superfície lisa que suaviza as pontas afiadas dos raios. É como se o Sol estivesse se expandindo até quase tocar a cabeça das crianças. Isso é especialmente digno de nota quando é feita a comparação com a forma contraída da Lua, semelhante a um porco-espinho.

Como a luz solar que dá vida, a carta pode expressar riqueza e bênçãos enviadas do céu. Pode representar a influência positiva das pessoas em posições elevadas, um influxo de energia de cura ou a ajuda de forças superiores, sejam naturais ou sobrenaturais. Em questões práticas, pode significar uma situação confortável, prosperidade e sucesso.

O Sol dá espaço para a criança

As duas figuras infantis podem ser crianças ou uma referência à infância. Também podemos pensar no espaço parcialmente murado e banhado pela luz solar como um parquinho infantil. Nesse aspecto, a carta do Sol talvez faça referência aos filhos do consulente (não necessariamente dois), à própria infância dele ou às crianças em geral. Ela também pode descrever traços infantis na própria pessoa ou ser uma expressão da sua criança interior – brincalhona, criativa e imaginativa. Como alternativa, a carta pode significar impulsividade ou falta de paciência, inocência e ingenuidade, sinceridade, espontaneidade, curiosidade, novas ideias ou capacidade de aprender e se adaptar. Também é possível ver a carta como uma sugestão aos cursos esotéricos da Nova Era ou atividades semelhantes, que incentivam os participantes a expressar aspectos infantis da sua personalidade.

A carta também pode indicar uma recusa em crescer e assumir responsabilidades da vida adulta; por exemplo, uma pessoa excessivamente dependente dos pais ou dependente de mesada e ajuda externa. Também podemos vê-la como "o paraíso dos tolos", no qual o consulente vive sem encarar de fato a vida como ela é. Jodorowsky às vezes interpreta o Sol como um pai celestial – ou seja, uma figura paterna idealizada. Por exemplo, pode indicar um pai ausente durante a infância e, portanto, não sentido como uma presença terrena ou tangível. Também pode evocar uma sensação persistente de que alguém lá em cima está assistindo e vigiando suas ações.

O Sol estabelece limites bem definidos

No Sol, podemos ver exposição e abertura, mas também limites e proteções. As crianças estão quase nuas, mas têm um pano cobrindo as partes íntimas. Atrás delas há um muro, mas ele é baixo e é possível pular sobre ele. A carta pode expressar um grau moderado de abertura, que estabelece limites, mas permite o contato pessoal. Por exemplo, pode representar uma amizade sem envolvimento sexual ou um relacionamento próximo que ainda dê espaço para os parceiros. Ela ainda pode expressar uma educação ou um estilo de gestão baseado na imposição de limites moderados e com um toque humanitário.

O Sol encontra um parceiro

Muitos autores veem os dois filhos como gêmeos, embora seja evidente que não são idênticos. Talvez possamos vê-los apenas como irmãos, seja num sentido biológico ou metafórico. O sentimento de fraternidade é expresso no contato gentil e caloroso entre eles, com um abraço e um toque na área do coração. A luz do sol e a nudez indicam que eles não estão escondendo armas ou más intenções um do outro. O espaço protegido também cria um sentimento de intimidade e segurança.

A carta pode expressar uma sensação de calor e confiança mútua entre irmãos, parceiros ou amigos. Pode indicar a necessidade de encontrar um parceiro adequado para um projeto planejado. A carta também pode indicar o encontro da "alma gêmea", em quem o consulente encontrará apoio emocional. Num aspecto negativo, as figuras infantis e a cobertura das partes íntimas podem expressar um bloqueio sexual num relacionamento romântico.

O Sol mostra um caminho

A figura à esquerda tem algo que se parece com os resquícios de uma cauda, o que pode sugerir um caráter animalesco e não desenvolvido. Suas mãos tateantes podem indicar que ele está procurando seu caminho. A figura à direita tem uma aparência mais alerta e focada, e ela pode estar guiando e liderando a outra. Sob seus pés, há uma superfície branca, aberta para o futuro, como na carta O Mago. A carta do Sol pode descrever alguém que dá apoio e orientação ao consulente, conduzindo-o para um bom caminho. Essa orientação parte de uma atitude de igualdade, não de superioridade, como na carta do Papa.

A cauda e o anel no pescoço lembram características semelhantes dos dois diabretes da carta do Diabo. Talvez vejamos nessa carta uma fase mais esclarecida de um relacionamento entre duas pessoas. Como alternativa, as duas figuras podem ser dois aspectos da personalidade do consulente. Carl Gustav Jung falava do "lado sombrio da personalidade", que representa o aspecto mais tenebroso da mente subconsciente. A tendência inicial é rejeitar essas partes e negar sua existência, mas, na carta do Sol, podemos ver a parte mais desenvolvida aceitando e incorporando o lado mais escuro, conduzindo-o delicadamente para a luz.

XX

O • JULGAMENTO

Carta 20: O Julgamento

A imagem da carta é evidentemente inspirada na ideia cristã do Julgamento Final, originária na visão de São João, do livro do Apocalipse. Nessa visão, sete anjos tocam trombetas, anunciando catástrofes globais. Após uma série de acontecimentos extraordinários, os mortos se levantam de suas sepulturas, para passar pelo Julgamento Final e, por fim, céu e terra se unem. Imagens do Julgamento Final geralmente enfatizam seu aspecto terrível e o destino daqueles condenados ao inferno, mas a carta do Julgamento parece vibrante, iluminada e otimista. Ela pode se referir à ressurreição dos mortos, mas os atributos para julgá-los (a espada e a balança) estão presentes na carta da Justiça e não nesta carta. Jodorowsky pronuncia o nome dessa carta da seguinte maneira: *le juge ment*, que significa "o juiz lê". Na opinião dele, isso indica que todo julgamento é falso.

O Julgamento sinaliza um despertar

Apocalipse, termo derivado do grego, significa "levantar o véu" ou "revelação". O dia do julgamento cristão é o fim da história terrena e a manifestação ou revelação do céu na terra. Podemos ver uma conexão entre a ideia do fim do mundo e as duas cartas finais dos Arcanos Maiores: a carta do Julgamento, que faz referência a eventos apocalípticos, e a carta do Mundo, que pode ser uma visão perfeita da realidade, agora divina.

A diferença entre as duas é que a carta do Mundo é mais simétrica, delimitada e estável. Ela pode significar o fim de um processo no nível prático, chegando à conclusão num estado de equilíbrio. Em contraste, a carta do Julgamento mostra drama e movimento, principalmente ao longo do eixo vertical. Talvez o que vemos na carta seja uma conclusão de processos internos como uma busca espiritual ou emocional. Essa conclusão não é um fechamento, mas uma revelação e um despertar que nos abrem para uma nova experiência de vida.

A carta do Julgamento pode indicar um momento de revelação, um despertar ou um novo entendimento. Pode, por exemplo, significar um novo *insight*, que aumente nossa compreensão, uma mudança de paradigma ou uma transformação pessoal. Pode representar um ponto de virada significativo num processo terapêutico ou algum tipo de iluminação e despertar espiritual. A natureza dramática da carta indica que os acontecimentos estão acontecendo num ritmo acelerado, o que sugere um momento especial, em vez de um processo contínuo. Ela também pode representar uma constatação significativa, obtida com a própria leitura.

O Julgamento abre o céu

A cruz na bandeira pode ser uma referência cristã, mas a cruz também é um símbolo antigo, anterior ao Cristianismo, e, portanto, podemos dar a ela outra interpretação. Ela pode simbolizar o encontro dos dois eixos nas cartas: o eixo horizontal da realidade terrena e o eixo vertical da experiência interior. A trombeta pode ser vista como um tipo de túnel, um caminho aberto para o céu, acima. O padrão linear nas costas da figura do meio imita a forma de uma trombeta invertida e expressa aceitação ativa do que vem de cima. A cabeça raspada se assemelha a dos dois aspirantes da carta do Papa e indica que a figura passou por um caminho de aprendizado espiritual. A cabeça e a colina atrás dela podem lembrar um olho nos observando, um símbolo místico de sabedoria superior, que existe desde o Egito Antigo e chegou aos tempos modernos. Às vezes, ele é desenhado dentro de um triângulo, e, na carta, podemos ver essa forma entre as três faces.

A carta também pode descrever um momento de graça, em que a realidade espiritual manifesta-se no plano terreno. Por exemplo, pode ser o auge de um ritual mágico ou de uma experiência mística que ultrapassa os limites entre a realidade comum e a extraordinária. Pode indicar um despertar para um nível superior de consciência ou o entendimento de que existe algo acima e além da existência material. Pode significar a abertura dos portões do céu – ou seja, um momento em que podemos expressar um desejo que se tornará realidade.

O Julgamento ilumina o abismo

As três figuras no chão podem ser uma criança com os dois pais. Se forem, a carta pode ser um triângulo familiar ideal, em que os pais assumem seu papel com adoração e devoção. O contato deles com o corpo da criança indica proximidade e apoio, e sua nudez expressa uma atitude igualitária, que respeita tanto a humanidade básica da criança quanto a do adulto. Podemos ver aqui a reparação e recuperação de problemas de relacionamento com os pais. Como alternativa, a carta pode representar a decisão do consulente de assumir responsabilidades como pai ou mãe. Se a carta estiver invertida, ela pode indicar um relacionamento problemático entre pais e filho.

A abertura no chão é o abismo, que apareceu nas cartas anteriores, mas agora está iluminado e aberto para o céu. As superfícies brancas ao redor dos quadris podem expressar pureza e asseio em assuntos sexuais. Pode-se ver também o anjo com as asas levantadas e a língua estendida para fora, como uma versão mais elevada da figura principal da carta do Diabo. Como o dia do julgamento cristão, que é a redenção do mundo, a carta pode expressar algum tipo de redenção ou reparação emocional – isto é, a cura do sofrimento da alma e a iluminação dos seus aspectos mais sombrios. A conexão entre o anjo e a figura do meio também pode representar um encontro do consulente com seu anjo pessoal ou com a parte mais sublime e benevolente dele mesmo.

O Julgamento revela o que está oculto

A nudez, a figura saindo do buraco e o chão nu indicam que tudo o que está enterrado e oculto agora será revelado e exposto. A carta do Julgamento pode indicar a revelação de um segredo antes guardado pelo consulente ou escondido dele. A trombeta ressoa por toda parte e pode indicar que assuntos particulares se tornam de conhecimento geral. A carta pode expressar exposição pública e fama ou, por outro lado, difamação e fofoca. Também pode simbolizar os meios de comunicação de massa e a disseminação de informações.

O Julgamento celebra um novo nascimento

A figura central emergindo da terra entre as figuras dos dois pais pode ser a de um bebê saindo do útero. A carta talvez faça referência às circunstâncias do nascimento do consulente ou a um novo bebê na família. Num sentido mais geral, pode-se pensar no nascimento de algo novo na vida do consulente. Tudo o que nascer será aceito com aprovação e apoio, mas seu rosto ainda está escondido; não podemos saber exatamente qual será o resultado. A carta também pode descrever um renascimento, uma transformação pessoal, que inaugura um novo capítulo na vida do consulente.

XXI

O · MUNDO

Carta 21: O Mundo

Representações medievais do tema iconográfico de "Cristo em majestade" o mostram cercado por uma auréola oval de forma amendoada, chamada *mandorla* ("amêndoa" em italiano), que se assemelha à coroa de folhas da carta. Nos quatro cantos ao redor da *mandorla*, aparecem as quatro criaturas vivas mencionadas nos livros de Ezequiel e no Apocalipse: um touro, um leão, um homem e uma águia. Na tradição cristã, eles são chamados de "tetramorfos" e simbolizam os quatro evangelistas. A figura central se assemelha a uma ilustração do século XII da mística Hildegard von Bingen e chamada "homem cósmico", que é cercado por um halo circular e as quatro asas das direções cardeais. A carta também se assemelha a representações indianas do deus Shiva Nataraj ("rei da dança"). Shiva, cuja dança anima o universo, é mostrado dançando dentro de uma coroa redonda, com uma perna levantada no ar.

O Mundo une todos os elementos

O conceito de homem cósmico refere-se a uma visão mística tradicional do corpo e da alma humanos (o microcosmos) como uma imagem em pequena escala do universo (o macrocosmos). Na escala microcósmica, os seres vivos podem representam os quatro domínios dos processos menores: corpo, desejo, emoção e intelecto. A figura central simbolizaria a consciência unificadora representada pelos Arcanos Maiores. Na escala macroscópica, as figuras correspondem aos cinco elementos da antiga Grécia, da filosofia medieval e da tradição hindu. Quatro deles compõem o mundo material, bem como o corpo humano: Terra, Fogo, Água e Ar. O quinto elemento, chamado de Éter ou *akasha*, representa um nível mais sublime de existência. Juntando tudo, podemos dizer que a carta do Mundo representa uma imagem completa do universo, do ser humano e do baralho de tarô, que representa ambos.

A carta pode simbolizar uma integração harmoniosa entre diferentes áreas de atividade. Por exemplo, pode ser um avanço simultâneo em várias direções ou um bom equilíbrio entre diferentes domínios da vida. Na prática, ela simboliza realização e sucesso. Pode-se vê-la como uma referência ao mundo no sentido literal, como uma viagem ao exterior, conexões internacionais ou questões envolvendo outros países.

O Mundo apresenta uma visão perfeita

A imagem do mundo pode ser conectada à carta anterior, do Julgamento. No livro do Apocalipse, após o julgamento dos mortos, Cristo aparece, em toda a sua majestade, como rei do mundo, cercado pelas quatro criaturas vivas. Esse é o momento em que o universo atinge sua perfeição final, e na carta podemos ver uma imagem da perfeição na ilustração simétrica e equilibrada da carta, que coloca tudo no local apropriado. Nesse aspecto, a carta do Mundo expressa uma visão ideal de perfeição, que pode motivar o consulente a seguir em frente, a evoluir e a encontrar melhores soluções. Como alternativa, ela representaria uma tendência para ver o mundo ou a si próprio em termos de uma imagem ideal, distante da realidade. Como a última carta dos Arcanos Maiores, ela pode representar a perfeição no sentido de conclusão e significar o resultado positivo de um projeto ou o encerramento de algum processo.

O Mundo se move entre os opostos

Uma ideia recorrente ao longo da história é que tudo o que acontece no mundo é impulsionado pela tensão entre dois opostos: claro e escuro, por exemplo, ou quente e frio ou alta e baixa pressão. Essas ideias aparecem nos ensinamentos de Heráclito, filósofo da Grécia Antiga, no conceito chinês de *yin* e *yang*, e na moderna teoria física do calor e da energia (termodinâmica).

A dança da figura central da carta também pode ser conduzida por essa oposição, expressa como a polaridade entre masculino e feminino. A mão à direita segura uma varinha masculina. A mão à esquerda segura uma espécie de receptáculo semioculto, uma forma feminina que pode sugerir um ventre. A mão à direita está como que empurrando a coroa com um gesto ativo, enquanto, à esquerda, a figura se aproxima da coroa em vários pontos, sem tocar nela. Como na tabela de correspondências do Capítulo 7, podemos ver duas criaturas vivas à direita, representando os naipes duros (masculinos), e dois à esquerda, representando os naipes suaves (femininos).

A carta pode indicar um movimento impulsionado pela tensão e oposição entre dois polos. Por exemplo, no caso de um confronto entre dois adversários, a carta pode indicar um terceiro, que fica protegido no meio, enquanto tira vantagem da situação. Em caso de dilema entre duas opções, pode significar que o melhor caminho é não se comprometer nem com um jeito nem com outro, mas se beneficiar de ambos.

O Mundo dança dentro de uma estrutura fixa

Acredita-se que os quatro seres vivos sejam de origem babilônica e representem os signos astrológicos fixos. São como quatro pontos estáveis, segurando no lugar a roda celestial do zodíaco. Os signos fixos são Touro, Leão, Escorpião (às vezes representado por uma águia) e Aquário (um balde nas mãos de um homem). Na borda superior da grinalda, podemos ver duas pequenas formas triangulares com a metade direita escura, talvez dois raios de uma estrela escondida. Percebendo a semelhança entre a parte superior da figura dançante e a figura da carta da Estrela, podemos pensar que ela é a Estrela Polar.

Na cosmovisão medieval, o zodíaco e a Estrela Polar pertencem à esfera das estrelas fixas, que proporcionam um arcabouço estável de leis cósmicas para a vida efêmera na Terra. Nesse aspecto, a carta fornece uma imagem de movimento ocorrendo dentro de uma estrutura fixa. Por exemplo, ela pode representar uma pessoa com uma vida interior rica e dramática, embora externamente tenha uma rotina convencional, sem intercorrências. Ela também pode representar alguém que criou para si mesmo um nicho para a livre expressão dentro de um ambiente fortemente regulamentado, como um local de trabalho ou uma organização.

A figura dançante também lembra uma iluminura carolíngia, datada do século IX, de Davi tocando harpa. Ele é retratado dançando com uma perna dobrada para trás e cercado por uma auréola em forma de amêndoa e quatro figuras das virtudes cardeais. Isso e a alusão ao deus hindu dançante Shiva podem vincular a carta à dança, à *performance* e à expressão corporal.

O Mundo está fechado em si mesmo

A figura dançante está contida num espaço limitado, que a protege, mas também a limita. A carta pode assim indicar que o consulente está preso a uma situação em que, externamente, tudo parece bem. Por exemplo, talvez seja a gaiola de ouro de um emprego bem remunerado, que não permite avanço real ou evolução pessoal. A grinalda separando o lado de dentro do lado de fora também pode simbolizar desconexão e distanciamento entre os sentimentos do consulente e a sua vida exterior. Por exemplo, ela pode representar um sentimento de não entrosamento, na vida conjugal ou no trabalho.

O umbigo da figura dançante pode lembrar o conceito grego antigo de *omphalos*, o umbigo do mundo. Juntamente com a grinalda, pode indicar que o consulente se sente no centro do seu próprio universo particular. Num aspecto positivo, pode indicar independência emocional e autossuficiência. Num aspecto negativo, pode significar narcisismo, o sentimento de que o mundo gira em torno do seu umbigo e isolamento social.

O Mundo prepara algo novo

Por ser a última carta dos Arcanos Maiores, o Mundo representa um desfecho. Mas a ilustração também se assemelha a representações médicas medievais de um embrião humano, com a perna dobrada e os braços abertos dentro de um útero redondo. A mão tocando a grinalda do lado direito pode expressar um desejo de sair e nascer. Nesse sentido, a carta pode descrever um processo para alcançar um aparente grau de estabilidade, embora, interiormente, já existam sementes de mudança. Ela também pode indicar gravidez, seja literal ou metafórica, como um projeto ou uma ideia em gestação.

O Louco

A palavra francesa *mat* significa "fosco, não brilhante". Por tradição, a carta é chamada *Le Fou*, "O Louco". Parece um título pouco lisonjeiro, e ela mostra um andarilho ou vagabundo, com uma roupa estranha, decorada com extravagância na parte de cima, mas surrada e rasgada na parte de baixo. Ainda assim, várias tradições espirituais associam a loucura à santidade e à sabedoria superior. Na Bíblia e na tradição judaica do Midrash, os termos "profeta" e "homem de espírito" são muitas vezes associados a "louco" ou "tolo". As filosofias taoistas e zen, na China e no Japão, respectivamente, retratam um sábio ideal se comportando como um louco estúpido. Influenciados por essas ideias, muitos autores veem a carta do Louco como um símbolo da espiritualidade sublime e, no sistema da Aurora Dourada, ela representa o mais elevado grau de consciência.

O Louco está vagando livremente

A figura ilustrada pode nos lembrar da imagem clássica do louco da aldeia, perseguido pelos cães. A paisagem natural sugere que ele está fora das estruturas e das normas aceitas da sociedade. Pode-se entender a imagem literalmente, significando que o consulente está agindo de maneira tola e arriscando-se a se tornar motivo de chacota. Mas também podemos ver a carta como uma expressão da liberdade total: das leis da razão, das obrigações mundanas e da preocupação com a opinião dos outros. Sua progressão para a direita representa avanço, e a figura do Louco – que não parece se importar em saber aonde vai – expressa incerteza e um futuro aberto.

A carta do Louco pode indicar liberdade de vínculos e apegos a estruturas fixas. Por exemplo, ela pode simbolizar um período sem rumo, em que se vaga sem um objetivo claro; uma longa jornada ou uma atitude descompromissada, que deixa todas as opções em aberto. Num sentido menos positivo, a carta pode representar uma pessoa que tem dificuldades em escolher e se comprometer – por exemplo, com um local fixo de residência ou um relacionamento ou uma atividade profissional. Pode-se considerar também que a extremidade inferior do cajado do Louco está presa ao chão, portanto ele está girando em círculos.

O • LOUCO

Nos novos tarôs da escola inglesa, o Louco anda despreocupado pela beira de um penhasco. Isso pode indicar falta de cuidado numa situação perigosa ou "sorte dos loucos", que o protege de danos. Esse detalhe está ausente na carta de Tarô de Marselha, mas a natureza colorida e alegre da ilustração evoca uma sensação otimista de que está se evitando o infortúnio ao longo do caminho.

O Louco pertence e não pertence

A carta do Louco não tem número, fato que levou alguns autores a sugerirem que ela, na realidade, não faz parte dos Arcanos Maiores. Mas, embora a faixa onde fica o número esteja vazia, ela fornece uma estrutura típica desses Arcanos. Assim como o louco da aldeia, que faz parte da sociedade, mas é um pária, a carta do Louco pertence e não pertence aos Arcanos Maiores. Ela pode indicar um dissidente ou um "estranho no ninho", alguém (ou algo) incomum, fora dos padrões e impossível de classificar. Portanto, pode incentivar o consulente a se libertar de padrões convencionais e procurar soluções incomuns, "fora da caixa".

O Louco abre mão do controle

Uma bainha amarela, um cinto e uma vara separam a figura do Louco em pernas, quadris, tórax e cabeça, respectivamente, simbolizando os quatro domínios da atividade terrena. Há também algumas interrupções entre as várias seções, como se cada uma delas agisse por conta própria. O olhar ascendente do homem dá a impressão de que ele não está prestando atenção na estrada. A nádega exposta, arranhada pelo animal (um cão ou um gato), pode simbolizar uma fraqueza ou uma vulnerabilidade da qual o consulente está alheio. Por estar à esquerda, o animal também pode representar algo do passado que atrapalha o consulente, assombrando-o ou incentivando-o a avançar.

Podemos interpretar a carta como falta de organização, caos e descuido. Mas, numa situação de incerteza, talvez seja melhor adotar a atitude do Louco: abrir mão do controle e adotar a espontaneidade, abster-se do planejamento excessivo e adaptar-se a mudanças nas circunstâncias. Como alguém que vive fora das estruturas de poder da sociedade comum, o Louco pode indicar interesse por coisas como autopromoção, ambição e dominação de outros.

O Louco vive aqui e agora

As três seções da vara apoiada nos ombros do Louco podem representar passado, presente e futuro. O saco pendurado na extremidade pode simbolizar o fardo pesado das lembranças passadas ou os ativos e instrumentos adquiridos por meio da experiência. O Louco carrega o passado consigo, para que, a qualquer momento, possa reinterpretá-lo e lhe dar um novo significado. A extremidade traseira da haste em forma de colher pode indicar prontidão para adicionar novos ideias às antigas. A ponta frontal branca pode expressar futuro indeterminado, mas a mão que o toca indica que as ações do Louco o estão moldando e direcionando.

As filosofias do Tao e do Zen, que recomendam que nos concertremos no presente, sem preocupações inúteis com o passado ou o futuro, falam em termos semelhantes. Além da figura do "sábio tolo", como um andarilho desocupado e de espírito livre, ambos se referem ao conceito de vazio, que pode lembrar o número ausente na carta. A palavra chinesa *tao* significa "caminho", o que sugere a imagem de uma figura andarilha como a que se vê na carta. A carta do Louco pode indicar quem vive no momento, prestando atenção apenas no que está acontecendo aqui e agora. Se a carta acabar sendo a última de uma tiragem, ela pode significar que o resultado é desconhecido, porque ainda não está determinado.

O Louco pode ser qualquer um

Nos jogos tradicionais de tarô, todas as cartas tinham um valor fixo, exceto a do Louco, que poderia substituir qualquer outra carta. Nos jogos de cartas comuns, um papel parecido é desempenhado pelo coringa. Como o Louco no tarô, o coringa também costuma ser retratado usando uma roupa de palhaço com sinetas redondas e um chapéu pontudo, com uma bola na ponta.

A carta do Louco pode representar alguém agindo como um palhaço ou um coringa, tratando qualquer problema com bom humor e não se importando muito com o desprezo dos outros. Mas podemos vinculá-lo ao coringa comum do baralho, com seu valor não definido, e interpretá-lo como um sinal de flexibilidade e adaptabilidade. Por exemplo, pode ser alguém que se adapta bem a uma ampla variedade de situações ou que evita ser rotulado, expressando diferentes aspectos da sua personalidade em diferentes situações.

Mas o Louco pode ser você ou eu ou qualquer outra pessoa trilhando o caminho da vida. A carta pode ser um lembrete de que, diante do grande mistério da existência, somos todos tolos irracionais. E, em situações complicadas que levem as pessoas à leitura do tarô, talvez isso transmita uma mensagem simples e sensata: deixe de lado grandes questões e planos sofisticados, pare de se preocupar com o passado, o futuro e questões que estão além do seu controle e apenas viva.

CAVALEIRO DE PAUS

Capítulo 7

Os Arcanos Menores

Cada um dos quatro naipes contém catorze cartas e tem seu próprio símbolo: moeda, bastão, cálice ou espada. A estrutura dos Arcanos Menores é muito semelhante à do jogo de cartas comum, exceto por ter uma carta da corte a mais. Na verdade, as cartas do baralho comum ("internacional") são versões simplificadas das cartas de tarô, no qual a moeda se tornou um diamante, o bastão se tornou um trevo ou ponta de lança, o cálice se tornou um coração e a espada se tornou uma espécie de pá. Essas mudanças não foram universais, no entanto. Na Espanha e na Hungria, por exemplo, os naipes do baralho ainda têm símbolos semelhantes aos do tarô.

Existem três tipos de carta em cada naipe dos Arcanos Menores:

- O Ás, que geralmente é considerado o número 1 do naipe. A ilustração da carta mostra um único exemplar do símbolo do naipe, grande e rico em detalhes.
- Nove cartas numéricas, que variam de 2 a 10. Cada uma delas mostra o objeto simbólico do naipe no número correspondente ao valor da carta. Por exemplo, a carta número 3 do naipe de Copas mostra três cálices.

- Quatro cartas da corte, com figuras humanas, que representam quatro posições no mundo social da Idade Média: um valete, um cavaleiro, uma rainha e um rei. Cada carta mostra o objeto simbólico do naipe e, geralmente, a figura está com ele nas mãos.

Muitos livros de tarô convencionais agrupam os Ases e as cartas numéricas sob o nome de cartas "*pip*". A palavra *pip* ("pontos" ou "pintas", em inglês) se refere aos pequenos ícones dos símbolos dos naipes, que aparecem nas ilustrações da carta. No entanto, no Tarô de Marselha (e, na verdade, na maioria dos novos tarôs), as ilustrações do Ases se assemelham, embora sejam bem diferentes das cartas numéricas dos seus respectivos naipes. Podemos entender isso como uma afirmação de que "ser um Ás" é mais significativo do que ser outra coisa. Neste livro, consideramos as ilustrações tradicionais das cartas como a chave para seus significados; portanto, trataremos os Ases e as cartas numéricas como cartas de tipos diferentes e discutiremos sobre eles em capítulos separados.

OS SÍMBOLOS DOS NAIPES

Os objetos simbólicos dos naipes são mencionados em várias tradições como se tivessem um significado místico ou mágico. Por exemplo, na missa cristã, a moeda e o cálice aparecem como a hóstia e o vinho da Eucaristia: um pão sacramental, redondo e achatado como uma moeda, e um vinho que o sacerdote bebe num cálice. O formato da moeda é bem semelhante ao dos amuletos tradicionais redondos, com símbolos e letras que carregam um poder mágico. O cálice aparece no livro do Gênesis como um cálice de prata que José usa para adivinhação. Nas lendas inglesas do rei Arthur, os Cavaleiros da Távola Redonda estão à procura de um cálice sagrado, o Santo Graal.

A haste do naipe de Paus (que pode ser um bastão, um cajado ou uma varinha) aparece como um instrumento para realizar atos mágicos; por exemplo, Moisés e os sacerdotes egípcios usam um cajado no livro do Êxodo. Hoje a varinha ainda é usada em espetáculos de mágica populares.

A espada aparece nas mãos de seres superiores, como deuses da guerra, em várias tradições, ou do Arcanjo Miguel, na tradição católica. Também aparece como a espada flamejante colocada junto com querubins, que guarda o caminho para a Árvore da Vida, no livro do Gênesis. Espadas mágicas são um objeto comum em muitas lendas – por exemplo, a espada Excalibur, do mito arthuriano.

Nos tarôs da escola inglesa, o naipe de Ouros às vezes é chamado de "Moedas" ou "Pentáculos", com a ilustração de moedas inscritas com uma estrela de cinco pontas, ou pentagrama. Mas esse é um novo acréscimo para enfatizar a conexão entre as moedas e um tipo específico de amuleto mágico. As cartas de Ouros, no baralho tradicional do Tarô de Marselha, mostram uma flor com uma simetria quádrupla, não quíntupla. Como veremos no próximo capítulo, essa forma é significativa, do ponto de vista da magia.

Uma visão comum liga os objetos dos quatro naipes com as quatro classes sociais típicas da sociedade tradicional; por exemplo, na Europa medieval ou na Índia. O cajado, que aparece em algumas cartas como um galho verde, representa a classe de camponeses e agricultores. A moeda representa comerciantes e artesãos urbanos. A espada representa guerreiros da nobreza. O cálice representa o clero.

Os domínios dos naipes

Cada Arcano Menor tem seu próprio caráter e domínio de ação específicos. Quando eles aparecem numa leitura, podem representar uma questão que surge no domínio do naipe ou uma atitude típica do seu caráter. Por exemplo, o naipe de Ouros está relacionado a questões de dinheiro e posses materiais, mas também pode indicar uma atitude prática e possessiva em outro domínio, como num relacionamento romântico.

A lista dos domínios dos naipes apresentada aqui foi inspirada nos ensinamentos de Jodorowsky, que não são muito diferentes de outras abordagens convencionais. Mais informações sobre o caráter de cada naipe podem ser obtidas nas descrições dos Ases, no Capítulo 8.

Ouros: Corpo
Material e físico, prático e conservador
O naipe de Ouros indica dinheiro, o local de trabalho e o espaço em que vivemos. Também representa as questões do corpo, a saúde e a alimentação. A natureza do naipe é estável e conservadora, como a moeda redonda (quando vista de cima), que é fechada em si mesma e não evolui em nenhuma direção. O naipe é caracterizado pelo pensamento prático, a preferência por coisas concretas e tangíveis, bem como a preservação do que já existe.

Paus: Desejo
Apaixonado, extrovertido, enérgico, criativo, antagônico
O naipe de Paus expressa sexualidade, crescimento, autoexpressão e o surgimento de coisas novas. Pode representar impulsos criativos, resistência, energia e um desejo de avançar e dominar. Portanto, pode indicar complicações, dificuldades e lutas. No jogo de cartas mameluco, que provavelmente é a origem dos Arcanos Menores do tarô, o naipe de Paus aparece como tacos de polo, usados para rebater bolas em jogos de equitação. Podemos ver isso como uma indicação de assuntos relacionados a jogos, recreação ou competição.

Copas: Emoção
Sentimental, romântico, social, espiritual
O naipe de Copas está relacionado às emoções, às relações humanas e aos sentimentos místicos de devoção. Podemos pensar em cálices sendo preenchidos com água (fluxo vivificante), vinho (alegria, embriaguez, ilusões), veneno (sentimentos negativos, ódio) ou vazios (secura, bloqueio emocional). Eles podem aparecer na posição normal (emoções positivas) ou de cabeça para baixo (emoções negativas). A natureza do naipe é romântica, nostálgica e sugestiva de coisas além do mundo tangível.

Espadas: Intelecto
Racional e verbal, decisivo, agressivo

O naipe de Espadas expressa ideias e pensamentos, capacidade de se concentrar, tomada de decisões e também a possibilidade de ferir a si mesmo e aos outros. Em linguagem comum, usamos frequentemente a imagem da mente racional como uma lâmina que corta e separa as coisas. Por exemplo, podemos falar sobre uma mente afiada, uma lógica penetrante ou uma capacidade analítica. Em latim, a palavra "decisão" também deriva de "cortar fora", que significa a escolha de uma opção e o corte de todas as outras. A natureza do naipe é "cortante" e determinada, calculada, bélica, e também pode ser fria e cruel.

Naipes suaves e duros

Mesmo uma análise superficial das ilustrações dos Arcanos Menores mostra que eles são divididos em dois grupos. Um grupo podemos chamar de naipes "suaves": Ouros e Copas. O outro grupo são os naipes "duros": Paus e Espadas.

Os naipes suaves podem ser considerados receptivos, femininos e favoráveis. Seus objetos simbólicos são redondos, fechados e contidos, e as cores dominantes das suas cartas numéricas são o amarelo com um pouco de vermelho. Isso cria nas cartas uma sensação iluminada e agradável, sugestiva de objetos de ouro, riquezas e prazer.

Os naipes duros podem ser vistos como se tivessem uma natureza expansiva, masculina e desafiadora. Seus objetos simbólicos são longos e estreitos, sugestivos de rigidez e penetração, e podem servir como armas. As cartas numéricas desses naipes são coloridas principalmente em vermelho e preto, enfatizando resistência, lutas e confrontos. Elas também são compostas de longas barras paralelas entrelaçadas, que sugerem fechamento e tramas complicadas.

Essa distinção entre suave e duro é muito clara no desenho das cartas numéricas. Também é significativo nos Ases e está presente nas cartas da corte. A partir disso, podemos entender que ela estava claramente presente na mente de quem criou os Arcanos Menores. Há indicações de que isso existe em outros lugares. Nas cartas comuns, os símbolos dos naipes suaves

(Ouros e Copas) são vermelhos, enquanto os símbolos dos naipes duros (Paus e Espadas) são pretos. Nos métodos tradicionais de adivinhação, as cartas dos naipes suaves são muitas vezes consideradas mais benéficas do que as cartas dos naipes duros.

Nos naipes suaves, o símbolo de cada naipe tem uma forma básica que se repete. Pode haver diferenças nos detalhes, e o tamanho do objeto diminui à medida que o número da carta aumenta. Em particular, os objetos do Ás de Ouros, do Ás de Copas e do 2 de Ouros são consideravelmente maiores e muito mais detalhados do que em outras cartas. Mas a moeda do naipe de Ouros é sempre mostrada como um círculo plano, com uma decoração quádrupla em forma de flor, e no naipe de Copas é um cálice com uma base hexagonal e um anel largo em volta do pé.

Por outro lado, cada um dos símbolos dos naipes duros tem duas formas diferentes. O naipe de Paus pode ser um ramo verde de formato natural ou um cajado reto. A carta do Ás mostra um ramo natural. Nas cartas da corte, a forma de varinha aos poucos passa de um galho, na carta do Valete, para uma lança no formato de cajado, na mão do Rei. Em todas as cartas numéricas, o naipe de Paus aparece como uma haste reta e lisa, com uma lâmina larga em cada ponta. Podemos interpretar as duas formas como dois aspectos do naipe de Paus. O galho natural expressa crescimento e criação. A haste artificial expressa conflitos e dificuldades.

A espada do naipe de Espadas pode ter uma forma reta ou arredondada. Na carta do Ás e nas cartas da corte ela é reta. Nas cartas numéricas ímpares, há uma espada reta, e na carta número 10 há duas espadas retas. Mas as outras cartas numéricas do naipe de Espadas aparecem com um número par de arcos, com lâminas largas nas pontas. As espadas arredondadas estão dispostas de modo a cortar as bordas do centro da carta. Nós podemos interpretar isso como dois aspectos do naipe de Espadas. A espada reta representa penetração, determinação e ruptura, enquanto a espada arredondada representa separação e limites.

Correspondências

Várias tradições defendem a ideia de um quarteto simbólico – um conjunto de quatro símbolos que, juntos, representam algo inteiro e completo. Os quatro naipes dos Arcanos Menores são muitas vezes relacionados a esses quartetos simbólicos. A associação mais popular é com os quatro elementos da filosofia grega e medieval: Terra, Fogo, Água e Ar. Existem opiniões diferentes quanto a qual naipe corresponde a cada elemento, mas a maioria dos leitores de tarô aceita o esquema da Aurora Dourada: Ouros é Terra, Paus é Fogo, Copas é Água e Espadas é Ar.

Outros quartetos simbólicos associados aos quatro naipes incluem os quatro pontos cardeais e as quatro criaturas vivas nos cantos da carta do Mundo. Como eu já disse, existem opiniões divergentes sobre as correlações exatas. Outra correção mencionada no Capítulo 4 liga os naipes a quatro partes do corpo: pés, quadris, peito e cabeça.

Teóricos do tarô que acreditavam que as cartas estavam originalmente conectadas à Cabala judaica correlacionaram os quatro naipes às quatro letras do *Tetragrammaton*, o nome hebraico impronunciável de Deus. Essas letras, por sua vez, estão ligadas a outros quartetos do simbolismo cabalístico, que propiciam correspondências adicionais aos naipes. Por exemplo, as quatro letras estão correlacionadas com os quatro mundos, que são diferentes camadas da emancipação neoplatônica, como mencionado no Capítulo 5.

Também podemos pensar em correlacionar os naipes com os sistemas quádruplos dominantes na época em que o tarô surgiu. Por exemplo, como mencionamos anteriormente, os quatro naipes podem representar as quatro classes da sociedade tradicional. Outra possibilidade é correlacionar os quatro domínios de cada naipe com os quatro reinos naturais da filosofia aristotélica e medieval: mineral, vegetal, animal e humano. O reino dos minerais é pura matéria, que é o naipe de Ouros. O reino dos vegetais introduz a sexualidade e a fertilidade, simbolizada por Paus. O reino animal é o desenvolvimento gradual da emoção, representada por Copas. E, por fim, com os seres humanos aparecem a linguagem e a racionalidade, que correspondem a Espadas.

Esses sistemas de correspondências podem ser úteis em diferentes situações. Por exemplo, ao discutir a linguagem simbólica das partes do corpo nas figuras de tarô, nós nos referimos aos domínios dos Arcanos Menores correspondentes. Também podemos fazer uma "meditação do tarô", concentrando-nos em cada uma das quatro cartas de Ases. Indo de baixo para cima, a cada carta nós nos concentramos na parte do corpo correspondente, enquanto refletimos sobre o domínio correspondente na nossa vida. Se quisermos construir um círculo mágico para um ritual ou uma sessão de meditação, podemos marcar os quatro pontos cardeais com as cartas dos Ases, e para isso precisamos de uma correspondência entre os naipes e os pontos cardeais.

A ideia de correspondências também levanta a questão da ordem dos naipes. Existe uma única maneira verdadeira de listá-los em sequência? Diferentes fontes apresentam os naipes em ordens diversas, mas, analisando as correspondências dos naipes, podemos pensar que um padrão de ordenação pode representar a evolução dos reinos naturais (mineral, vegetal, animal e racional), que também "sobem" com as partes do corpo (pernas, quadris, peito e cabeça). Isso conferiria uma ordem aos naipes de Ouros, Paus, Copas e Espadas. Podemos chamar isso de ordenação simbólica dos naipes.

Ainda assim, a divisão em naipes suaves e duros é expressa com tanta força nas ilustrações que o estudo das cartas se torna mais simples quando os naipes de cada tipo são agrupados. Portanto, ao apresentar as cartas nos próximos capítulos, nós os organizaremos na seguinte ordem: Ouros, Copas, Paus e Espadas. Observe que essa ordem "didática" tem apenas o objetivo prático da aprendizagem.

A tabela a seguir mostra as correspondências dos Arcanos Menores usadas neste livro. É baseada no sistema da Aurora Dourada, que é hoje aceita, com alguns elementos adicionais de Jodorowsky. A disposição dos naipes é feita pela ordem simbólica (evolução).

Para cada Arcano Menor, as correspondências listadas são: o nome do naipe, o título em francês, o naipe do baralho comum, o domínio da vida, a parte do corpo, a criatura viva (da carta do Mundo), o elemento e o ponto cardeal.

Tabela 2: Correspondências dos Arcanos Menores

Nome do Naipe	Título em Francês	Naipe do Baralho Comum	Domínio da Vida	Parte do Corpo	Criatura Vivas	Elemento	Ponto Cardeal
Ouros	Deniers	Ouros	Corpo	Pernas	Touro	Terra	Norte
Paus	Baton	Paus	Desejo	Quadris	Leão	Fogo	Sul
Copas	Coupe	Copas	Emoção	Peito	Ser humano	Água	Oeste
Espadas	Epee	Espadas	Intelecto	Cabeça	Águia	Ar	Leste

A leitura dos Arcanos Menores

Muitos leitores acham que as 22 cartas principais do Tarô de Marselha são suficientes para uma consulta profunda e produtiva. Ainda assim, alguns podem achar que não é à toa que o tarô manteve todos os seus arcanos ao longo da sua longa história. Deve haver algum poder simbólico no baralho completo do tarô e podemos querer explorar todo o seu potencial.

Existem várias maneiras possíveis de integrar os Arcanos Maiores e Menores numa leitura. Uma maneira de dar o mesmo peso aos dois tipos de cartas é embaralhar Arcanos Maiores e Menores lado a lado, na mesma tiragem. Essa é a maneira aceita de se usar o baralho completo na escola inglesa e em seus derivados da Nova Era. O caminho oposto é manter os Arcanos separados. Por exemplo, pode-se pensar em fazer uma leitura em duas etapas, primeiro apenas com os Arcanos Menores e depois com os Arcanos Maiores. Às vezes, faço algo semelhante quando uso as cartas da corte como instrumento de projeção para começar a leitura, conforme descrito no Capítulo 9.

Uma terceira possibilidade, que é o meio-termo entre as duas primeiras, é embaralhar juntos Arcanos Maiores e Menores, mas tratá-los de maneira diferente na tiragem. Por exemplo, suponhamos que você já tenha adquirido alguma experiência no uso dos Arcanos Maiores e esteja apenas começando a utilizar os Arcanos Menores. Nesse caso, pode se basear mais nos Arcanos Maiores e usar os Menores apenas para obter informações complementares e alguns antecedentes. Uma maneira possível de fazer isso é usar as cartas dos Arcanos Menores como um pano de fundo para a tiragem básica de três cartas.

Nesse caso, começamos embaralhando o baralho completo. Depois, vamos comprando as cartas do monte, uma por uma, como de costume. Mas não paramos depois de três cartas, como antes. Em vez disso, preenchemos as três posições da tiragem da seguinte maneira: tiramos a primeira carta, que compramos do baralho embaralhado na primeira posição do lado esquerdo. Abrimos a carta (ou seja, a colocamos na mesa voltada para cima). Se ela for um dos Arcanos Menores, tiramos outra carta e a colocamos sobre a primeira, cobrindo-a completamente. Se for novamente uma carta dos Arcanos Menores, tiramos mais uma carta para cobrir as duas primeiras e assim por diante. Continuamos empilhando as cartas até tirar uma carta dos Arcanos Maiores. Feito isso, nós a deixamos em cima das outras e passamos para a segunda posição (do meio).

Agora repetimos o mesmo procedimento, empilhando as cartas dos Arcanos Menores até tirar uma carta dos Arcanos Maiores. Depois passamos para a terceira posição (à direita) e repetimos isso novamente. Por fim, acabamos diante de três cartas dos Arcanos Maiores. Sob cada uma delas deverá haver uma pilha de cartas dos Arcanos Menores cujo tamanho pode variar. É possível, é claro, que em uma posição ou em mais de uma, a primeira carta tirada seja dos Arcanos Maiores; nesse caso, não haverá nada embaixo dela.

A leitura da tiragem agora pode ser feita em três níveis. Primeiro, podemos ler apenas as cartas do topo das pilhas, como na tiragem básica usual. Na verdade, esse é o caso na maioria das sessões de leitura do tarô. A carta de cima esconde as cartas embaixo dela, e o que vemos à nossa frente é a tiragem básica das três cartas dos Arcanos Maiores. Às vezes, podemos até ficar tentados a parar nesse nível, se encontrarmos uma resposta clara nessas três cartas. É importante, porém, que, uma vez que tenhamos comprado as cartas do monte e colocado-as sobre a mesa, nós as consultemos, mesmo que brevemente. Se não fizermos isso, é bem provável que o resultado seja uma reação negativa por parte do consulente.

No segundo nível, não lemos as cartas dos Arcanos Menores separadamente, mas prestamos atenção apenas à sua distribuição geral. Podemos fazer isso antes mesmo de examinar cada carta dos Arcanos Menores em detalhes. Primeiro, observamos o número de cartas em cada uma das três pilhas. Se houver muitas cartas embaixo da de cima, isso significa que se trata de um "grande fardo", ou seja, questões complicadas, muitos fatores envolvendo o assunto ou uma grande carga de problemas, que sobrecarrega o consulente. Por outro lado, se a carta de cima aparecer sozinha ou talvez só com uma carta embaixo, isso significa que o que vemos é o que de fato existe. Podemos considerar as coisas pelo que está ali de fato e não precisamos olhar mais a fundo.

Agora, é possível verificar quanto de um determinado naipe está presente. Por exemplo, se uma das pilhas contiver muitas cartas de Ouros, isso pode indicar questões relacionadas ao domínio material e físico, considerações práticas ou muito dinheiro. Por outro lado, muitas cartas de Copas podem indicar questões emocionais, uma atitude romântica em relação à pergunta ou que uma especial atenção deve ser dada às relações humanas. Um grande número de cartas de naipes duros (Paus ou Espadas) expressam dificuldades e contratempos. Um grande número de cartas de naipes suaves (Ouros ou Copas) indica uma atmosfera mais descontraída, uma situação mais fácil ou um ambiente favorável.

Outra coisa que é preciso notar é o tipo de carta dos Arcanos Menores. Ases indicam energia, um forte impulso ou uma iniciativa expressa por meio das cartas acima deles. Muitas cartas de números podem significar muitos detalhes e pequenos problemas com que o consulente tem que lidar. As cartas da corte apresentam figuras humanas com um *status* social específico. Se muitas delas aparecerem na tiragem, isso pode indicar muitas pessoas envolvidas no assunto ou consideração relacionadas ao *status* e a relações sociais. Como a carta da corte pode expressar a maneira de o consulente agir ou suas atitudes, um grande número de cartas da corte pode indicar que várias atitudes e impulsos estão em jogo na mente do consulente.

Por fim, podemos notar o aparecimento de várias cartas numéricas com o mesmo número ou muitas cartas da corte do mesmo tipo. Um número recorrente pode indicar algo relacionado ao significado numerológico do número. Para isso, podemos usar a lista de significados numéricos do Capítulo 4. Podemos também interpretar isso como uma alusão indireta à carta dos Arcanos Maiores que tem esse número. Uma alternativa é que o próprio número seja significativo; por exemplo, o número 3 pode indicar três pessoas envolvidas numa situação ou um período de tempo de três meses.

Conforme explicado no Capítulo 9, várias cartas da corte do mesmo tipo podem significar uma atitude ou uma posição típica da posição da figura da carta. Por exemplo, vários Valetes podem indicar falta de experiência ou insegurança do consulente. Vários Reis podem expressar uma atitude madura e responsável ou reconhecimento e posição de destaque. Isso também pode indicar a conclusão de um processo e preparo para embarcar em novas aventuras.

No terceiro nível, que podemos aplicar quando conhecermos bem as cartas dos Arcanos Menores, é possível ler as cartas que estão sob cada um dos três Arcanos Maiores como uma história ou um processo. A história é lida de acordo com a ordem em que as cartas forem dispostas na mesa, terminando com a carta dos Arcanos Maiores, no topo. Pode-se, também, pegar cada pilha e espalhar as cartas na mesa, numa fileira da esquerda para a direita, a fim de ver toda a história de uma só vez. Depois de tê-las interpretado, podemos juntá-las novamente e prosseguir para a pilha seguinte.

No canto superior esquerdo: Carta 13 com nenhuma carta embaixo dela;
Centro: 2 de Paus, 7 de Ouros invertida, 2 de Espadas e a carta do Mundo no topo
Direita: Rei de Ouros, 2 de Espadas, 10 de Espadas invertida, a carta da Lua no topo

241

Também é possível usar esse método apenas com alguns dos Arcanos Menores, especialmente quando ainda estamos aprendendo. Por exemplo, podemos começar adicionando apenas os quatro Ases aos 22 Arcanos Maiores. O Ás daria uma ênfase maior à carta que o cobre e a infundiria com impulso e energia, de acordo com o domínio do seu naipe. Então poderíamos acrescentar as cartas da corte, adicionando uma dimensão humana, com sentimentos e motivações. Por fim, podemos acrescentar as cartas numéricas, que podem nos dar uma história detalhada dos eventos reais.

Como exemplo, considere a seguinte tiragem. Por algum tempo, a consulente se prepara para uma mudança em sua carreira profissional. Ela está apreensiva com as possíveis reações negativas do seu ambiente com relação aos novos rumos que escolheu. Numa tiragem básica usando os Arcanos Menores como pano de fundo, saíram as cartas da página 241.

A carta 13 à esquerda expressa uma mudança brusca e abrupta. O esqueleto olha para os rostos das cartas do Mundo e da Lua e se move em direção a eles com sua foice. Não há nenhuma carta embaixo dela: por bem ou por mal, a mudança está chegando. Não há mais nada a dizer. A antiga estrada chegou ao fim, mas a carta não diz nada sobre o próximo movimento.

O 2 de Paus, parecendo uma encruzilhada, representa a questão de para onde ir agora. A moeda central no 7 de Ouros parece protegida e bem posicionada, talvez expressando a possibilidade de permanecer na segura zona de conforto que representa a antiga ocupação. Mas a carta invertida indica que a consulente pode ficar sob pressão. A espada na vertical, no meio do 3 de Espadas, simboliza a outra opção: ela rompe o espaço protegido entre os dois arcos e avança para um novo domínio. A carta do Mundo no topo, com uma figura dançando dentro de um espaço fechado que se assemelha aos arcos curvos da carta de Espadas, indica que, no momento, a consulente permanece segura na zona existente e não está fazendo nenhum movimento para sair dali.

O Rei de Ouros segura uma moeda que já está em seu colo, simbolizando ativos que se acumularam no antigo domínio profissional (como experiência e *status*). Mas seu olhar está voltado para o futuro. A flor no centro do 2 de Espadas está contida dentro dos limites, em vez de rompê-los. Mas, no 10 de Espadas, as duas espadas invertidas ficaram presas e a sensação geral de peso torna muito difícil permanecer no espaço presente. A Lua, com sua paisagem estranha e intimidadora, expressa o desafio de enfrentar o desconhecido. Mas o chão sólido na parte inferior indica que, com um movimento, a consulente pode se conectar a uma base profunda e estável da sua força interior e seus poderes subjacentes.

A partir da tiragem como um todo, podemos entender que os principais motivos da consulente agora é a hesitação em correr o risco de avançar para um domínio novo e incerto. Embora ela possa permanecer razoavelmente confortável dentro dos limites da condição atual, o desejo de mudar e avançar não vai ser satisfeito. Mas, numa perspectiva mais ampla, é possível ver que a situação antiga já chegou à sua fase final. Ela não propicia desenvolvimento futuro e sua única vantagem é o conforto e a proteção da situação existente. Num determinado momento, a consulente vai estar sob pressão, o que não permitirá que ela fique onde está agora. Esse será o momento em que ela se atreverá a avançar, a desafiar o desconhecido a encontrar a força que tem no fundo do seu ser.

A Tiragem em fileira

Quando começamos a estudar o tarô, podemos preferir nos pautar nas cartas dos Arcanos Maiores, encarando-as como a espinha dorsal da leitura, pelo fato de as conhecermos melhor. Ainda assim, se estamos familiarizados com todas as partes do baralho, podemos preferir fazer uma leitura aberta, embaralhando todas as cartas juntas. A maneira natural de se fazer isso é dispondo as cartas lado a lado, Arcanos Maiores e Menores indistintamente, e examinando a imagem resultante, como fazemos na tiragem básica das três cartas. No entanto, como a maioria das cartas dos Arcanos Menores do Tarô de Marselha não são muito ricas em detalhes, é difícil obter uma leitura profunda e significativa com apenas três cartas. A solução óbvia é dispor um número maior de cartas na horizontal, de modo que a combinação delas seja interessante e suficientemente complexa. Como antes, fazemos isso avançando da esquerda para a direita.

O número de cartas que podemos usar pode ser definido com antecedência. Normalmente, uma fileira de sete cartas do baralho completo não seria muito complexa para se interpretar como uma história coerente e, por ser um número ímpar de cartas, teríamos um centro bem definido. Podemos colocar seis cartas e separá-las em dois grupos de três, para compararmos duas opções ou formas de ação. Podemos preferir optar por uma fileira mais longa, caso isso pareça mais adequado para o nosso estilo de leitura.

Outra possibilidade é não decidir isso com antecedência, mas ir tirando as cartas uma por uma, até sentir que já bastam. Essa opção dá mais liberdade, mas tem suas desvantagens. Podemos ficar tentados a parar a tiragem assim que compramos uma carta que nos agrade. Em outras palavras, podemos terminar obtendo a resposta que desejávamos antes de qualquer outra.

Para usar como exemplo, uma tiragem de fileira, embaralhei e tirei as seguintes cartas, que apareceram numa leitura espontânea com um novo tarô usado pela primeira vez. Esse fato pode explicar por que surgiram tantas cartas de Ouros. Ainda assim, considerei a tiragem válida porque, numa leitura, tudo pode ser considerado um sinal.

2 de Ouros, 3 de Ouros, 4 de Ouros, Rei de Espadas...

As três cartas à esquerda, juntas, formam uma figura que pode expressar expansão. Começando no espaço entre os dois grandes ícones do 2 de Ouros, ela continua no 3 de Ouros, no centro, e termina na grande lacuna no meio do 4 de Ouros. Como são cartas de Ouros, elas podem se referir a alguma questão relacionada a dinheiro e a meios de subsistência. A consulente fez algum progresso nessa área e conquistou certo grau de estabilidade, sinalizado pela forma quadrada da figura do 4 de Ouros.

Porém, o Rei no centro interrompe o processo com sua espada e vira os olhos para uma nova direção. Em vez de preocupações materiais e práticas, ele está interessado num processo interno de autotransformação, como indicado pelas duas cartas dos Arcanos Maiores. Com a Lua, ele passa por um período desafiador, explorando camadas sombrias da sua alma. Esse processo se mistura, por meio das linhas representando água e terra, com o fluxo mágico da Estrela. Nessas duas cartas, podemos ver uma estrada que está escura no começo, porém mais adiante fica iluminada.

A figura nua que derrama água generosamente parece estar alheia às questões de ganho e perda. É como se desistisse de preocupações materiais para ganhar integridade emocional. Mas, posteriormente, no processo, o 6 de Ouros aparece, novamente com um ponto focal no centro e com folhas alegres por toda parte. O número 6 está conectado às três primeiras cartas: 6 é a soma de 2 e 4 e ecoa as três cartas entre elas. Pode-se também ver seus dois triângulos de moedas como uma combinação visual das três moedas da segunda carta e o escudo triplo de flor-de-lis na terceira carta. Parece que o tempo em que a consulente teve para não se preocupar com questões materiais e a decisão de embarcar num processo de autoanálise finalmente a levam ao conforto econômico que ela estava procurando inicialmente.

(continuação da tiragem da página à esquerda) A Lua, A Estrela, 6 de Ouros

Como outro exemplo da tiragem de sete cartas, considere a seguinte história. A consulente ocupa uma posição de médio escalão numa empresa bem estabelecida, mas não tem uma promoção há alguns anos. No passado, ela cometeu alguns erros que foram usados contra ela por alguns colegas competitivos. Isso a fez se sentir amarga e socialmente isolada no local de trabalho. Ainda se considerando vítima de um tratamento injusto, a consulente agora entende como ela mesma contribuiu para que tudo isso acontecesse. Ela pergunta como proceder a partir daqui.

As cartas a seguir foram dispostas numa fileira de sete cartas:

9 de Ouros, Rei de Paus, Rei de Copas, A Papisa...

A moeda única no centro do 9 de Ouros representa o valor da posição atual, bloqueada e isolada num espaço exíguo. O Rei de Paus, que pode estar golpeando o próprio calcanhar, simboliza atitudes contraproducentes do passado. O Rei de Copas segura seu cálice com firmeza enquanto volta seu ouvido coberto para a Papisa e olha para o futuro. Ele pode representar a resolução atual de controlar as emoções e os problemas pessoais, que podem estar por trás desses movimentos contraproducentes e a espera por um novo capítulo em sua vida.

A Papisa, com um livro na mão, pode representar o intérprete e suas cartas. O próprio ato de procurar aconselhamento expressa a nova fase de autoconsciência da consulente. O véu atrás da figura representa incerteza; o futuro ainda não foi definido porque a consulente tem uma escolha.

(continuação da tiragem da página à esquerda) 6 de Espadas, 5 de Copas, A Justiça

As três cartas atrás do véu representam três opções. O 6 de Espadas tem uma planta no centro que adapta seu formato à forma de um espaço fechado. Isso representa a opção passiva: aceitar a situação atual como está e tentar tirar o máximo proveito dela, evitando um choque com as espadas ao redor. A carta da Justiça representa a opção mais radical: avançar usando a própria espada, exigindo o que é seu por direito e se preparando para lutar por isso. Mas a opção mais brilhante é a do meio, o 5 de Copas, com um objeto central ecoando a moeda única da primeira carta. O objeto não está mais isolado, encontra-se cercado por plantas e flores, todas fluindo em direção a outros objetos. Nessa opção, a consulente não faz uma movimentação ativa agora. Em vez disso, ela se esforça para construir uma relação melhor com seus colegas de trabalho, conquistando amigos por meio de presentes e boas atitudes, e fazendo com que as pessoas fiquem a seu favor. Dessa maneira, ela estará numa posição melhor quando houver outra oportunidade de promoção.

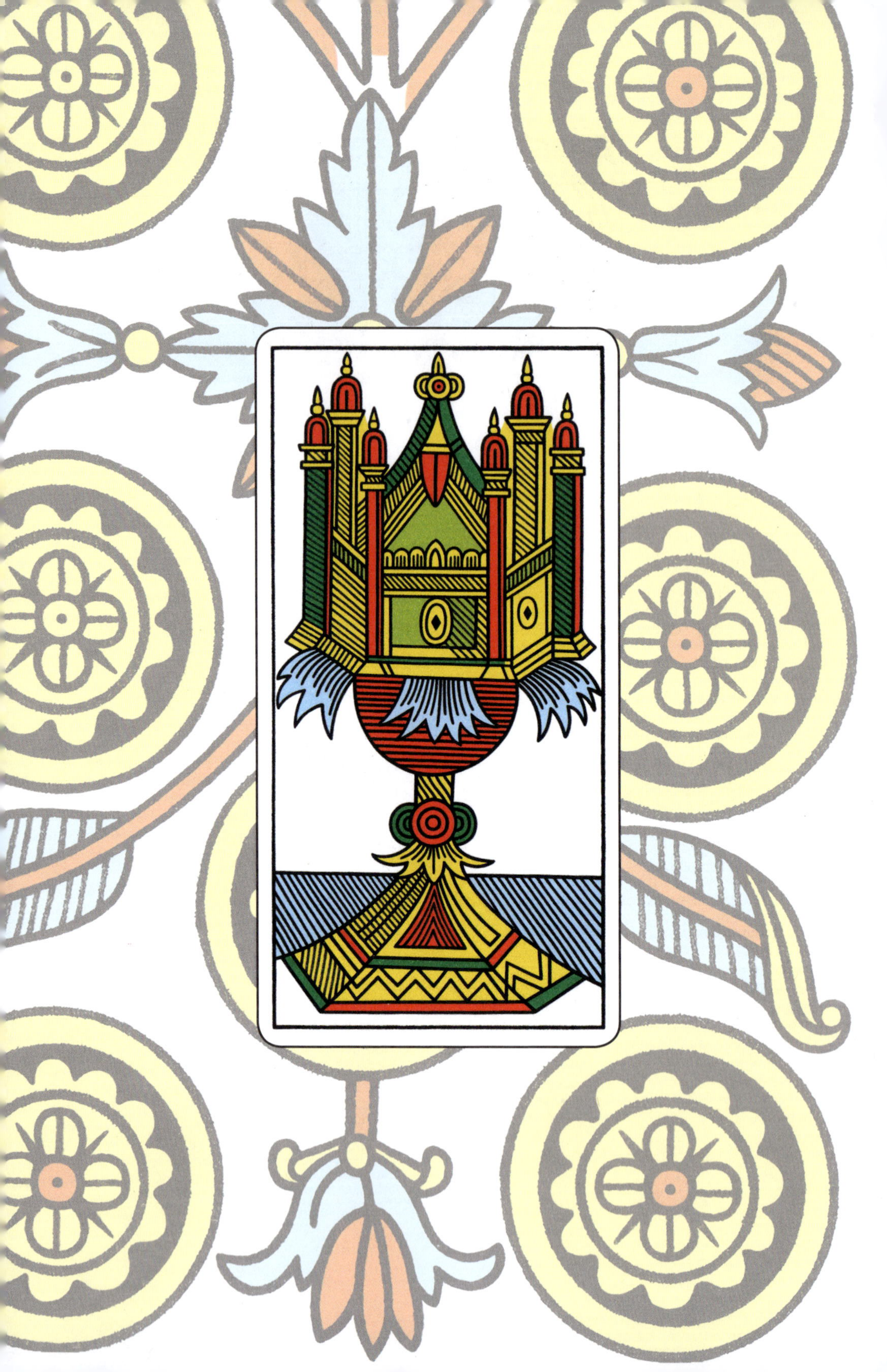

Capítulo 8

Os Ases

Cada naipe dos Arcanos Menores começa com um Ás, que apresenta o símbolo do naipe numa imagem grande e rica em detalhes. Em baralhos de cartas comuns, o Ás pode ter dois valores: tanto pode ser a carta mais baixa quanto a mais alta do naipe. Da mesma maneira, o Ás no tarô tem dupla função. Por um lado, ele é a carta número 1, o início do naipe. Por outro lado, ele representa o símbolo do naipe em sua forma mais desenvolvida e, portanto, resume a natureza de todo o naipe.

Numa leitura, podemos interpretar o Ás de ambas as formas. Como carta número 1, o Ás expressa o início de um processo ou de uma nova iniciativa relacionada ao domínio do naipe. Por exemplo, o Ás de Ouros pode ser um novo negócio e o Ás de Pau pode indicar o início de um projeto criativo. Como a carta que resume todo o naipe, o Ás pode simbolizar uma atitude ou um fator significativo que expresse o caráter do naipe. Por exemplo, o Ás de Copas pode representar uma atitude sentimental e romântica que motiva o consulente, enquanto o Ás de Espadas pode descrever uma atitude racional, uma decisão crucial ou o ato de priorizar uma meta.

Como mencionado no capítulo anterior, várias tradições místicas e mágicas empregam a ideia de um quarteto simbólico representando quatro aspectos de um todo. A função do Ás como representação da energia do naipe permite que ele seja retirado do baralho e usado como um emblema ou amuleto que represente um elemento do quarteto. Por exemplo, podemos montar um círculo mágico para um ritual ou uma sessão de concentração e visualização, colocando à nossa volta quatro Ases, nas quatro direções correspondentes aos naipes. Também é possível realizar um exercício no qual focamos um dos Ases para fortalecer nosso poder interior no domínio relativo ao naipe. Podemos fazer uma cópia da carta do Ás e carregá-la conosco, e assim por diante.

Os Quatro Ases: Paus, Copas, Ouros e Espadas

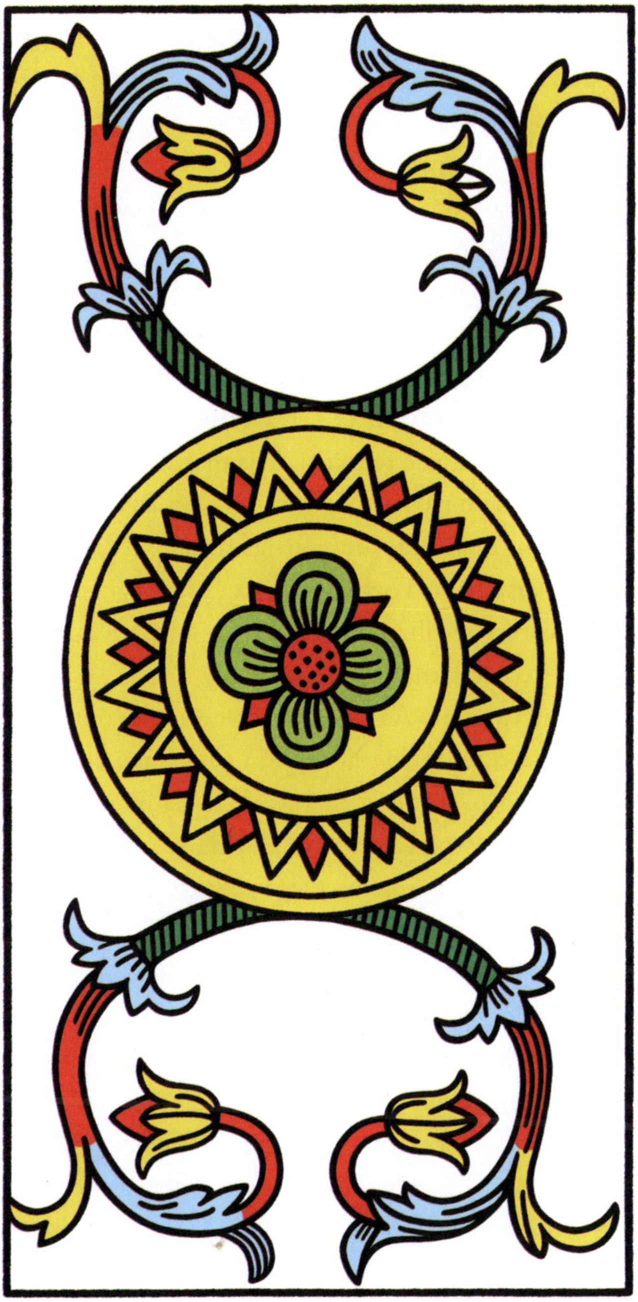

Ás de Ouros

Os três outros Ases apresentam objetos na posição vertical, mas a moeda parece estar pousada no chão. Segundo Jodorowsky, isso expressa a natureza mais básica do naipe de Ouros, em relação aos outros naipes. A moeda está no chão a partir do qual os outros naipes "brotam", assim como a realidade material é a base de todas as funções da vida: sem um corpo, não há como ter desejo, emoção ou intelecto.

A flor de quatro pétalas, no centro da moeda, pode significar a estrutura do baralho de tarô completo. O círculo no meio representa os Arcanos maiores e as quatro pétalas são os Arcanos Menores. A moeda redonda também pode simbolizar o planeta Terra, como se pensava nos tempos antigos: uma superfície plana e redonda, mas marcada pelas quatro direções cardeais. Na alquimia e na astrologia, o símbolo do elemento Terra é um círculo dividido em quatro quadrantes iguais, que representam os quatro elementos materiais: Terra, Fogo, Água e Ar. Na magia ocidental tradicional também é costume realizar rituais dentro de um círculo em torno do qual as quatro direções cardeais são marcadas.

É possível interpretar o Ás de Ouros como se ele contivesse o potencial de crescimento não apenas do seu próprio naipe, mas também dos outros naipes. As plantas decorativas, acima e abaixo da moeda, ainda estão voltadas para dentro, mas parecem prontas para se abrir e podem ser uma alusão ao naipe de Paus, o próximo naipe na ordem da evolução. O aspecto do crescimento também é refletido pela presença do número 3: três linhas em cada pétala da flor central e três tipos de triângulos na parte externa da moeda.

O Ás de Ouros é quase simétrico no eixo vertical, o que significa que há apenas uma pequena diferença entre a posição normal e a invertida. Por exemplo, no lado superior direito, a flor não está completa, o espaço acima da moeda é um pouco maior que o espaço embaixo dela e o padrão de pontos no centro da moeda parece diferente quando a carta está invertida. Ainda assim, como a estrutura básica é a mesma, geralmente não fazemos distinção entre uma carta na posição normal e uma carta invertida. Isso pode expressar a natureza neutra do dinheiro e da matéria: ambos têm uma medida objetiva (por exemplo, em quilogramas ou dólares) que não depende das nossas preferências morais. Portanto, não podemos falar deles como algo inerentemente bom ou ruim.

INTERPRETAÇÃO: O início de um negócio ou de um empreendimento econômico. Dedicar atenção e esforço a questões materiais, como saúde física, bens materiais, local de trabalho ou o ambiente doméstico. Uma base estável e sólida para o crescimento futuro. Uma atitude prática que permanece próxima à base e a assuntos tangíveis. Considerações materialistas. Uma soma significativa de dinheiro que aparece na vida do consulente.

254

ÁS DE COPAS

A base do cálice na ilustração da carta parece estar surgindo de uma superfície coberta de água, e toda a imagem dá a impressão de que os objetos estão sendo empurrados para cima. As três formas em azul-claro no meio da carta podem ser fluxos de água saindo do cálice ou talvez asas que o carregam até o céu. As estruturas verticais nas bordas superiores se assemelham a torres de uma cidade fortificada ou de uma estrutura religiosa, como uma catedral. Elas estão apontando para o céu, mas não chegam a tocar a moldura da carta. Podemos ver aqui uma aspiração para sair do reino material e alcançar algo além da realidade comum, uma aspiração que talvez nunca seja totalmente concretizada.

Na tradição cristã, um cálice contendo líquido é um símbolo frequente de aspiração mística ou de santidade, como o cálice do vinho sagrado ou o graal da lenda arthuriana. Mas o receptáculo na carta parece um relicário, do tipo usado para guardar relíquias de santos católicos. No judaísmo, uma forma semelhante pode ser encontrada nos receptáculos de Havdalah, que contêm perfumes e são usados para separar o tempo sagrado do Sabbah da existência mundana.

O naipe de Copas representa o domínio das emoções e do amor. O elemento religioso das imagens da carta pode expressar a ideia do amor terreno como um reflexo do amor espiritual. Em outras palavras, o amor e a devoção por Deus são um aspecto superior dos sentimentos semelhantes, compartilhados entre os seres humanos. Essa ideia desempenha um papel importante nas correntes místicas de muitas religiões, como o cristianismo, o judaísmo e o hinduísmo. Podemos encontrar outra alusão da conexão do amor terreno e do reino divino na carta do Amante, dos Arcanos Maiores.

Existem diferenças entre o lado esquerdo e o lado direito do cálice, especialmente uma diferença no sombreamento, o que torna o lado direito mais aberto e iluminado. Ainda assim, de modo geral, a carta parece bastante simétrica e esquemática, com linhas retas e ângulos quadrados. Isso pode parecer estranho para uma carta que deveria representar as emoções. De fato, em alguns outros baralhos tradicionais, o cálice parece mais leve e arredondado. Uma possível explicação para isso é que os objetos dos outros três naipes podem ser usados por si sós. Por outro lado, o cálice é apenas um receptáculo que serve para conter outra coisa, ou seja, um líquido. De maneira semelhante, podemos achar que o Ás não representa a própria emoção, que é sutil e intangível. Simboliza as estruturas humanas que dão espaço para a emoção e o amor, como a família ou um relacionamento.

INTERPRETAÇÃO: Um novo amor. Intimidade, mistério, o fervor de sentimentos ocultos. Focar em assuntos românticos ou em questões emocionais. Anseio por alguém que está ausente ou por algo inatingível. Uma atitude romântica, espiritual ou idealista. Sentimentos de mistério. Devoção e submissão a algo além de si mesmo.

INVERTIDA: Sentimentos negativos, bloqueio emocional, aspirações equivocadas, uma decepção em assuntos românticos.

ÁS DE PAUS

Os Ases dos dois naipes duros mostram uma mão emergindo de uma estranha forma com pontas amarelas, segurando o símbolo do naipe. Ambos os Ases também contêm gotas coloridas que dão às cartas energia, vibração e um caráter explosivo. Mas, no Ás de Paus, a mão segura o objeto de modo mais suave que na imagem do Ás de Espadas, com o lado suave e receptivo da mão voltado para nós. É possível entender que o Ás de Paus tem uma natureza mais suave, que é também expressa na ilustração do galho.

No tarô de Rider-Waite, o Ás de Paus tem um forte aspecto masculino, com a evidente forma fálica do objeto central. No Tarô de Marselha, porém, o formato do galho tem uma natureza dupla: tem a forma de um bastão e de um cilindro oco, o que significa que é masculino e feminino. A parte inferior do galho é reta e ereta, e enfatiza o aspecto masculino. Na parte superior, as linhas externas da parede são flexíveis e arredondadas, e a ponta mostra uma abertura que sugere um órgão sexual feminino.

O galho verde se torna mais largo em sua parte superior, expressando vitalidade e crescimento. As gotas que se espalham dos lados sinalizam um fluxo contínuo. Esses aspectos enfatizam a relação do naipe com a criatividade, os desejos e a força vital. Os pedacinhos de madeira cortados podem parecer gotas de sangue, mas sua forma é semelhante à das gotas coloridas ao redor do emblema. Podemos interpretá-los como iniciativas em várias direções, que não levam a realizações de longo prazo (porque os pedacinhos são cortados), mas ainda inspiram e geram uma atmosfera geral de energia e criação. Isso significa a natureza abundante e extravagante da força vital, que espalha seus recursos em todas as direções. As unhas evidentes expressam o processo de lutar e enfrentar dificuldades. No caule acima do galho cortado à direita, há uma espécie de espinho oculto, que pode simbolizar os perigos de uma explosão descontrolada de paixão.

Quando a carta do Ás de Paus está na posição normal, podemos vê-la como uma força abundante de vida, cheia de impulsos dinâmicos, energia e criatividade. Quando a carta está invertida, as gotas estão convergindo e o galho, com seus ramos laterais, torna-se estreito e comprimido entre os dedos.

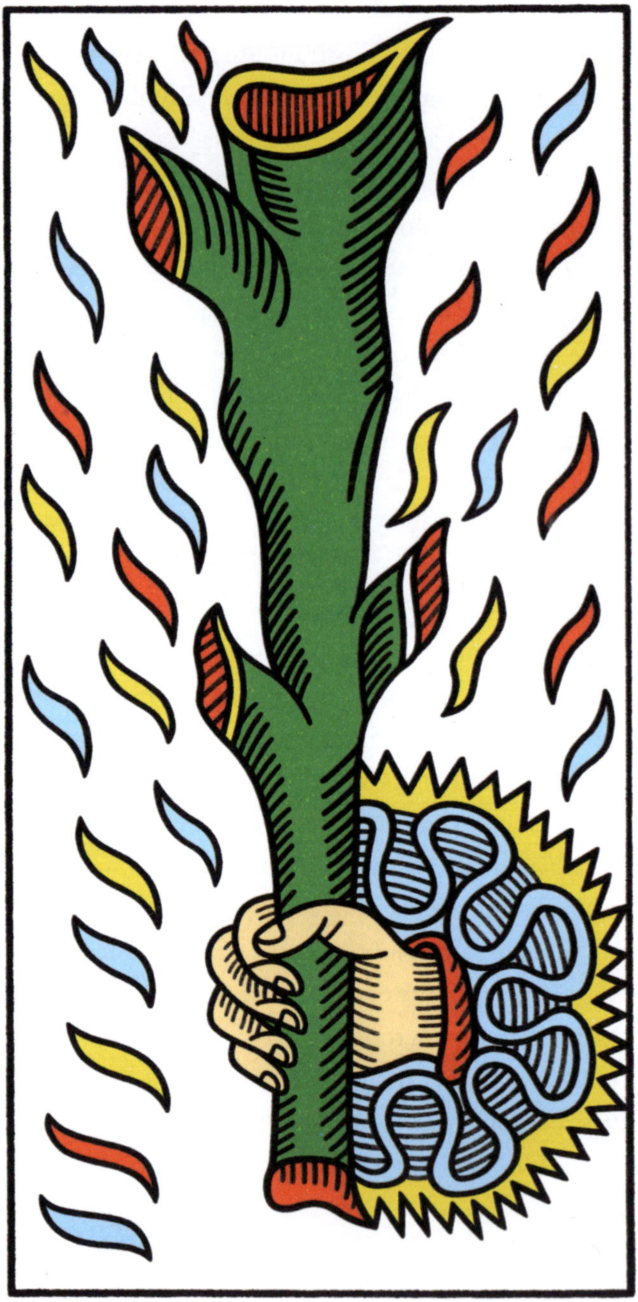

Nessa posição, pode simbolizar um bloqueio ou limitação nos impulsos e desejos, especialmente nos domínios sexual e criativo. Mas também pode significar concentração, que canaliza os impulsos criativos na direção de um objetivo específico.

INTERPRETAÇÃO: Um período de crescimento, impulso e energia; avançar com paixão. Início de um projeto criativo ou um período criativo em todos os aspectos. Dissipação de recursos em todas as direções. Vida sexual ativa, um novo parceiro ou vários parceiros sexuais de uma só vez. Uma tentativa de avançar em direções diferentes simultaneamente, deixando os resultados decidirem qual deles seguir a longo prazo. Agir de acordo com desejos e impulsos, sem pesar muito as consequências.

INVERTIDA: Restrição, um bloqueio criativo, falta de energia, impulsos sexuais reprimidos.

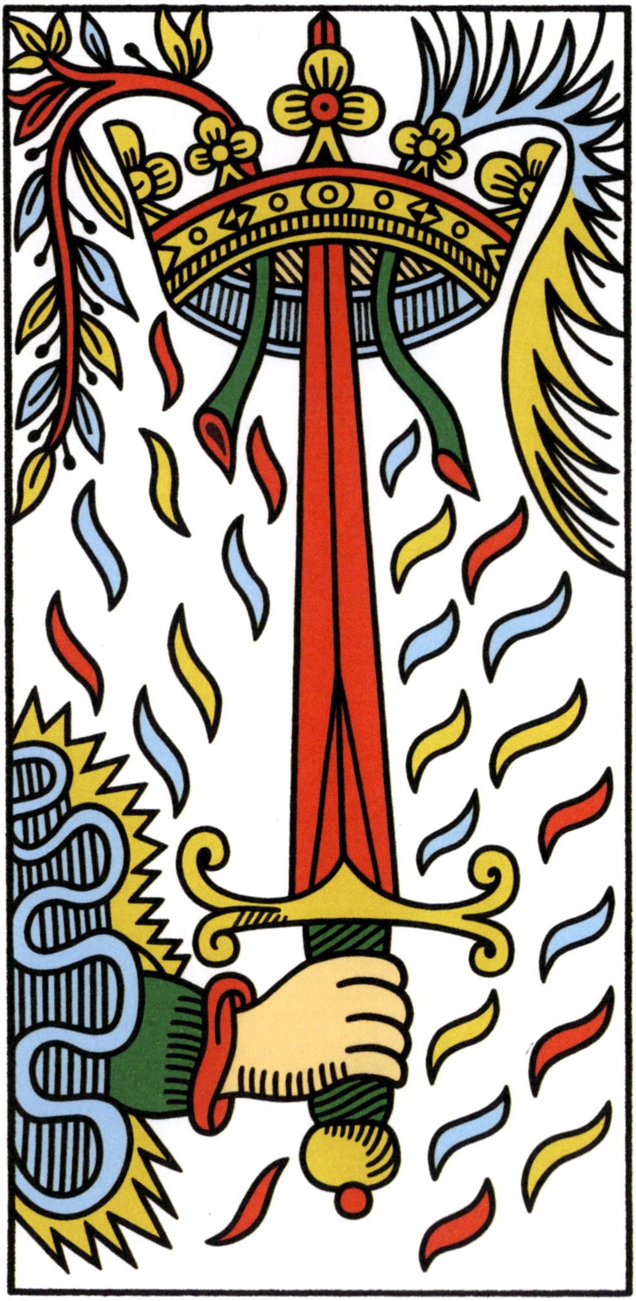

ÁS DE ESPADAS

A grande espada que se ergue no meio da carta confere a ela um caráter frio e decisivo. A coroa é decorada com dois ramos, que podem ser uma palma à direita e um louro à esquerda. Ambos são conhecidos, desde tempos antigos, como símbolos populares da vitória. As pontas vermelhas dos galhos cortados lembram gotas de sangue e podem simbolizar o sacrifício e a luta por meio dos quais a vitória é alcançada. A coroa também pode se referir à cabeça e destaca o vínculo do naipe com o domínio do intelecto. Uma coroa com dois ramos semelhantes aparece na parte inferior do 2 de Copas.

A forma irregular na parte inferior esquerda, da qual a mão emerge, assemelha-se a uma forma similar na carta do Ás de Paus, mas no Ás de Espadas a borda serrilhada amarela parece mais pontiaguda, angulosa e dinâmica. Além disso, a mão está surgindo da borda da forma, enquanto, no Ás de Paus ela emerge do centro. Isso pode expressar o sentimento intuitivo de que impulsos e desejos se originam em níveis profundos da mente. A racionalidade e o intelecto, por outro lado, se moldam às leis que aprendemos e absorvemos do nosso ambiente. Isso significa que eles são sentidos como algo externo que assimilamos.

É possível ver as linhas onduladas como um símbolo do cérebro. Hoje nós sabemos que os impulsos e desejos vêm das partes centrais do cérebro. Em contraste, a racionalidade e a linguagem são processadas no córtex externo. Isso significa que a paixão e os desejos vêm "de dentro", enquanto o pensamento racional é imposto "de fora". É claro que o criador original do tarô não poderia estar ciente desse fato, mas pode ter percebido isso intuitivamente. Nós também podemos notar a diferença entre o galho natural e fluido e a lâmina rígida e artificial da espada. Novamente, isso pode expressar a diferença entre paixões e racionalidade.

Quando a carta está na posição normal, pode-se pensar na espada como se estivesse na nossa mão. Em tal situação, a carta pode indicar uma ação clara e precisa, raciocínio claro, planejamento eficiente ou a capacidade de tomar uma decisão incisiva. No entanto, quando a carta está invertida, podemos pensar que o impulso encontra-se reprimido dentro de nós. Ela pode representar ideias negativas e preconceitos arraigados que bloqueiam e prejudicam o consulente. Como alternativa, ela pode indicar que o consulente está sendo prejudicado ou ferido por alguém. Também podemos ver a carta invertida como um incentivo para que o consulente "vire a mesa" e tome ações deliberadas e decisivas para mudar sua situação.

INTERPRETAÇÃO: Raciocínio aguçado; uma definição clara de objetivos. Poder e controle da situação. A capacidade de se poupar de longas deliberações e decidir de uma maneira ou de outra. Cortar as amarras com o passado, com influências negativas e assim por diante. Espírito de luta, coragem, vitória, glória. Uma nova iniciativa caracterizada pela determinação e pelo planejamento preciso. Separação entre coisas benéficas e prejudiciais. Ambição e competitividade.

INVERTIDA: Confusão, pensamentos negativos, percepções contraproducentes, autopunição, crueldade, mágoa, derrota.

Capítulo 9

As Cartas da Corte

Posições e Naipes

Cada um dos quatro naipes dos Arcanos Menores inclui quatro cartas da corte, que representam quatro posições na hierarquia aristocrática da Idade Média. Em ordem crescente de *status*, são elas:

- Um Valete, cuja grafia, na carta, é *Valet*. O termo francês indica um subordinado e, no contexto das outras cartas, pode ser o pajem do cavaleiro ou seu aprendiz (um escudeiro). Em ambos os casos, ele é um jovem de posição subalterna, mas como aprendiz ele pode, no futuro, ser um Cavaleiro. Todos os Valetes são jovens e têm os pés no chão.
- Um Cavaleiro, cuja grafia, na carta, é *Cavalier* (na ortografia antiga, *Chevalier*). Todos os Cavaleiros estão montados em cavalos (*chevals*, em francês).
- Uma Rainha, cuja grafia, na carta, é *Reyne* (hoje se escreveria *Reine*). As Rainhas aparecem coroadas e sentadas num trono, com os pés ocultos por um manto.

- Um Rei, cuja grafia, na carta, é *Roy* (hoje seria *Roi*). Os Reis também estão coroados e sentados num trono, mas sua postura parece instável e seus pés estão à mostra.

Três das quatro figuras da corte do tarô também aparecem nas cartas dos baralhos comuns: o Valete, a Rainha e o Rei.

As cartas da corte podem, à primeira vista, se assemelhar às cartas dos Arcanos Maiores, pois elas também mostram figuras humanas e têm títulos. No entanto, existem importantes diferenças entre os dois tipos de cartas. Primeiramente, enquanto nos Arcanos Maiores não existe um padrão claro na organização das cartas, as cartas da corte podem ser organizadas de um modo bem ordenado, numa tabela "quatro por quatro", ou seja, quatro fileiras de quatro colunas, cada uma de um naipe diferente. Isso dá às cartas da corte um padrão muito mais ordenado e uma estrutura esquematizada.

Outra diferença é que, nos Arcanos Maiores, existem muitas figuras simbólicas e mitológicas, e, à medida que os Arcanos foram se desenvolvendo, essas figuras foram aos poucos perdendo sua função social, bem como suas roupas. Por outro lado, parece não haver referências mitológicas ou místicas explícitas nas cartas da corte. Todas as figuras estão vestidas e sua aparência identifica cada uma delas com um *status* social definido. Isso significa que a semelhança entre as cartas da corte e as cartas dos Arcanos Maiores é muito mais evidente no início dos Arcanos Maiores, que representam a vida cotidiana da existência terrena, e muito menos nas cartas abstratas do final desses Arcanos.

A simetria da tabela quatro por quatro permite ver uma correspondência entre as posições e os naipes. Os quatro Valetes estão em pé em terreno sólido, o que os liga ao naipe de Ouros. Os Cavaleiros montados em cavalos expressam dinamismo e um movimento típico do naipe de Paus. O cavalo tocando a região pélvica da figura também pode representar as forças animalescas do desejo. A forma original do naipe de Paus (tacos de polo) nas cartas do tarô mameluco pode estar ligada aos jogadores de polo equestre. As figuras femininas nas cartas da Rainha expressam o domínio da emoção representado pelo naipe de Copas. E, por fim, o domínio, a resolução e a sabedoria madura dos reis correspondem ao naipe combativo, decisivo e intelectual de Espadas. Tal como acontece com as partes do corpo, nessa correspondência, os naipes são organizados dos mais inferiores para os mais elevados, de acordo com sua ordem simbólica de evolução: Ouros, Paus, Copas, Espadas.

Ao estudar as cartas da corte, é uma boa ideia colocá-las no formato das quatro fileiras de quatro colunas – ou seja, num padrão quatro por quatro –, com as figuras dispostas de baixo para cima (Valete, Cavaleiro, Rainha e Rei) e os naipes como colunas, da esquerda para a direita. Agora podemos ver as imagens das cartas e observar suas características e diferenças comuns. Podemos colocar os naipes em colunas da esquerda para a direita, de acordo com a ordem simbólica mencionada anteriormente, mas, a fim de observar os recursos dos desenhos que distinguem os naipes suaves dos duros, é melhor organizá-los por tipos de naipe: Ouros e Copas, seguidos de Paus e Espadas (consulte a tabela na página 266).

Ordenando as colunas dessa maneira, podemos ver que muitas figuras dos naipes duros parecem belicosas e inclinadas para a ação, enquanto as figuras dos naipes suaves parecem mais calmas e relaxadas. Os Reis dos naipes duros parecem jovens. Eles usam armaduras e seguram armas com confiança. A postura do corpo deles sugere movimentos iminentes para a direita. Os Reis dos naipes suaves, por outro lado, parecem mais velhos e decididos. Eles estão olhando para a direita, mas sua postura é contida e cautelosa.

Quanto às Rainhas, elas parecem fechadas e defensivas em sua postura, e, de alguma forma, todas estão armadas. Nos naipes duros, elas seguram suas grandes armas de maneira ameaçadora. Nos naipes suaves, porém, elas só têm uma espécie de vara apoiada no ombro esquerdo. Isso parece uma defesa contra um possível ataque por trás, e elas parecem estar mais preocupadas com os símbolos não agressivos do naipe, que seguram na mão direita.

Os Cavaleiros dos naipes duros usam algum tipo de decoração semelhante a uma armadura. Ela é menos elaborada do que as armaduras dos Reis, mas ainda assim confere a eles uma aparência mais combativa do que as roupas civis dos Cavaleiros dos naipes suaves. É somente nas cartas dos Valetes, especialmente no Valete de Paus, que não conseguimos ver o caráter mais bélico dos naipes duros. Mas, ainda assim, podemos presumir que os Valetes estão se preparando para usar seus bastões e galhos, como uma maça, em algum estágio posterior.

A tabela "quatro por quatro" das cartas da corte

Numa leitura, uma carta da corte pode representar o consulente ou outra pessoa envolvida na questão. Uma alternativa é que a carta da corte represente um curso de ação ou uma atitude em relação à questão da consulta. Nesse caso, várias cartas da corte podem se referir à mesma pessoa e indicar aspectos diferentes de sua atitude ou comportamento. Podemos perguntar diretamente ao consulente quem ou o que a figura da carta o lembra. Como nas cartas dos Arcanos Maiores, aqui também uma figura masculina na carta pode se referir a uma mulher ou vice-versa.

As figuras humanas

Por ter uma estrutura semelhante e com menos detalhes, as cartas da corte são algumas vezes tratadas como uma espécie de prima pobre dos Arcanos Maiores. Porém, essa visão não leva em conta suas qualidades únicas. Sem dúvida, elas são menos sofisticadas, menos surpreendentes e menos dramáticas que as cartas dos Arcanos Maiores, mas é exatamente por isso que podemos ver suas figuras como pessoas mais humanas, amigáveis e realistas. Elas não estão envolvidas em situações extremas e bizarras, nem olham para o céu ou para o abismo. Tampouco tentam representar princípios morais abstratos. Em vez disso, nas cartas da corte vemos seres humanos levando uma vida normal, cada uma com um *status* definido na sociedade e pertencendo a uma família, ou naipe, em particular.

Aos olhos das pessoas que não estão familiarizadas com o tarô, os Arcanos Maiores podem parecer intimidadores, com seu misterioso e complexo simbolismo quase sobre-humano. Em comparação, o caráter mais simples e mais terreno das cartas da corte pode tornar mais fácil para as pessoas se relacionarem emocionalmente com elas. Mesmo sem ter estudado as cartas da corte com profundidade, podemos ver os números e começar a fazer perguntas: Quem é essa pessoa? Por que ela está sentada ou em pé de tal maneira? O que ela está fazendo com o símbolo do seu naipe e como o está tratando?

Essa possibilidade de olhar para as cartas da corte assim como olhamos para pessoas comuns sugere novas maneiras de usá-las numa leitura. Por exemplo, em vez de embaralhar as cartas da corte com o resto do baralho, como parte de uma tiragem regular, podemos usá-las separadamente, para ajudar o consulente a expressar seus sentimentos em suas próprias palavras.

Às vezes, uso essa técnica com consulentes que acham difícil se abrir e compartilhar comigo as suas preocupações. Primeiro separo as cartas da corte do baralho e as espalho na mesa, voltadas para cima. Então peço ao consulente que se concentre nos seus sentimentos a respeito do problema e pegue a carta cuja figura parece traduzi-los melhor, pela postura ou expressão facial. Então peço que olhe novamente para a carta, descreva as feições que chamam mais sua atenção e comente suas razões para tê-la escolhido. Essas razões incluem seus pensamentos explícitos ao escolher a carta e as ideias que lhe inspiraram um exame mais minucioso dos detalhes da imagem. Depois de ouvir a descrição do consulente e compartilhar meus próprios pensamentos sobre o assunto, prossigo a leitura, com uma tiragem de três cartas dos Arcanos Maiores.

Tabela e imagem

No Capítulo 5, comentamos os aspectos da ordem e do caos nos Arcanos Maiores. Como vimos, esses Arcanos apresentam uma interação complexa entre esses dois aspectos. A tabela quatro por quatro das cartas da corte expressa um grau muito maior de ordem que a sequência aleatória dos Arcanos Maiores. Também expressa a estabilidade do número 4. Essa estabilidade se afina muito bem com a ordem estabelecida das figuras feudais mostradas nas ilustrações, mas há também um forte elemento de caos. Para vê-lo, precisamos olhar atentamente para as imagens.

Cada figura das cartas da corte é desenhada numa postura única e com detalhes exclusivos. Algumas figuras olham para a esquerda, enquanto outras, para a direita, algumas são mostradas num ambiente artificial, enquanto outras, numa paisagem natural, algumas têm a cabeça coberta por um chapéu ou uma coroa, enquanto outras, têm a cabeça descoberta e assim por diante. Qualquer regra que possamos tentar encontrar em tais detalhes parece ter suas exceções.

Características incluindo o naipe e a posição social da figura também mostram exceções. Em cada carta, o símbolo do naipe aparece uma vez, mas a carta do Valete de Ouros mostra duas moedas. Existem também cartas com um símbolo adicional de outro naipe, como um bastão no Cavaleiro de Ouros ou uma vara em forma de espada na Rainha de Copas.

Uma indicação mais surpreendente de caos nas cartas da corte são os títulos. Isso é surpreendente porque, em princípio, títulos como "Rei de Copas" deveriam expressar a estrutura ordenada dessas cartas. Mas existem muitas irregularidades e exceções nos títulos escritos no baralho de Nicolas Conver. A maior parte dos títulos das cartas da corte está escrita numa faixa na parte inferior da carta, mas no Valete de Ouros o título está escrito na lateral. Os títulos dos três naipes estão no singular, mas no naipe de Ouros ele está escrito no plural: *deniers* em vez de *denier*. No naipe de Paus, o título do naipe é *baton* nas três cartas, mas, na carta da Rainha, ele está escrito com uma grafia antiga: *baston*. E, como em algumas cartas dos Arcanos Maiores, também existem muitos pontos e grupos de linhas verticais nos títulos, sem um padrão aparente.

Esses dois aspectos (a estrutura ordenada e os detalhes mais caóticos das imagens) formam a base de dois métodos para interpretar as cartas da corte. Vamos nos referir a esses métodos como interpretação pela tabela e interpretação pela imagem. Muitos autores que escreveram sobre o Tarô de Marselha no século passado combinaram elementos de ambos.

A interpretação pela tabela é baseada no naipe e na posição social de cada carta. Nesse método, cada posição representa uma atitude ou um estágio num processo, como elaboraremos melhor na próxima seção. O naipe indica o domínio ou o estágio em que essa atitude encontra sua expressão. Por exemplo, um Cavaleiro pode simbolizar o progresso na direção de algum objetivo. No naipe de Ouros, ele pode estar relacionado a uma iniciativa nos negócios que já começou a dar resultado. Observe que a interpretação pela tabela não se refere aos detalhes da ilustração; apenas o naipe e a posição que definem o lugar da carta são significativos. Portanto, podemos conseguir interpretações semelhantes com tarôs nos quais as cartas da corte são selecionadas de maneira diferente.

A interpretação pela imagem é basicamente semelhante à percepção intuitiva das figuras humanas que descrevemos antes. Podemos torná-la mais sistemática aplicando a linguagem simbólica do Capítulo 4. Além disso, podemos nos referir às características únicas do título da carta e pensar em possíveis significados para elas.

Os dois métodos de interpretação, na verdade, já foram aplicados em nossa descrição dos Ases. A estrutura quatro por quatro dos Ases é muito mais simples, pois consiste em apenas uma fileira e quatro colunas. Ainda assim, nós nos baseamos nela quando dizemos, por exemplo, que o Ás de Ouros pode representar uma nova iniciativa nos negócios. Essa interpretação vem do cruzamento do número 1 (início) com o naipe de Ouros (domínio das questões práticas). Por outro lado, aplicamos a interpretação pela imagem quando falamos, por exemplo, sobre os aspectos masculino e feminino do Ás de Paus. Obtemos essas informações não do número ou do naipe da carta, mas sim do formato do seu objeto principal.

As quatro posições

As quatro posições das cartas da corte podem ser interpretadas como quatro fases de um processo. O Valete representa uma fase inicial, caracterizada por hesitação e incerteza, posição humilde e recursos limitados. O Cavaleiro já está avançando em direção a uma conquista ou um objetivo, mas sua capacidade ainda não está totalmente desenvolvida e sua atitude não é completamente madura. A Rainha representa uma fase de realização. Ela pode apreciar os frutos de suas realizações passadas, mas sua tendência para preservá-los talvez impeça de avançar mais. O Rei representa um processo que atingiu seu apogeu e agora está ficando para trás. Nessa fase, o que quer que tenha sido acumulado e aprendido pode servir como um ponto de partida para o passo seguinte.

Os Valetes

Os Valetes aparecem como jovens, com uma aparência suave e levemente feminina. Eles estão de pé ou andando em solo não cultivado, e sua postura expressa hesitação e falta de confiança. Os Valetes de Ouros e Espadas estão de pé, com os pés apontando em direções opostas; o Valete de Copas até parece que está tropeçando num terreno irregular. O símbolo do naipe do Valete de Paus é um enorme tronco bloqueando seu caminho. Além disso, os símbolos do naipe parecem quase pesados demais ou complexos demais para eles. O Valete de Ouros está segurando apenas uma moeda das duas que aparecem na carta. O Valete de Paus está com uma espécie de cajado que parece muito grande para que ele o segure com um certo conforto. O Valete de Copas está tentando olhar dentro de um cálice que parece fundo demais. O Valete de Espadas descansa desajeitadamente sua espada pesada em seu ombro, quase como se ele fosse cortar a própria cabeça.

A carta do Valete pode representar uma pessoa que atua num campo novo e desconhecido. Nesta fase, ela ainda carece de proficiência e tem pouco controle sobre seu ambiente; portanto, não está seguro de suas ações e decisões. O *status* dessa pessoa como Valete também pode indicar que ela ainda depende de outros mais bem posicionados do que ela. No lado positivo, o Valete pode representar uma nova abordagem, alguém pronto para aprender e melhorar, e que aceita ajuda de outras pessoas e é encarado com tolerância pelos seus erros de iniciante. O Valete também pode representar uma pessoa jovem em idade ou atitude ou que demonstra falta de maturidade e responsabilidade.

Os Cavaleiros

Os Cavaleiros estão todos montando cavalos, numa paisagem aberta e sem cultivo. O símbolo do naipe ou está na mão do Cavaleiro ou está na frente dele. Os cavaleiros dos naipes duros, Paus e Espadas, têm uma roupa decorada ou algum tipo de armadura, e seus cavalos estão cobertos com grandes pedaços de tecido. Os cavaleiros dos naipes suaves, Ouros e Copas, usam roupas simples e seus cavalos estão mais expostos. Os Cavaleiros parecem um pouco mais velhos que os Valetes, mas todos eles ainda têm cabelos com cachos loiros, exceto o Cavaleiro de Espadas, cujo cabelo está escondido. Cada ferradura do cavalo é presa por cinco pregos, exceto pelo casco de quatro pregos do Cavaleiro de Copas.

Um cavaleiro montando um cavalo pode simbolizar uma pessoa avançando em direção a um objetivo. Representações medievais de cavaleiros os retratam como uma personificação dos valores da honra, da coragem e da virtude. Os Cavaleiros supostamente dedicavam a vida a servir outras pessoas: seu senhor feudal, a Igreja, alguma causa nobre ou talvez, numa visão romântica, sua rainha. A ideia de estar numa missão pode sugerir responsabilidade e comprometimento. O cavalo também pode representar as pessoas que o estão "montando", ou seja, aquelas que têm o seu controle e o seu serviço. Poderia, portanto, significar os meios pelos quais o cavaleiro é capaz de avançar e agir.

As Rainhas

As Rainhas são representadas como mulheres maduras, sentadas num trono e usando uma coroa. Elas estão vestidas e cobertas, seus rostos são sérios e sua postura parece sólida e estável. Cada Rainha segura o símbolo do seu naipe com a mão direita, enquanto a esquerda fica no nível do abdômen. As Rainhas dos naipes suaves, Ouros e Copas, seguram uma vara ou um cetro pontudo na mão esquerda, como se para protegê-las de um ataque por trás. As Rainhas dos naipes duros, Paus e Espadas, seguram o objeto do seu naipe como se fosse uma arma poderosa.

As cartas da Rainha expressam conquistas e realizações, solidez e estabilidade, uma posição forte e ativos reais. Mas, por tentar preservar sua posição, elas podem ser conservadoras e defensivas, cautelosas, desconfiadas com relação ao desconhecido e pouco dispostas a correr riscos.

Os Reis

Cada um dos Reis usa um chapéu de aba larga, que se abre para cima, e três deles têm uma coroa. O quarto Rei, o Rei de Ouros, também possui uma coroa implícita nos triângulos amarelos do chapéu. Podemos interpretar a aba do chapéu como disposição para aceitar novas ideias e, portanto, para mudar e se desenvolver. Os Reis dos naipes suaves, Ouros e Copas, parecem homens maduros; eles têm uma barba dividida em duas e estão vestidos com uma espécie de toga. Sua aparência simboliza maturidade e uma sabedoria cautelosa, e a barba rachada pode expressar a capacidade de ver aspectos separados e conflitantes de uma situação. Os Reis dos naipes duros, Paus e Espadas, são mais jovens; o rosto deles é liso e eles usam armadura. Sua aparência e sua postura sugerem ação e dinamismo.

Cada Rei segura o símbolo do naipe na mão direita. Três deles também o apoiam no joelho. Seus tronos não são simétricos e sua postura parece instável. Seus pés estão voltados para a esquerda e parece que eles podem se levantar a qualquer momento. Podemos interpretar a parte inferior do corpo como hábitos e padrões antigos do passado, enquanto a parte superior representa a disponibilidade para avançar rumo ao futuro.

Os Reis podem expressar uma posição de poder e controle ou uma fase de maturidade e experiência. Os antigos processos em que o Rei estava envolvido chegaram ao fim e agora ele está pronto para seguir numa nova direção.

VALETE DE OUROS

Valete de Ouros

O Valete está olhando para a moeda em sua mão. Ele pode não ter consciência da outra moeda perto do seu pé. Isso indica que ele percebe apenas parte do seu potencial, enquanto o resto ainda pode estar escondido no chão. O foco do olhar na moeda superior pode indicar que o consulente está preocupado com o que já tem. Os pés apontando para direções opostas expressam indecisão. Talvez o Valete tenha tido um sucesso inicial e agora, examinando-o, ele hesite entre explorar a situação atual (a segunda moeda) e seguir numa nova direção (o pé mais alto à direita). Uma característica exclusiva da carta é que o título está escrito ao lado e não numa faixa na parte inferior. Isso dá à carta uma base sólida, pois os pés do Valete estão plantados no solo num nível mais baixo (ou mais profundo) do que os de qualquer outra figura.

Interpretação: Atitude prática, pés no chão, mas uma visão limitada pelas estruturas existentes e que já provaram seu valor. Mesmo na situação atual, muitas vantagens e possibilidades podem ser perdidas por causa da pouca atenção. Vale a pena procurar potenciais e benefícios antes de embarcar num novo caminho. Hesitação, inquietude de espírito e um sentimento vago de que falta alguma coisa. Os objetivos que buscamos podem estar mais próximos do que imaginamos, e tudo que precisamos fazer é olhar na direção certa. Uma sólida base material para empreendimentos futuros.

CAVALEIRO DE OUROS

Cavaleiro de Ouros

O Cavaleiro que olha a moeda à sua frente pode ter aspirações ou planos no domínio material. O cavalo marchando para a direita indica um movimento em direção à realização desses planos. Mas as quatro partes do centro da moeda se inclinam para a direita, como se a moeda estivesse rolando para longe do cavaleiro, à medida que ele se aproxima. O bastão verde que o Cavaleiro está segurando na mão pode ser uma alusão ao naipe de Paus. Pode indicar criatividade e autoexpressão, que o cavaleiro deseja combinar com considerações materiais. Por exemplo, isso pode indicar o desejo de encontrar um trabalho que garanta satisfação pessoal e um bom salário. No entanto, o bastão também pode fazer com que a moeda voe até ficar fora de alcance, o que significa que os desejos podem estragar os planos práticos. Também podemos pensar que o cavaleiro está perseguindo a moeda, o que significa que ele é motivado pelo pensamento de lucro e ganho pessoal.

Interpretação: Avançar em direção a um objetivo tangível que parece próximo, mas de alguma forma foge do alcance real. Aspiração de combinar criatividade e autoexpressão, por um lado, e considerações materiais, por outro. Impulsos pessoais podem interferir nos planos práticos. A busca por ganhos em curto prazo pode levar o consulente a encontrar outras coisas que não esperava. Busca constante por dinheiro, seja em razão de uma necessidade real ou porque, nesse estado de espírito, pode-se achar que nunca se tem o suficiente.

RAINHA DE OUROS

Rainha de Ouros

A Rainha de Ouros é a figura maior e mais desenvolvida de todas as cartas da corte de Ouros. É a única que tem um ponto no centro, semelhante ao ponto focal da carta do Eremita, dos Arcanos Maiores, e esse ponto preenche completamente seu campo de visão. O olhar direcionado para o lado esquerdo da carta e as costas voltadas para a direita significam atenção às realizações passadas e aos bens que a Rainha tem na mão, em detrimento de novas possibilidades e planos futuros. O cetro na outra mão também pode ser interpretado como um tipo de varinha. Ele forma um triângulo fixo com o ponto no centro da moeda, que fortalece a impressão de um foco profundo. O pequeno círculo branco na altura do abdômen da Rainha transmite uma sensação de tranquilidade com relação ao seu eu interior, como se o seu centro estivesse onde deveria estar. As dobras do vestido fluem suavemente em direção ao chão, dando uma impressão de estabilidade e sinalizando uma base sólida no domínio material.

Interpretação: Uma visão prática e bem focada que já se provou eficaz graças a realizações reais. Ter muita intuição em questões práticas de dinheiro e bens materiais. Situação estável, ainda que exija atenção constante para se manter. Contentamento com o que se tem, sentindo-se à vontade consigo mesmo e com os bens e a posição pessoal. Uma atitude conservadora, que busca preservar o estado existente. Resistência à mudança, que é considerada uma ameaça, não uma oportunidade. Uma atitude excessivamente materialista, que vê tudo da perspectiva de ganhos e perdas tangíveis.

REI DE OUROS

Rei de Ouros

O Rei de Ouros difere dos outros Reis por não ter uma coroa visível. Ele também se senta numa paisagem aberta e natural, enquanto os outros são apresentados em ambientes artificiais. Isso pode indicar a atitude simples, prática e realista de quem evita o luxo excessivo ou a pompa. Ele também difere das outras figuras do naipe, que estão olhando intensamente para suas moedas. Em vez disso, ele segura a moeda no colo, tratando-a como algo seguro que não precisa de atenção, enquanto seu olhar é direcionado para o futuro. Sua linha de visão é aberta, mas bem definida pelas linhas limitantes do chapéu e do ombro. Seu corpo se inclina um pouco para trás, uma postura que expressa reticência, cautela e exame crítico das coisas novas, em vez de avançar na direção delas. As pernas cruzadas e a mão no cinto se assemelham à carta do Imperador, dos Arcanos Maiores, e indica disciplina e autocontrole.

Interpretação: Uma atitude sólida e confiável em relação a assuntos práticos. Manutenção das coisas simples e úteis, sem sofisticação excessiva. Uma abordagem cautelosa e equilibrada com relação a projetos ou ofertas tentadoras, sem pressa de avançar com entusiasmo pouco crítico, mas não totalmente avesso à possibilidade de desenvolvimento em novas direções. Autocontrole, maturidade e responsabilidade, especialmente nos negócios e em questões práticas. Comportamento modesto e despretensioso, baseado na autoconfiança e nas realizações pessoais.

VALETE DE COPAS

VALETE DE COPAS

O Valete está olhando para o seu cálice estreito, mas seu foco permanece na parte superior e não penetra nas camadas profundas. O objeto redondo em sua mão pode ser um chapéu ou a tampa do cálice. O ato de olhar para dentro do cálice pode expressar disposição para examinar as próprias emoções, e a cabeça descoberta indica mente aberta. O tecido que vem de trás e cobre o cálice indica que o Valete está passando por esse processo sozinho. O movimento para a esquerda expressa ocupação com o passado e o pé esquerdo do Valete parece tropeçar em terreno irregular, como se ele pudesse ficar preso ou até cair. A forma e a coloração do solo também podem sugerir um corpo humano feminino e indicam perplexidade e inexperiência em casos românticos. No cinto, há algum tipo de punhal escondido, que pode indicar a capacidade de ferir, talvez até sem intenção consciente.

INTERPRETAÇÃO: Uma atitude jovial e inexperiente em questões emocionais. Sentimentalismo; ser levado pelos próprios sentimentos, mas sem entendê-los profundamente. Uma tentativa de autoexame que permanece superficial, pois não é algo compartilhado com os outros. Passos hesitantes no domínio romântico ou erótico. Preocupações com os próprios sentimentos podem atrapalhar o progresso. Sincera intenção, mas ainda uma possibilidade de agressão velada e não intencional.

CAVALEIRO DE COPAS

Cavaleiro de Copas

O Cavaleiro segura o cálice na palma da mão, como se o apresentasse a alguém, num ato romântico de devoção. As roupas modestas, os cachos naturais expostos e a ornamentação modesta do cavalo enfatizam um sentimento de abertura e simplicidade. O cálice é grande e aberto, mas também plano e sem profundidade. O Cavaleiro parece hesitante e pode-se pensar que o cálice não está realmente posicionado sobre a mão dele. Talvez esteja flutuando no ar e o Cavaleiro pode simplesmente ter colocado a palma da mão embaixo dele. O Cavaleiro supostamente dá o que ele tem e talvez seja sincero, mas não é certo que se possa confiar na profundidade do seu compromisso. A direção para a esquerda pode indicar desistência de objetivos e ambições pessoais.

Interpretação: Devoção, doação emocional, abertura e sinceridade. Desistir de objetivos pessoais para servir algo ou alguém com quem se importa. A imagem de um cavaleiro romântico, que pode ser autêntico, mas que também talvez seja um tipo de ilusão. Devoção sem motivos ocultos. Expressão aberta de emoções, mas elas podem ser apenas superficiais. Uma visão romântica e idealizada da realidade motiva o consulente, mas talvez não o impulsione numa direção produtiva.

RAINHA DE COPAS

286

Rainha de Copas

De todas as cartas do naipe, o cálice da Rainha é o único fechado (uma característica também preservada no novo tarô de Waite). O caráter fechado da imagem é expresso em sua coroa pesada, o peito amarrado com um cinto apertado e o dossel que deixa apenas uma abertura estreita na frente dos olhos da Rainha. Ela segura o cálice sobre o joelho, com a palma da mão numa posição centralizada, que expressa um desejo de controle. O cetro na outra mão parece algum tipo de espada ou arma, como se a Rainha estivesse desconfiando de um possível ataque por trás. O cálice fechado e o peito apertado indicam emoções bloqueadas, enquanto a coroa elaborada e o cetro em forma de espada podem representar autocontrole mental.

Interpretação: Um mundo interior rico, mas oculto. Emoções atrofiadas e controladas sob um disfarce externo de intelecto. Atitude fechada de defesa; dificuldade para se abrir emocionalmente. Uma pessoa que tem muito a oferecer, mas é preciso fazer um esforço para alcançá-la. Guardar algo de valor. Ver as coisas através da perspectiva estreita da experiência passada, possivelmente traumática, sem se abrir para novas possibilidades. Estar emocionalmente satisfeito com a própria companhia. Um sentimento de segurança na situação atual.

REI DE COPAS IIII

Rei de Copas

O cálice na mão do Rei se assemelha ao cálice fechado da Rainha, mas tem uma abertura estreita, que pode simbolizar a expressão controlada das emoções. O cálice parece dividido em duas partes, que se mantêm juntas graças à mão do Rei, mas que apresentam um pequeno desalinhamento. Podemos ver isso como uma ruptura emocional ou talvez um coração partido, mas que não se despedaça e consegue seguir em frente. A aba elevada do chapéu expressa abertura e receptividade a novas mensagens. Ele também abre o campo de visão do Rei para a direita, sinalizando um olhar otimista para o futuro. Enquanto os pés apontam na direção do passado, as linhas do piso convergem para o futuro.

Interpretação: Maturidade emocional e sabedoria baseada na experiência. Capacidade de superar tristezas do passado e fixar o olhar mais adiante; por exemplo, a superação de uma crise emocional ou romântica. Uma perspectiva lúcida e realista que ainda pode ser positiva e otimista. Uma maneira contida e cuidadosa de expressar emoções. Abertura para novas experiências e novos relacionamentos, mas com prudência e cautela. "Não há nada mais completo do que um coração partido."

VALETE DE PAUS

Valete de Paus

O galho natural parece grande e maciço, e as mãos estão pousadas nele de maneira estranha. A ilustração em si não é realista. Tem uma característica cubista que conecta a ponta do galho e a palma da mão com as mangas, numa forma triangular. Outra forma distinta é criada por todo o galho, quando ele se conecta com a parte da mão direita do traje. Parece que o galho absorve as mãos do Valete, o que significa que as ações do consulente são conduzidas por seus desejos e não por seu controle consciente. Também podemos pensar que o Valete gostaria de virar o galho, de modo que sua extremidade mais larga ficasse para cima, mas ele é pesado demais. O Valete está voltado para o futuro e seus pés tocam a linha inferior da carta de uma maneira que sugere uma base estável. Mas o galho está enraizado no chão e pode impedir seu avanço. Como alternativa, ele poderia estar escondido atrás do galho, observando coisas a distância, em vez de avançar e intervir ativamente nelas.

Interpretação: Desejos e impulsos que o consulente não sabe controlar e dirigir. Potencial criativo e uma intenção real de avançar, mas mais maturidade e autodisciplina são necessárias para que as coisas aconteçam. Uma tarefa que é muito pesada ou com a qual o consulente ainda não encontrou a maneira certa de lidar. Usar a sexualidade como barreira ou como defesa contra um relacionamento emocional. Manter-se afastado dos acontecimentos, talvez esperando o momento certo para empregar ferramentas ou armas.

CAVALEIRO DE PAUS

Cavaleiro de Paus

O bastão da ilustração mantém a forma natural de galho, mas parece mais refinado que o objeto pesado da carta do Valete. O olhar do Cavaleiro parece completamente absorvido pelo seu bastão, o que pode indicar que ele está preocupado com seus próprios desejos e impulsos. Os corpos do Cavaleiro e do cavalo estão voltados para o lado esquerdo da carta, mas seus rostos e seus olhos estão direcionados para a direita. Talvez o Cavaleiro esteja mudando de direção e virando-se para enfrentar o futuro, ou talvez ele esteja apenas parando para examinar o que realmente deseja. O cavalo generosamente coberto, que não parece muito atlético nem ágil, pode simbolizar a falta de autoconsciência ou a ocultação de motivações reais. O objeto floral no joelho do homem pode ser uma simples decoração, sugerindo um gosto por luxo ou vaidade. Por conseguinte, pode indicar uma sensibilidade estética que fortalece a ligação do naipe com a criatividade e a autoexpressão. No geral, a imagem sugere uma sensação de vigor e energia, mas pode estar faltando orientação e direção.

Interpretação: Recursos e impulsos adequados para avançar, mas a direção não é clara. Uma pausa momentânea para reexaminar o que o consulente realmente deseja. Um excesso de preocupação com a própria sexualidade, desejos egoístas ou impulsos criativos. Os impulsos instintivos podem indicar a direção certa, mas é preciso mais confiança e comprometimento para um avanço real. Desrespeito com as necessidades dos outros ou a falta de autoconsciência pode dificultar o progresso do consulente no momento. Ainda assim, ele tem recursos e energia suficientes para corrigir a situação e avançar posteriormente.

RAINHA DE PAUS

Rainha de Paus

O grande bastão da Rainha é parcialmente elaborado. Representa uma fase intermediária entre o galho natural do Cavaleiro e o cetro elaborado do Rei. O objeto que ela parece segurar na mão direita se assemelha a um utensílio de cozinha, algo entre um garfo e uma colher. Isso pode sugerir assuntos relacionados à comida, ou talvez expresse o poder da Rainha, embora ela possa ter os olhos fixos em quem quer que esteja olhando para ela. O bastão, que ela segura como um taco pesado e os cotovelos apontando para fora refletem poder e dominação, no entanto, o olhar no rosto da Rainha é terno e benevolente. Seu cabelo solto demonstra sensualidade e a coroa de folhas que sustenta sua coroa suscita crescimento e fertilidade. O bastão apoiado na região dos quadris enfatiza o desejo, a criatividade e a sexualidade. O punho da manga branco num só braço indica ação pura e imaculada. Por outro lado, o peito oprimido pelo cinto pode sinalizar um bloqueio emocional.

Interpretação: Uma figura feminina forte e autoconfiante. Uma aparência suave ou palavras suaves, apoiadas pela presença de um bastão grande. Uso da sexualidade como um meio de obter poder e controle. Movimentos irresistíveis de paixão ou criatividade. Assuntos relacionados à comida, a comer ou a cozinhar. Atitude amigável e cooperativa com relação aos outros, mas mantendo a guarda alta e seu espaço pessoal. Intuição e instintos ganham vantagem. Generosidade e benevolência de alguém numa posição segura.

REI DE PAUS

Rei de Paus

O cetro elaborado e artificial representa energia criativa ou impulsos que estão totalmente sob controle. O pé direito aponta para o passado (como nas outras cartas do Rei), mas o calcanhar do pé esquerdo está levantado, como se estivesse em movimento, avançando em direção ao futuro. A forma triangular pontiaguda formada à direita pelo cetro, a perna, o braço e o ombro quase ultrapassa a moldura da carta. Isso expressa um desejo dinâmico de avançar. No entanto, parece que o Rei está prestes a perfurar o próprio calcanhar, talvez para conter um entusiasmo excessivamente impulsivo, que pode resultar num movimento precipitado, ou talvez o contrário: para se forçar a avançar. O olhar é cauteloso e contido entre as costas do assento e a aba do chapéu, mas o espaço entre eles é aberto e o olhar segue numa linha otimista ascendente à direita. O cetro também pode ser a coluna da cadeira que está faltando do lado esquerdo, o que significa que o Rei está usando recursos passados como um instrumento para novos avanços e empreendimentos.

Interpretação: Uma atitude madura e responsável, que não parte de impulsos e desejos, mas sim os aproveita para uma ação criativa e controlada. Uma espera com expectativa e um otimismo cauteloso. Um momento de consideração prudente antes de começar a se mover numa nova direção. A estabilidade anterior foi abalada, mas um novo movimento silencioso exige um impulso interno autodisciplinado. Investimento de recursos acumulados para avançar ainda mais, em vez de apenas mantê-los como estão. Uma tendência contraproducente do consulente para fazer um movimento obstrutivo toda vez que tem chance de avançar.

VALETE DE ESPADAS

Valete de Espadas

O Valete empunha uma espada, mas ele não parece alguém pronto para a batalha. A espada descansa em seu ombro, bloqueando sua visão do futuro, e ele vira o rosto para longe dela. Também podemos pensar que, se ele não for cuidadoso, a espada pode cortar sua cabeça. Assim, a espada pode simbolizar não uma arma, mas uma barreira ou obstáculo, como pensamentos negativos. Os pés apontando nas duas direções expressam indecisão. Eles descansam na linha de fundo da carta de uma maneira que sugere tanto estabilidade quanto falta de movimento. Eles também estão mais perto do lado esquerdo. Na outra mão, o Valete segura algo que parece uma bainha. Isso pode ser uma alusão ao naipe de Espadas e a paixões que interferem no julgamento. A pequena forma no nível da virilha, sugestivo de um órgão masculino, pode indicar um dilema entre o desejo e o intelecto.

Interpretação: Hesitação, indecisão. O consulente tem recursos e habilidades, mas ainda não sabe o que fazer com eles. Análise do passado antes de dar um passo em direção ao futuro. Medo de enfrentar a realidade das coisas que estão por vir. O futuro é visto como uma ameaça, mas isso pode ser corrigido com uma mudança na abordagem. Fatores impeditivos podem ser transformados em ferramentas e armas úteis. Confusão resultante de fortes desejos e ideias equivocadas.

CAVALEIRO DE ESPADAS

Cavaleiro de Espadas

As diagonais enfáticas criadas pelo corpo do cavalo, pela espada e pela parte superior da silhueta do Cavaleiro expressam forte impulso e energia. Mas o Cavaleiro está cavalgando para a esquerda, não na direção usual de avanço. Talvez ele esteja se movendo na direção errada e a máscara no seu ombro, voltada para o lado direito, expresse dúvidas e reconsiderações. As patas dianteiras levantadas do cavalo podem indicar que o animal está se recusando a seguir em frente, e talvez o Cavaleiro esteja usando a espada para incentivá-lo a avançar. Como alternativa, podemos pensar que a obstinação e a perseverança farão o Cavaleiro avançar da maneira que ele escolher. A forma em arco com a planta, na parte inferior da carta, pode indicar uma reviravolta. Os círculos pontilhados no casco do cavalo e o terreno podem simbolizar diferentes objetivos e áreas de foco. Os cascos brancos também podem representar intenções puras ou um distanciamento com relação a questões práticas.

INTERPRETAÇÃO: O consulente tem a energia e os recursos necessários para avançar, mas ele deve controlar seus impulsos de seguir em frente e, em vez disso, verificar se a direção que está seguindo é favorável. É aconselhável prestar atenção à hesitação e dúvidas. Força de vontade e obstinação, uma tentativa para impor sua visão ao ambiente ou às pessoas sob sua responsabilidade. Determinação e perseverança podem levar ao sucesso numa direção inesperada. Uma sensação de flutuar acima das restrições da realidade cotidiana.

RAINHA DE ESPADAS

Rainha de Espadas

As duas colunas, ligeiramente assimétricas, atrás da figura, a tela arredondada entre elas e a espada na mão direita lembram a carta da Justiça dos Arcanos Maiores. Outras semelhanças incluem roupas fechadas e apertadas e a coroa amarela. A postura da Rainha e sua expressão facial refletem suspeita. O abdômen arredondado pode sugerir gravidez e a mão sobre ele pode indicar o desejo de proteger o embrião ali dentro. O olhar da Rainha está voltado para a esquerda, como se ela estivesse preocupada com o que foi feito no passado. O punho da espada não segue com exatidão a linha da lâmina. É como se o punho da Rainha estivesse segurando partes desconectadas.

Interpretação: Um sistema seguro e protegido, mas uma situação estática. Entrincheirando-se numa posição já conquistada. Extrema cautela, postura defensiva e prevenção de riscos. Preocupação com possíveis ameaças relevantes no passado. Fortes defesas psicológicas, evitando exposição e proximidade. Proteger-se contra racionalidade rígida e contundente. Algo em preparação, que tem de ser mantido em segredo e muito bem guardado até que esteja maduro o suficiente para ser revelado.

REI DE ESPADAS

Rei de Espadas

As duas máscaras nos ombros do Rei podem expressar tendências ou possibilidades opostas de ação, e a divisão vertical no peito dele talvez indiquem que seu coração está dividido entre elas. Os pés parecem estar sendo levados para a esquerda, mas o Rei segura a espada na frente da máscara desse mesmo lado, como se estivesse expressando uma decisão firme de bloquear essa direção e virar a cabeça para o futuro. A estranha ilustração na base do trono pode representar a incerteza sobre o futuro: o que brota agora pode crescer e prosperar, mas também pode ser cortado. As pequenas linhas no cetro, que começam na região dos quadris do Rei, assemelham-se às marcas de uma régua. Isso pode indicar paixões sob o controle da mente. Elas também podem representar as capacidades intelectuais necessárias para regular e enfrentar um futuro incerto. A coroa na cabeça do Rei parece inundada de luz, expressando sabedoria superior.

Interpretação: Força de vontade e uma decisão determinada para romper com o passado e o futuro, mesmo que o coração ainda esteja dividido entre o antigo e o novo. Uma combinação de inteligência arguta e abertura para uma sabedoria superior de natureza misteriosa. Prontidão para enfrentar a incerteza com as ferramentas intelectuais necessárias para lidar com situações desconhecidas. Uma expressão regulada e controlada de desejos e paixões. Fazer planos e iniciar preparativos, mas sem nenhum avanço ainda.

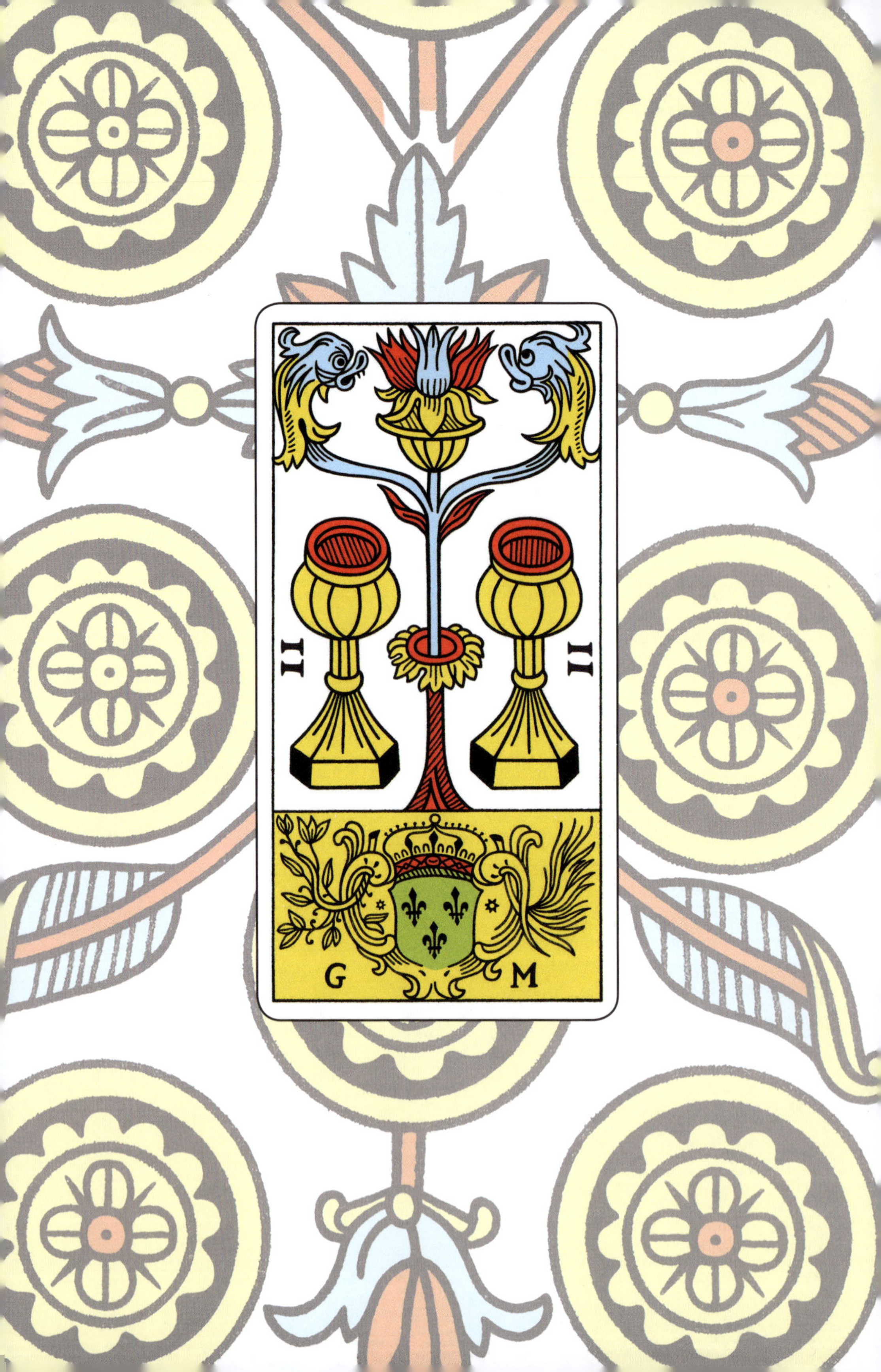
II
II
G
M

Capítulo 10

As Cartas Numéricas

A leitura das cartas numéricas

Cada um dos quatro naipes dos Arcanos Menores contém nove cartas numeradas que vão do 2 ao 10. No Tarô de Marselha e em outros tarôs tradicionais, as cartas numéricas têm um desenho relativamente simples e abstrato. Cada carta mostra o símbolo do naipe na mesma quantidade que o número da carta. Os ícones simbólicos do naipe são organizados de forma geométrica e cercados por decorações florais. Por exemplo, o 3 de Copas mostra três cálices dispostos num triângulo, o 2 de Paus mostra duas hastes cruzadas e assim por diante.

Antes de analisar suas ilustrações em detalhes, pode ser difícil distinguir as cartas numéricas. As cartas de cada naipe não apenas se parecem, como também podemos confundir as cartas numéricas dos naipes de Paus e Espadas. Isso ocorre porque todas as varas, cetros e bastões e a maioria das espadas são ilustradas como listras estreitas com lâminas pretas nas pontas. A diferença é que as listras das cartas de Paus são retas e se cruzam no meio da carta. Em contraste, as listras das espadas são arredondadas e se cruzam em mais de dois pontos – na parte superior da carta e na parte inferior.

6 de Paus (esquerda), 6 de Espadas (direita)

O desenho simples das cartas numéricas pode tornar sua interpretação um tanto difícil a princípio. Isso é especialmente verdade para intérpretes que têm mais experiência com o tarô de Waite e outros novos baralhos ingleses, nos quais as cartas numéricas são ilustradas com cenas realistas de pessoas e objetos. Essas cenas, completamente diferentes do desenho tradicional, mostram situações cotidianas variadas e possuem uma gama relativamente pequena de significados possíveis. Isso facilita a leitura para os iniciantes. No Tarô de Marselha, por outro lado, intérpretes novatos geralmente adiam o estudo detalhado das cartas numéricas para uma fase posterior, depois de ter adquirido alguma experiência com outras partes do baralho.

Autores de tarô da escola francesa que escreveram sobre as cartas numéricas do Tarô de Marselha muitas vezes combinaram dois métodos diferentes para a interpretação. Esses métodos são semelhantes aos dois já mencionados no Capítulo 9: interpretação pela tabela ou pela imagem. Nas cartas numéricas, a interpretação pela tabela significa que cada carta representa o significado numerológico do seu número, atuando com o caráter ou o domínio do seu naipe. Assim, por exemplo, o 3 de Ouros simboliza dinamismo e avanço (o número 3) em questões práticas (o naipe de Ouros).

A interpretação pela imagem é semelhante, em espírito, ao que fizemos com os Ases e as cartas da corte. Olhando para a carta, notamos a disposição dos símbolos do naipe e o tom emocional sugerido pelas decorações florais. Eles são interpretados como símbolos dos acontecimentos e processos da vida do consulente.

Por exemplo, podemos ler a seguinte história nos detalhes da imagem do 3 de Copas:

O par de cálices na parte inferior pode significar dois amantes. A forma vermelha e sensual no meio indica paixão mútua. A forma em coração das folhas em volta da figura vermelha pontiaguda expressa ligação emocional, mas as folhas pequenas acima do coração – vermelha à direita e branca à esquerda – representam diferenças entre os dois parceiros. Elas estão voltadas para direções opostas, indicando o início de uma separação.

A resposta da carta para a situação é produzir uma criação que seja dos dois parceiros; por exemplo, um filho ou um projeto de trabalho em comum. Isso é representado pelo terceiro cálice. Agora os galhos se voltam para dentro novamente, com frutas parecidas com romãs nas pontas, criando a forma de um coração maior. A borda externa da parte superior da folha à direita é branca, espelhando a pequena folha branca no centro à esquerda. É como se o parceiro da direita assimilasse as qualidades mais elevadas do outro, que foram inicialmente rejeitadas.

Também podemos olhar para a história da perspectiva do terceiro cálice. O consulente pode ter convivido, quando criança, com uma relação assim entre os pais. Uma vez que o filho serviu como uma cola para manter os pais juntos, eles cuidaram dele e lhe deram muita atenção. Mas, do ponto de vista do filho, a atenção excessiva pode ter sido opressora, tolhendo-o de todas as maneiras e deixando-o se desenvolver apenas numa direção muito definida, simbolizada pela abertura superior.

A linguagem das direções

No Capítulo 4, interpretamos o eixo horizontal das cartas, da esquerda para a direita, como a direção do tempo dos acontecimentos terrenos. O eixo vertical, de baixo para cima, vimos como uma representação das experiências interiores da alma. Esse método é válido principalmente para os Arcanos Maiores, mas podemos aplicá-lo aos Ases e às cartas da corte. As cartas da corte expressam o eixo vertical de uma maneira muito limitada, pois não apresentam nem céu nem abismo, mas isso é natural, pois elas mostram pessoas em situações práticas da vida e não se referem a dimensões psicológicas e espirituais.

A mesma interpretação para os eixos não é adequada para as cartas numéricas. Por um lado, suas ilustrações não mostram nenhum desenvolvimento ao longo do eixo horizontal, pois são quase simétricas com relação à esquerda e à direita. Em vez disso, podemos ver variações ao longo do eixo vertical, geralmente com uma sensação de crescimento e avanço de baixo para cima. Em outras palavras, apenas o eixo vertical é significativo nas cartas numéricas. Por outro lado, o desenho simples e básico das cartas numéricas sugere que devemos interpretá-las principalmente em termos de eventos concretos e externos. Isso torna a interpretação do eixo vertical em termos de processos internos irrelevante para as cartas numéricas.

O que precisamos é de uma nova interpretação do eixo vertical, específica para as cartas numéricas. Podemos pensar em duas interpretações, que podem ser apropriadas em diferentes situações.

Inspirados pelo movimento ascendente de muitas cartas, é possível interpretar o eixo vertical das cartas numéricas como uma direção temporal. Para isso, podemos imaginar as cartas numéricas no chão, uma após a outra, como grandes paralelepípedos pavimentando uma estrada. À medida que avançamos na estrada, passamos por cada carta, indo de baixo para cima. Nessa visão, a parte inferior da carta representa o passado ou o estágio inicial de um processo, enquanto a parte superior representa o futuro ou uma fase posterior. Em outras palavras, interpretamos o eixo vertical das cartas numéricas como um eixo temporal, de modo semelhante ao eixo horizontal das outras partes do baralho.

Nas cartas numéricas dos naipes suaves, Ouros e Copas, podemos encontrar outro significado no eixo vertical. Nessas cartas, a parte superior e a parte inferior podem ser interpretadas em termos de poder e relações de *status*. Naturalmente, veríamos o elemento mais forte ou mais influente no topo e o dependente ou subordinado na parte inferior. Por exemplo, o 7 de Ouros pode mostrar a posição do consulente no trabalho como a moeda única no meio, protegida e relativamente bem colocada. O 8 de Ouros pode nos lembrar de um prédio de escritórios ou uma grande organização, com a gerência na parte superior e os funcionários na parte inferior. No 10 de Copas, vemos um cálice grande em cima de nove pequenos e podemos interpretá-lo como uma posição de liderança.

7 de Ouros, 8 de Ouros, 10 de Copas

Outra característica do eixo vertical nas cartas numéricas diz respeito às cartas invertidas. Algumas cartas numéricas são quase simétricas no que diz respeito à parte superior e inferior, com apenas pequenas diferenças na decoração. Nessas cartas, é difícil distinguir uma carta na posição normal de uma carta invertida. Outras cartas numéricas mostram uma distinção clara entre uma posição e outra. Por exemplo, quando uma carta numérica de Copas está invertida, seus ícones de cálice ficam de cabeça para baixo, o que faz uma grande diferença.

Como a distinção entre a posição normal e a invertida é muito clara em algumas cartas, mas não em outras, devemos considerar essa particularidade numa leitura? Eu prefiro levá-la em conta, distinguindo esses dois casos. No caso de cartas que são praticamente simétricas, em geral faço a mesma interpretação, independentemente da posição da carta. Faço exceção a essa regra somente se eu tiver uma intuição espontânea sobre a interpretação de uma pequena diferença nos detalhes. Por outro lado, se a ilustração for claramente assimétrica, faço outra interpretação caso a carta esteja na posição invertida. Assim como faço em outras partes do baralho, geralmente confiro às cartas invertidas um significado menos favorável.

O desenho geral

Como veremos na próxima seção, embora cada naipe tenha seu desenho típico, existem algumas características comuns a diferentes naipes. Uma das mais significativas é a distinção entre números pares e ímpares. Nas cartas com números pares, os ícones dos naipes são geralmente organizados em pares, dando à carta um caráter sólido e estável. Nas cartas ímpares, um único ícone do naipe aparece entre os pares, interrompendo a estrutura estável e criando uma impressão mais tensa e dinâmica.

Vale a pena fazer uma distinção aqui entre os naipes suaves e duros. Nos naipes suaves, um único par (duas moedas) pode indicar uma aliança, uma parceria ou duas forças opostas. Vários pares podem representar um ambiente ou um sistema no qual o consulente opera. Um único ícone numa carta ímpar pode simbolizar uma pessoa individual ou um elemento singular na situação. Ele também pode se referir ao relacionamento do consulente com seu ambiente. Por exemplo, um único cálice pode representar o relacionamento do consulente com a família e uma única moeda pode simbolizar sua posição no local de trabalho. Isso expressa o fato de que os cálices se referem a uma rede de recursos humanos e pessoais, ao passo que as moedas indicam um sistema baseado em considerações práticas e materiais.

Nos naipes duros, podemos ver o ícone singular como um indivíduo diante de um desafio ou oposição. Uma única haste nas cartas de número ímpar pode simbolizar o caminho do consulente, que é atravessado por dois feixes de hastes, representando desafios e dificuldades. Como alternativa, uma única haste pode estar impedindo ataques de outras pessoas que estão cruzando o caminho do consulente. Uma espada solitária numa carta de número ímpar está ultrapassando uma área limitada, cercada por pares de espadas arredondadas. Podemos ver os pares de espadas como limites e fronteiras que bloqueiam ou protegem o consulente. Quanto à espada única, ela pode representar uma iniciativa para romper as barreiras existentes e avançar para novos territórios.

O primeiro e o último número, o 2 e o 10, apresentam características semelhantes em naipes diferentes. Como veremos adiante, a carta 10 tem um desenho que, de alguma forma, se assemelha às cartas ímpares do seu naipe. Embora isso seja mais perceptível nos naipes duros, podemos ver essa característica nos naipes suaves também. Quanto às cartas de número 2, nos naipes suaves, seus desenhos são exclusivos e mostram mais complexidade e riqueza de detalhes do que outras cartas. Nos naipes duros, essa característica específica das cartas de número 2 não é evidente; ao contrário, elas têm a mesma estrutura que as outras.

Outra característica das cartas de número 2 dos naipes suaves é a presença de inscrições que podem ser lidas como algum tipo de assinatura ou reconhecimento. Os fabricantes tradicionais de Tarôs de Marselha muitas vezes decoravam a carta 2 de Ouros com uma faixa com o nome do criador ou editor do baralho, o ano e o local de publicação. Conver também fazia isso em sua carta de 2 de Ouros, e no baralho CBD eu adicionei meu nome ao dele. Em alguns baralhos mais antigos, os detalhes do editor não aparecem no 2 de Ouros, mas na parte inferior do 2 de Copas. O baralho Conver tem um texto na parte inferior do 2 de Copas, mas são apenas as letras G e M. Talvez eles tivessem a intenção de transmitir alguma mensagem, mas poderia ser apenas outra assinatura. Por exemplo, talvez essas fossem as iniciais do artesão que preparou as chapas de impressão em madeira.

Além disso, a parte inferior do 2 de Copas mostra um escudo com três flores-de-lis ou lírios estilizados, que é o brasão de armas da realeza da Casa francesa de Bourbon. O escudo é montado por uma coroa e decorado com dois ramos, semelhantes aos que aparecem no Ás de Espadas.

O próprio escudo dos Bourbon aparece novamente no 4 de Ouros. Pode haver uma conexão entre esses emblemas heráldicos e o fato de que as cartas foram impressas na França sob rigorosa supervisão real na época. Ainda assim, numa leitura tudo é um sinal e podemos interpretar esses detalhes num contexto diferente. Por exemplo, os símbolos reais podem representar os poderes e instituições estabelecidas da sociedade. As letras G e M podem indicar um nome ou um conceito relevante para o consulente.

Os quatro naipes

As cartas numéricas de cada naipe dos Arcanos Menores exibem uma estrutura típica em seu desenho, que evolui com a progressão das cartas numéricas. Quando começamos a estudar as cartas numéricas, é uma boa ideia organizar cada naipe em sequência, de acordo com o número das cartas. Olhando para as nove cartas numéricas do naipe, podemos ter uma impressão da sua estrutura comum, bem como das diferenças que dão a cada carta seu caráter individual.

Ouros

Nas cartas numéricas dos outros naipes, o número da carta aparece dos dois lados em algarismos romanos. Mas, no naipe de Ouros, o número não está escrito e, para identificar a carta, é preciso contar o número de moedas.

Com exceção do 2 de Ouros, com suas moedas grandes e detalhadas, todos os ícones de moeda das cartas numéricas têm o mesmo desenho. Na maioria das cartas, as moedas estão dispostas num padrão uniforme e simétrico, com pares empilhados uns em cima dos outros. Isso cria estruturas estáveis, que sugerem solidez, confiabilidade, conservadorismo e rigidez. As moedas amarelas dão às cartas um caráter iluminado e otimista, e pode-se naturalmente vê-las como moedas de ouro. Além de outras possíveis interpretações, podemos ver um grande número de moedas como uma indicação de elevadas somas de dinheiro ou talvez um profundo envolvimento em questões práticas ou financeiras.

No 2 de Ouros, é natural ver as duas moedas grandes como dois elementos. Elas são mantidas juntas, mas também separadas uma da outra, pela faixa semelhante a uma cobra. No 3 de Ouros, podemos ver uma nova moeda surgindo da aliança do par abaixo.

Nos números mais altos, é possível ver um sistema ou um ambiente evoluindo ao longo de diferentes fases. O quadrado sólido no 4 de Ouros, com o escudo real no centro, sugere uma estrutura estável baseada em normas convencionais. No 5 de Ouros, um novo elemento aparece no centro, interrompendo a estabilidade e criando um espaço para si.

O 6 de Ouros pode simbolizar uma organização mais flexível e dinâmica, divergindo do desenho dos pares em camadas e apresentando uma disposição mais harmoniosa e arredondada. Adicionando o elemento único no 7 de Ouros, podemos vê-lo conquistando um lugar próprio no meio de uma estrutura de pares em camadas. Ele está bem posicionado, mas não é central, e as decorações florais ao redor dele sugerem integração harmoniosa, cooperação e apoio.

O 8 de Ouros mostra uma estrutura complexa, com um padrão uniforme e hierárquico. Ele simboliza outra forma de rigidez, mecânica e impessoal. No 9 de Ouros, vemos novamente um único elemento, mas agora seu espaço é exíguo e limitado, no meio da estrutura bem-estabelecida. Se pensarmos em termos de um conflito entre um indivíduo e um sistema, podemos ver um padrão que se repete nos outros naipes também. Na carta 5, o elemento único está se defrontando com outros quatro, mas sua singularidade lhe oferece uma vantagem, e ele é forte o suficiente para sobrepujá-los. Na carta 7, o elemento único enfrenta seis e as forças estão equilibradas. Na carta 9 é um contra 8, e agora eles são mais fortes.

Por fim, no 10 de Ouros, vemos a harmonia restaurada, com uma abundância de moedas. Podem ser indivíduos integrados num sistema, como as duas moedas ao longo do eixo central, cada uma delas bem posicionada no centro do seu próprio quadrado. Também podemos ver, no meio dessa carta, uma repetição do esquema harmonioso da carta 6, cercada pelo sólido e prático 4.

Copas

A cor amarela dos cálices confere às cartas numéricas desse naipe um caráter iluminado e feliz. Suas aberturas vermelhas expressam paixão e energia, enquanto o sombreamento dentro dos cálices pode ser uma alusão a sentimentos complexos. Talvez as coisas lá dentro não sejam tão simples e brilhantes quanto parecem quando vistas de fora. Podemos ver os ícones do naipe de Copas como cálices dourados, cheios de vinho tinto. Assim, um grande número de cálices na vertical pode sugerir um banquete ou festividade e simbolizar a felicidade e um sentimento de abundância, tanto material quanto emocional. Todavia, os cálices podem representar emoções mais profundas e às vezes mais sombrias. Em alguns casos, é possível vê-los como se estivessem repletos de sangue ou podemos suspeitar que o vinho esteja envenenado.

Existe uma clara distinção entre as cartas na posição normal e as invertidas em todas as cartas numéricas desse naipe. Uma carta invertida pode significar sentimentos ou emoções negativas, que desempenham um papel obstrutivo na vida do consulente. Os cálices de cabeça para baixo numa carta invertida também podem indicar perda de energia emocional, desespero, insensibilidade e incapacidade de vivenciar emoções.

Quando vemos um par de cálices, um ao lado do outro, é natural interpretá-lo como um relacionamento entre duas pessoas. Pode ser um relacionamento romântico ou outra forma de sociedade ou parceria, com uma dimensão emocional. Como alternativa, é possível ver nos cálices duas partes das emoções do consulente (por exemplo, um caso de sentimentos conflitantes) ou relações entre dois grupos de pessoas.

A repetição de pares numa carta pode representar diferentes estágios na evolução do relacionamento de um casal. Ela também pode representar vários casais; por exemplo, as diversas gerações de uma família. No caso de grupos maiores de cálices, eles podem representar apenas um grupo, sem que cada cálice represente uma pessoa em particular. Por exemplo, uma fileira de três cálices pode simbolizar um grupo de pessoas (não necessariamente três pessoas) nas proximidades do consulente.

O par grande no 2 de Copas pode representar duas pessoas numa parceria ou num caso de amor. A parte inferior da carta, com sua referência à realeza, sugere que esse relacionamento não existe num espaço vazio. Ele tem sua base nas normas e instituições da sociedade; por exemplo, a perspectiva de um possível casamento, que é uma instituição social. No 3 de Copas podemos ver algo novo, que nasce da união dos dois. Por exemplo, pode ser um filho ou um projeto em comum.

O 4 de Copas mostra uma sólida estrutura de relações pessoais; por exemplo, uma família ou um grupo de amigos, com uma história em comum e um sentimento de compromisso. No 5 de Copas, vemos um indivíduo colocado no meio de um grupo. As decorações ricas e os alegres florais indicam uma posição-chave e influências positivas. O 6 de Copas tem um forte eixo central, que dá direção às colunas de cálices de cada lado. O sentimento é de continuidade e repetição; por exemplo, um relacionamento de longo prazo.

No 7 de Copas, o ícone único no meio está mais isolado, mas as alegres decorações florais ao seu redor sugerem uma singularidade transformada em vantagem. O 8 de Copas mostra dois cálices centrais entre duas fileiras, talvez um casal ou uma parceria com muitas outras pessoas se intrometendo nos assuntos particulares deles. No 9 de Copas, podemos ver um grande grupo em que cada indivíduo encontra um lugar apropriado para si mesmo, sem que nenhum deles se destaque. No 10 de Copas, vemos novamente um grande número de cálices, mas agora a nossa atenção está concentrada no cálice grande acima, aparentemente deitado de lado, o que pode representar alguém numa posição de liderança.

Paus

As hastes retas com as lâminas pretas nas duas extremidades sugerem algum tipo de arma de combate. O fato de se cruzarem no meio da carta pode simbolizar conflito e luta. Como alternativa, elas podem representar estradas ou caminhos a ser trilhados. Nessa perspectiva, as pontas divergentes em preto talvez signifiquem incerteza sobre a continuação da estrada, pois ela pode seguir em diferentes direções quando atingir os limites da carta. As cores dominantes, preto e vermelho, indicam que as estradas podem ser difíceis e cheias de obstáculos e provações. Por outro lado, a maioria das cartas apresenta decorações florais cujas linhas de crescimento partem do centro para fora. Assim, as lutas e dificuldades podem estar conectadas a crescimento, criatividade, expansão e talvez à descoberta de novos horizontes.

À medida que o número de hastes aumenta, o cruzamento delas no centro se torna maior, mais denso e mais dominante. Nos números mais altos, a figura se parece com uma malha de hastes cruzadas. Podemos interpretar isso como uma situação complexa, com muitos elementos e interesses enredados. Nessa leitura, as hastes cruzadas simbolizam obstáculos ou oponentes. A malha pode, portanto, parecer um labirinto no qual o consulente tem dificuldade para encontrar a saída.

Uma única haste nas cartas numéricas ímpares pode parecer um caminho que o consulente atravessa de baixo para cima. Ele entra na malha cruzada no centro, vindo de baixo, e emerge novamente mais acima. Isso pode ser como atravessar um período de confusão, conflito ou dificuldade. Nos números pares, o eixo central é marcado por dois ramos acima e abaixo. Não podemos ver nem um único caminho passando, e a carta pode representar a situação complexa em si, em vez de um processo dinâmico no qual o consulente entra numa dificuldade e a supera.

As hastes que se cruzam também podem ser armas se confrontando numa batalha. Por exemplo, o 3 de Paus pode ser uma pessoa no meio de um conflito entre duas outras. O 7 de Paus talvez seja uma pessoa contra uma coalizão de muitas outras. Ainda assim, no naipe de Paus, vemos apenas conflito de interesses ou vontades opostas. Não se trata de uma guerra real, em que a intenção seja ferir ou destruir o inimigo, como podemos ver no naipe de Espadas. Como o naipe de Paus está relacionado a impulsos e desejos, também podemos interpretar as imagens das cartas como padrões de desejos e paixões. Por exemplo, o 2 de Paus pode significar dois desejos impulsionando o consulente em duas direções diferentes. No 8 de Paus, podemos ver uma rede de desejos complexos, enredados e conflitantes, em que o consultante se vê capturado.

No 2 de Paus, o cruzamento das hastes é uma interseção simples, sem malhas. As plantas que crescem em todas as direções são mais proeminentes do que as lâminas pretas. As curtas tiras amarelas dividindo as hastes em seções têm extremidades arredondadas. Isso proporciona um aspecto suave, em contraste com as cartas numéricas mais altas, em que elas são retangulares e têm bordas afiadas. A impressão é colorida e otimista, e sugere um cruzamento de caminhos abertos para todos os lados.

No 3 de Paus, uma única haste passa pela encruzilhada, marcando uma direção clara e bem definida. No 4 de Paus, uma malha agora aparece no centro, mas é relativamente simples e parece sólida e tranquilizadora, não confusa. As decorações florais são ricas, sugerindo crescimento e energia criativa. No 5 de Paus, o crescimento diminui e uma única haste passa pelo centro. Ela parece estar sobre as tiras amarelas perpendiculares, logo acima da malha central, cobrindo suas bordas internas, como se superasse a tentativa delas de bloquear o caminho.

No 6 de Paus, as folhas da planta de ambos os lados e em cima se tornam longas e estreitas, ainda em expansão, mas como se fossem obrigadas a seguir na direção dos feixes de hastes. O 7 de Paus mostra uma única haste passando no centro, mas as folhas amarelas com pontas afiadas de metal sinalizam tensão. Os segmentos da haste central também não estão muito bem alinhados, e formam uma linha interrompida. É como se a haste central estivesse passando, mas com dificuldade.

O 8 de Paus mostra uma malha central espessa, que agora se torna o mais forte elemento da carta. Isso sugere uma situação complexa e confusa, como um labirinto de caminhos que se intercruzam e no qual o consulente pode se perder. O 9 de Paus não mostra decorações florais e a haste única é cortada, pela malha central, em dois segmentos, um acima e o outro mais abaixo. Se isso for um caminho, ele é interrompido pela malha e é preciso começar de novo após um período desafiador. Vemos novamente o mesmo padrão que nas cartas ímpares de Ouros: na carta 5, a haste única ultrapassa as outras quatro, na carta 7 ela é equilibrada pelas outras seis, e na carta 9 ela é ultrapassada pelas outras oito. Por fim, o 10 de Paus apresenta duas hastes unidas entrando na malha e saindo juntas. É como se a lealdade unisse as duas e as ajudasse a ultrapassar os oito adversários.

Espadas

Nas cartas pares desse naipe, as espadas aparecem como dois feixes de tiras paralelas curvas que formam um invólucro oval. À primeira vista, é até difícil reconhecer essas formas como espadas. Isso pode ser um remanescente da origem dos Arcanos Menores em países asiáticos, onde espadas com lâminas curvas, ou cimitarras, eram comuns. Nas cartas ímpares, uma espada reta comanda o centro, com a ponta projetada para fora do invólucro oval. O 10 de Espadas é a exceção, com dois feixes de quatro espadas curvas, mais duas espadas retas inclinadas, com as pontas voltadas para dentro.

Os feixes de espadas curvas se cruzam acima e abaixo do centro da carta, depois separam a carta em duas partes, uma dentro e a outra fora do invólucro oval. À medida que o número da carta aumenta, as barreiras separatórias se tornam mais espessas e densas, formando uma espécie de grade. Nos números mais altos, elas começam a se assemelhar às grades de uma cela. Na parte externa de todas as cartas, aparecem quatro flores sem haste, com cinco pétalas cada. Essa estrutura lembra a carta do Mundo dos Arcanos Maiores, com um espaço oblongo no meio e quatro animais ao redor. Também podemos ver as quatro flores de cinco pétalas como um símbolo das mãos e dos pés.

A separação entre uma parte interna e uma parte externa enfatiza o caráter cortante do naipe de Espadas. Isso também pode simbolizar o papel da linguagem e da racionalidade, que dividem nossa experiência da realidade numa parte interna (nossa mente) e numa parte externa (circunstâncias exteriores). Os membros sugeridos podem representar as ações do consulente (mãos) e as condições (pés, onde eles estão apoiados). Além disso, a separação poderia ser entre uma esfera interna, como o espaço da vida privada, e a esfera externa, da atividade pública.

As barras em forma de grade, formadas pela interseção das espadas curvas, também podem indicar que a pessoa está bloqueada ou confinada em um espaço limitado. Por exemplo, pode ser um relacionamento ou um trabalho do qual o consulente deseja sair, mas não sabe como. Outra opção é pensar que o consulente na verdade está fora dessa área fechada. Nesse caso, o que está dentro pode representar um tesouro ou ativo oculto que ele deseja alcançar ou ao qual não tem acesso consciente.

As espadas curvas são cruzadas em vários pontos por pequenas tiras perpendiculares, que parecem estar prendendo os feixes. Tiras semelhantes aparecem nas cartas numéricas de Espadas, mas existem algumas diferenças entre os dois naipes. A carta 2 do naipe de Paus tem duas tiras com bordas arredondadas, enquanto as outras cartas numéricas possuem tiras retangulares. As bordas arredondadas da tira dão à carta uma aparência suave. No naipe de Espadas, aparecem tiras arredondadas nas cartas 2 e 3. Nas outras cartas, as bordas são retangulares, mas, nos números mais altos, as próprias tiras se tornam curvas. Embora, no naipe de Paus, todas as tiras sejam amarelas, no naipe de Espadas, algumas tiras são amarelas, enquanto outras são vermelhas. É difícil ver um padrão regular nessa coloração, mas seu efeito perceptível é que um número maior de tiras vermelhas cria uma sensação mais forte de tensão na carta.

Nas cartas ímpares do naipe, podemos interpretar a espada única saindo do invólucro central como um esforço para sair e se libertar do espaço confinado. Esse esforço se torna mais difícil e desafiador à medida que o número de espadas arqueadas aumenta. Quando a carta está na posição normal, a ponta da espada única está voltada para cima e pode expressar sucesso. Por outro lado, uma carta invertida, com a ponta voltada para baixo, pode indicar uma tentativa inútil ou mal orientada de superar as barreiras. Quando a espada única passa através do cruzamento do feixe superior, podemos ver formas de diamantes vermelhos, mas somente no 5 de Espadas é possível ver de fato a lâmina passando. Uma forma vermelha semelhante também aparece nos dois cruzamentos da carta 4 e no cruzamento inferior da carta 5.

O uso de espadas como armas sugere uma ligação das cartas numéricas desse naipe com a guerra e o combate. Elas podem indicar confrontos com outras pessoas, as lutas do consulente contra dificuldades ou conflitos internos. Como alternativa, podemos seguir o domínio do naipe e interpretar as cartas como estruturas ou padrões de pensamentos e ideias. Por exemplo, o 2 de Espadas, com sua flor simétrica em desenvolvimento dentro das molduras, pode significar um arcabouço desenvolvido de ideias num campo bem definido, como uma teoria científica. O 5 de Espadas, com uma espada única saindo dos quatro arcos, pode representar uma ideia inovadora. O 10 de Espadas, com duas espadas cruzadas enredadas nos feixes laterais densos, pode representar um debate que vai continuar até que nada mais possa ser dito.

No 2 de Espadas, a parte interna da carta é limitada por um único arco de cada lado, com uma flor bem centrada e simétrica brotando dentro dele. As bordas ao redor parecem marcar seu espaço em vez de limitar seu crescimento. No 3 de Espadas, a espada única é decorada com ramos e não parece ser dificultada pelo par de arcos, quando passa por eles. Isso pode indicar uma vitória fácil. Como alternativa, pode significar uma nova fase em que as barreiras de proteção não sejam mais necessárias.

A planta na área central do 4 de Espadas é mostrada de lado. Ela parece estar preenchendo o espaço disponível, até mesmo tocando a borda, como se estivesse tentando crescer além dela. Podemos sentir os arcos duplos como limitações. Mas no 5 de Espadas, vemos a linha central da espada única como se ela passasse através do cruzamento superior e superasse as limitações sem reveses.

O 6 de Espadas mostra também uma planta de lado, mas agora ela assume a forma do espaço disponível. É como se a planta aceitasse os limites a ela impostos e desistisse da tentativa de alterar as condições externas. No 7 de Espadas, vemos uma espada estreita e bem formada. Seu punho está posicionado num ponto mais alto do que outras cartas ímpares, por isso ela está mais livre para se mover e uma única linha em sua lâmina expressa maior grau de foco do que nas cartas 3 ou 5. Podemos interpretá-la como um esforço concentrado e determinado para romper uma oposição considerável.

O 8 de Espadas mostra uma pequena flor vista de cima, como na carta 2 de Espadas, mas agora ela está concentrada e fechada dentro de barreiras pesadas. Suas cores vivas sugerem que ela está ali dentro por escolha própria, talvez para se proteger num tipo de fortaleza. A espada única do 9 de Espadas parece fraca em relação à malha pesada que precisa penetrar, e suas partes não estão muito bem alinhadas. Ainda assim, ela mostra seu valor revelando espírito de luta e passando através da malha. Mais uma vez, vemos que, em relação à oposição, a espada única é mais forte na carta 5, equilibrada na carta 7 e mais fraca na carta 9. Por fim, no 10 de Espadas, podemos ver duas espadas cruzadas, o que normalmente sugeriria um duelo. Mas ambas estão enredadas dentro dos feixes curvos, de maneira a limitar seu movimento, como se esta fosse uma longa e complexa batalha, que deixa ambos os lados exaustos.

III

Interpretações das Cartas Numéricas

2 de Ouros

Dualidade

O número 2 encontra uma expressão concreta no naipe prático de Ouros, como dois elementos, projetos ou opções tangíveis. A carta mostra duas moedas grandes e elaboradas mantidas juntas, mas também separadas por uma faixa serpenteante. Por tradição, o nome e os detalhes do criador do baralho estão inscritos na faixa.

Interpretação: Duas opções ou dois elementos. Colaborar com alguém, mas mantendo uma distância segura. Diferentes possibilidades mantidas em aberto no momento. Um caminho cheio de curvas, avançando de maneiras complexas e não diretamente para a meta da pessoa. Coisas relacionadas ao reconhecimento e à gratidão.

3 de Ouros

Resultados

A natureza produtiva e dinâmica do número 3 é expressa no domínio prático do naipe de Ouros na forma de resultados iniciais de um esforço ou investimento. A ilustração mostra duas moedas acima de uma decoração floral, que parece recolhida e fechada. Uma decoração semelhante aparece no alto, mais aberta e contendo uma terceira moeda.

Interpretação: O resultado produtivo de uma aliança ou parceria. Primeiros resultados, modestos, mas reais. Potenciais começando a surgir. Tensão interpessoal dissipada por um trabalho em conjunto num projeto comum.

Invertida: Resultados muito discretos em comparação com o esforço. A colaboração termina com uma decepção.

4 de Ouros

Estabilidade

A natureza conservadora e prática do número 4 se afina muito bem com a materialidade estável do naipe de Ouros. A ilustração mostra um retângulo sólido de moedas decoradas com flores grandes e círculos pontuados. No centro, há um escudo com três flores-de-lis, o brasão de armas da casa real francesa dos Bourbon.

Interpretação: Solidez material, uma base segura. Relações com instituições respeitadas e confiáveis. Tradição, reputação e honra. Confiabilidade adquirida ao longo do tempo. Preservação dos ativos existentes. Fazer as coisas da maneira antiga e comprovada pelo tempo.

Invertida: Atitude conservadora, rigidez, perspectivas ultrapassadas.

5 de Ouros

Ruptura

O número 5 rompe a estabilidade sólida do 4, adicionando um novo elemento cuja importância é ampliada ao colidir com a natureza conservadora do naipe de Ouros. A moeda única no centro empurra as outras para as bordas e abre um grande espaço para si. Mas as folhas pontudas em azul-claro, acima e abaixo, podem significar uma reação das estruturas existentes, que limitam seus movimentos.

Interpretação: Perturbação de padrões estáveis. Sucesso em algo novo. Um elemento novo e excepcional assumindo um lugar central, mas também despertando resistência. Risco de ficar desatualizado e ser deixado de lado. Necessidade de prestar atenção aos velhos hábitos e às estruturas tradicionais.

6 de Ouros

Expansão

A natureza harmoniosa do número 6 é expressa no naipe de Ouros na forma de muitos recursos e possibilidades. Rica decoração floral irrompe do ponto central, com um padrão vorticoso no meio. A disposição das moedas acrescenta estabilidade ao quadrado do meio, expansão dinâmica nos dois triângulos, acima e abaixo, e na forma arredondada harmoniosa do hexágono alongado, que vai de ponta a ponta.

Interpretação: Otimismo; uma perspectiva positiva, especialmente em questões materiais e práticas. Um bom equilíbrio entre estabilidade e flexibilidade. Avanço de projetos sem um desafio real. Expansão em diferentes direções sem perder a concentração. Sucesso.

7 de Ouros

Aceitação

O aspecto prático do naipe de Ouros subjuga o dinâmico 3 à estabilidade do 4, com o número 7 retratado como um triângulo invertido, apontando um retângulo, abaixo. A moeda única encontra seu lugar entre os três pares, bem posicionada, mas não totalmente dominante. As decorações florais a encapsulam de uma maneira que expressa proteção e apoio.

Interpretação: Um elemento novo ou excepcional é bem recebido numa estrutura já existente. Ajuda e apoio. Nutrição e proteção. Equilíbrio entre individualismo e conformidade.

Invertida: Dependência excessiva de apoio externo. Necessidade constante de ser aceito e aprovado pelos outros.

8 de Ouros

Uniformidade

A natureza organizada do número 8 é expressa no domínio prático do naipe de Ouros como uma estrutura uniforme e mecanizada. A carta mostra um padrão regular de quatro pares de moedas, empilhadas umas sobre as outras. As decorações florais encerram cada moeda num compartimento separado, mas a flor que desabrocha no centro parece combiná-las num todo funcional.

Interpretação: Uniformidade, regularidade, conformidade. Repetição de pequenas tarefas, um esforço longo e paciente, rotina. Lucros conquistados graças a um trabalho árduo. Anonimato num grande sistema. Considerações racionais e pragmáticas. Maquinário; algo que funciona bem e dá resultados, mas carece de um toque humano.

9 de Ouros

Motivação

O número 9, em busca da perfeição, planta uma semente para um futuro avanço prático em meio a uma série regular de oito moedas. A moeda única no centro parece isolada em seu espaço limitado e pressionada pelos quatro pares ao seu redor. Mas as grandes flores, acima e abaixo, podem indicar que sua resistência e perseverança trarão resultados positivos posteriormente.

Interpretação: Ambição, motivação, desejo de avançar. Criar um nicho para si mesmo num sistema existente. Coragem, resistência, prontidão para continuar. Uma pessoa não conformista ou uma ideia não convencional parece estranha e dispensável, mas pode ser a chave para futuros avanços.

10 de Ouros

Abundância

O número 10 leva o aspecto material do naipe de Ouros à plena realização. A carta mostra uma flor grande no centro, com brotos em expansão. Ao redor, há muitas moedas e decorações florais. A imagem sugere abundância de coisas materiais e uma situação confortável. O centro das três moedas do lado esquerdo não é pintado de vermelho como os outros.

Interpretação: Abundância e profusão; muito dinheiro. Preocupação com questões práticas e financeiras. Estabilidade com uma possibilidade de mais ganhos. Sucesso e realizações. Materialismo excessivo. Pouca atenção às necessidades dos outros. Distribuição desigual ou injusta de recursos.

2 de Copas

Parceria

A dualidade do número 2 é expressa no domínio emocional do naipe de Copas, na forma de um relacionamento próximo entre duas pessoas. A planta do meio cresce de uma base estável, decorada com símbolos régios. Suas formas vermelhas expressam paixão e desejo. As duas lendárias cabeças de peixe podem ser uma espécie de fonte de jardim, mas talvez devorem a flor entre eles.

Interpretação: Uma união romântica ou uma parceria amigável. Uma aliança de funcionários baseada em normas sociais. Colaboração e confiança. A perspectiva de casamento. Amor apaixonado, mas as emoções podem mudar e se extinguir.

Invertida: Crise num relacionamento. Uma decepção com alguém em quem se confiou.

3 de Copas

Nascimento

No emocional naipe de Copas, a natureza criativa do número 3 gera o nascimento de algo novo a partir da aliança afetiva entre duas pessoas. A carta mostra um par de cálices com decorações florais em forma de coração, que crescem da forma vermelha entre eles. Um terceiro cálice aparece nesse espaço protegido e nutritivo, como se tivesse nascido da união dos dois.

Interpretação: Nasce algo novo, trazendo felicidade e alegria. Criar algo por amor. Parto ou cuidados com uma criança. Questões sobre as relações do consulente com os pais.

Invertida: Um problema no relacionamento com uma criança ou com figuras parentais. Sentir-se negligenciado.

4 de Copas

Família

No naipe de Copas, o sólido número 4 gera uma estrutura estável para relacionamentos emocionais, como uma família ou uma comunidade. A ilustração mostra quatro cálices dispostos no formato de um quadrado. As decorações florais se conectam, ao mesmo tempo que dão lugar umas às outras, e criam um eixo central de estabilidade e continuidade.

Interpretação: Um quadro estável de relacionamentos humanos próximos: a família, um grupo de amigos, uma comunidade ou uma tribo. Sentimento seguro de pertencer a um grupo. Questões de relações familiares, especialmente entre pais e filhos. Estabilidade emocional.

Invertida: Problemas familiares. Brigas e discórdia num grupo.

5 de Copas

Conexões

O número 5 adiciona um novo elemento no centro de uma estrutura estável. No domínio das relações humanas do naipe de Copas, isso é expresso como uma personalidade influente e bem relacionada. O cálice único no centro está cercado por flores abundantes, com a sugestão de uma fruta no topo. As plantas conectam cinco cálices num grupo repleto de atividade e movimento.

Interpretação: Habilidades sociais desenvolvidas; muitas conexões e contatos com outras pessoas. Popularidade, capacidade de estabelecer e manter amizades. Dinâmica ativa e animada num grupo

Invertida: Preocupação excessiva com assuntos de outras pessoas. A necessidade de encontrar um lugar tranquilo para si mesmo.

6 DE COPAS

CONTINUIDADE

O caráter harmonioso do número 6 é expresso, no emocional naipe de Copas, na forma de relações confiáveis e duradouras. O padrão repetitivo de três pares de cálices, uns em cima dos outros, é organizado em torno do eixo de decorações florais, com um foco evidente na flor central. A atenção é mais no processo contínuo do que nos cálices individuais.

INTERPRETAÇÃO: Um casamento duradouro ou uma parceria estável. Continuidade de diferentes gerações numa família. Sensação de segurança com relação aos sentimentos de um parceiro.

INVERTIDA: Monotonia, tédio, falta de novidade e interesse num relacionamento. Um sentimento de repetição sem avanço. Armadilhas emocionais recorrentes.

7 de Copas

Individualidade

No domínio das relações humanas, o número 7 é interpretado como 1 + 6, um indivíduo numa relação com um grupo. A carta mostra um cálice único entre duas fileiras horizontais compostas de três cálices cada. As decorações florais enfatizam o eixo vertical central, conectando o cálice único com os dois centrais, acima e abaixo dele.

Interpretação: Um indivíduo que se integra a um grupo, mantendo suas próprias opiniões e valores. Relações estreitas com pessoas influentes. Qualidades excepcionais ou uma personalidade única são apreciadas.

Invertida: Isolamento e distanciamento. Sentir-se sozinho dentro de um grupo.

8 de Copas

Envolvimento

O toque emocional do naipe de Copas constrói o número 8 como 6 + 2, mais flexíveis e ricos em combinações do que o mecânico e uniforme 4 x 2 de Ouros. A carta mostra um par de cálices entre duas fileiras de três cálices, acima e abaixo. As decorações florais mostram um centro focado e enfatizam tanto a parceria dos dois cálices quanto sua integração com os outros seis.

Interpretação: Envolvimento de parentes e amigos num relacionamento ou na vida de um casal. Uma família extensa; muitas pessoas interagindo e interferindo. Um banquete com amigos ou celebração em família.

Invertida: Falta de privacidade. Pressões da família ou da sociedade.

9 de Copas

Coordenação

O número 9 se apresenta no domínio das relações humanas do naipe de Copas como a complexa dinâmica grupal de 3 x 3, e não no fator individual de 8 + 1, como no naipe de Ouros. A carta mostra nove cálices no formato de um retângulo. As decorações florais delimitam o espaço de cada um, mas também expressam movimento e interação. A abundância de cálices e folhas confere uma aparência feliz e radiante à carta.

Interpretação: Harmonia geral; todas as pessoas ou partes estão em seus devidos lugares. Uma dinâmica de grupo complexa, mas produtiva. Sentir-se parte de um coletivo. Felicidade no dia a dia e em relacionamentos simples.

Invertido: Dificuldade em encontrar seu lugar num grupo. Confusão numa situação social complexa.

10 de Copas

Liderança

O número 10 completa a construção social dos cálices, acrescentando mais um acima dos outros nove e expressando o coletivo como uma unidade de ordem superior. A carta mostra um cálice grande deitado de lado, sobre um grupo de nove cálices menores. O padrão da boca do cálice maior se assemelha aos ícones das moedas e ele pode estar vertendo algo nutritivo sobre os outros. Não há decorações florais e o foco está apenas nos cálices e em suas relações.

Interpretação: Uma figura de destaque. Uma posição de responsabilidade e orientação para os outros. O cuidado com aqueles que dependem de você talvez deixe pouco espaço para você mesmo.

Invertida: Um líder derrotado. Perda de popularidade. Ingratidão de pessoas que você ajudou.

2 de Paus

Encruzilhadas

A dualidade do número 2 é expressa no naipe progressista de Paus na forma de uma junção de dois caminhos. A carta mostra um cruzamento de duas hastes com tiras amarelas arredondadas, que dão à carta uma aparência descontraída e otimista. As decorações florais fluem do centro para todas as direções, talvez indicando que, em qualquer caminho que o consulente escolher, ele pode encontrar vantagens e o potencial para o sucesso.

Interpretação: Existem dois ou mais caminhos abertos diante do consulente, todos eles promissores. Parar por um momento antes de tomar uma decisão que trará consequências a longo prazo. Encontro, numa encruzilhada, com alguém que segue seu próprio caminho.

Num conflito: Tentativa de bloquear alguém, impedindo seu avanço.

3 de Paus
Direção

O número 3 adiciona um terceiro elemento à junção de outros dois, dando uma clara direção ao dinâmico naipe de Paus. Na carta, uma haste central passa sob a interseção de outras duas, como se adicionasse um novo caminho à junção da carta anterior. As decorações florais são mínimas, mas suas pontas são afiadas e estão voltadas para fora.

Interpretação: Encontrar um caminho após um período de hesitação. Uma solução para um dilema, talvez combinando elementos de ambos os lados. Hora de seguir em frente. As escolhas ainda podem ser revertidas, mas logo será impossível.

Num conflito: Uma terceira parte lucra, evitando se comprometer com lados opostos.

4 de Paus
Paralisação

O estático número 4 paralisa o movimento do dinâmico naipe de Paus. As quatro hastes estão entrelaçadas de um modo que elas não podem se mover facilmente. As decorações florais são ricas e fluidas, mas as formas vermelhas que se propagam podem sugerir energia reprimida e tensão. A flor superior parece mais desenvolvida que a de baixo, indicando que as coisas vão continuar evoluindo sob a imobilidade da superfície.

Interpretação: Um descanso temporário. Preparação de uma base para avanço futuro. Hora de apreciar conquistas anteriores. A mudança vai vir, mas não agora. As tensões existentes são a fonte para novos e criativos movimentos futuros.

Num conflito: Um impasse. Pode ser perigoso ou prejudicial se mover agora.

5 de Paus

Superação

O número 5 apresenta um novo elemento que rompe a paralisia do 4 e permite que o dinâmico naipe de Paus avance. Na carta, uma haste única passa sob quatro entrelaçadas. As extremidades das plantas recuam diante das bordas da carta, concentrando-se na ação no centro. Logo acima do centro, a haste única cobre as tiras amarelas na perpendicular, como se superasse sua oposição.

Interpretação: Rompimento de equilíbrio. Oposição e dificuldades, mas não muito difíceis de superar. Focar a atenção num esforço principal.

Num conflito: Aproveitar o momento para fazer uma jogada vencedora.

Invertida: (com a parte coberta da haste central para baixo) Avançar na direção de uma armadilha. Perder vantagem.

6 de Paus

Colaboração

O harmonioso número 6 integra, como 3 + 3, dois movimentos opostos do naipe de Paus. A carta mostra dois feixes de três hastes cada, entrelaçadas para formar uma estrutura forte e durável. As plantas nas três direções têm folhas longas e estreitas, com pontas afiadas ondulando para as bordas da carta. A flor superior tem uma espécie de colarinho de fantasia.

Interpretação: Uma aliança entre duas partes com objetivos diferentes, mas interesses comuns. Pressão para avançar em várias direções. Um gosto pelo luxo que se torna possível pelas condições favoráveis, mas mal empregado se a flor decorada estiver embaixo (carta invertida).

Num conflito: Encontrar um aliado. Romper a aliança de oponentes.

7 de Paus

Luta

O aspecto conflituoso das hastes interpreta o número 7 como se ele estivesse em oposição ao número 6. A carta mostra uma única haste passando por uma malha de seis hastes. Diferentes segmentos da haste única estão desalinhados, como se passar através da malha tivesse seu preço. As folhas da planta parecem lâminas afiadas com pontas recurvadas. Elas também podem se assemelhar a chamas ou faíscas voando da área central do conflito.

Interpretação: As dificuldades presentes podem ser superadas, mas isso tem um preço. Uma situação que coloca um contra muitos. Esforço para se manter no próprio caminho, mesmo que isso envolva confrontos com o ambiente. Persistência, resistência.

Num conflito: Uma luta difícil, com um resultado incerto.

8 de Paus

Regulamentação

O caráter estruturado do número 8 organiza os movimentos do naipe de Paus numa complexa variedade de caminhos claramente marcados. A carta mostra uma estrutura simétrica de oito hastes entrelaçadas. O centro pode se parecer com a trama de um tecido, mas também um labirinto de caminhos que se intercruzam e nos quais é possível se perder. Não há decorações florais nas laterais. A flor superior tem pétalas brancas no topo.

Interpretação: Um ambiente controlado no qual só é possível entrar de certas maneiras predefinidas. Perder-se nas regras e regulamentos. Colocar os pensamentos e ações em ordem.

Se as pétalas brancas estiverem no alto: As regras podem funcionar a favor do consulente.

Num conflito: Uma situação complexa e tensa. Um bloqueio.

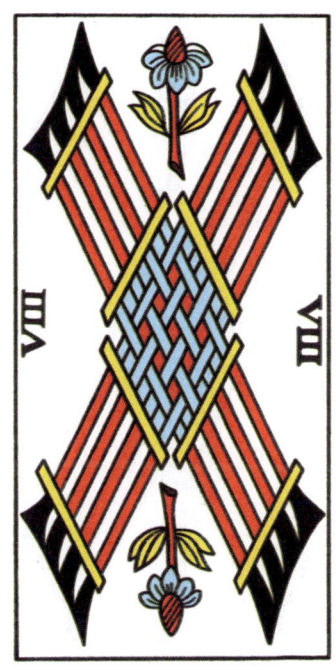

9 DE PAUS

INTERRUPÇÃO

As intrincadas correntes do número 9 inviabilizam a aspiração do dinâmico naipe de Paus de seguir em frente. As cartas mostram uma única haste dividida em duas partes pelos feixes intercruzados de quatro hastes cada. Ao contrário das cartas ímpares anteriores, não é possível ver a haste única entrando na malha do centro da carta. Não há decorações florais.

INTERPRETAÇÃO: Dificuldades e oposições forçam o consulente a parar. É possível retomar o progresso posteriormente, mas a partir de uma nova posição. Gasto de energia em esforços e lutas contínuas. Falta tempo para relaxar.

NUM CONFLITO: Evitar um confronto com forças superiores, deixando que sigam seu caminho.

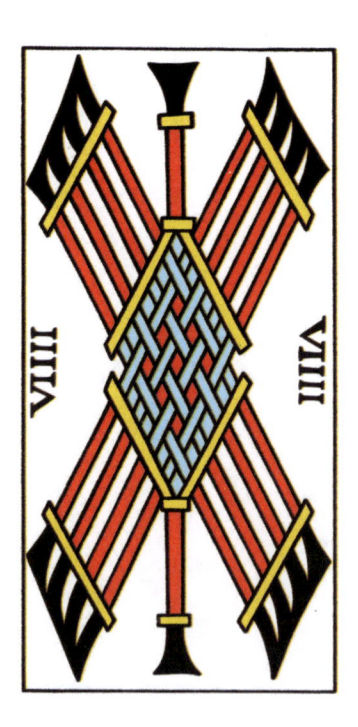

10 de Paus

Lealdade

O número 10 cria uma aliança de 2, fazendo o dinâmico naipe de Paus superar o pesado enredamento do 8. A carta mostra duas hastes conectadas passando sob o entrecruzamento de oito hastes e ressurgindo juntas. As decorações florais nas laterais, que desaparecem das cartas anteriores, voltam a surgir, brotando de pequenos círculos brancos, um de cada lado.

Interpretação: Uma parceria ou o relacionamento de um casal passa por um período difícil, mas o supera sem se romper. Alguém em quem se pode confiar em momentos de dificuldade. Persistência e intenções puras valem a pena.

Num conflito: O sucesso é alcançado quando se continua sendo leal aos amigos e aos próprios princípios.

2 de Espadas

Limites

O naipe divisor de Espadas expressa a dualidade do número 2 na forma de uma inicial separação entre o que está dentro e o que está fora. Duas espadas arqueadas marcam os limites de um espaço alongado. Uma flor simétrica com um símbolo focal central é apresentada dentro desse espaço, vista de cima. Ela parece estar crescendo confortavelmente no espaço a ela atribuído. As espadas arqueadas têm tiras amarelas perpendiculares, com bordas arredondadas.

Interpretação: Limites e fronteiras, não apenas bloqueando, mas também protegendo e definindo um espaço para o crescimento. Aproveitar ao máximo as condições existentes. Preparações para avançar no futuro, mas sem cruzar fronteiras ainda. Uma percepção clara de uma situação, que é tanto focada quanto abrangente.

3 DE ESPADAS
VITÓRIA

Com o aspecto decisivo e penetrante do naipe de Espadas, o dinâmico número 3 supera os limites do 2. Uma única espada na vertical rompe o cruzamento de duas espadas curvas. Parece mais espessa e mais sólida, e é decorada com dois galhos de louro, que são tradicionais símbolo da vitória. A ponta de uma das flores, o punho da espada e o botão do pomo da espada vertical são brancos.

INTERPRETAÇÃO: Uma vitória ou um avanço alcançado sem muita dificuldade. Intenções puras e uma conduta irrepreensível ganham o dia. Superar um dilema ou dúvida. Uma terceira pessoa intervém numa disputa entre outras duas e vence ambas.

INVERTIDA: Derrota. Falha na tentativa de fazer um movimento decisivo.

4 de Espadas

Restrição

O estático número 4 ressalta o aspecto bloqueador e limitante do naipe de Espadas. Dois pares de espadas curvas criam uma borda sólida ao redor do centro. No meio, um galho visto de lado preenche completamente o espaço central. Ele parece oprimido, com uma flor estreita e a ponta da folha da direita tocando as espadas. Surgindo à esquerda da flor, está crescendo o que parece ser uma pequena baga branca num galho.

Interpretação: Uma situação estável, mas limitada. Vencer fronteiras. Trabalhar sob pressão e restrições. Potencial de crescimento futuro que não pode ser totalmente expresso nas condições presentes.

Invertida: Limitações e confinamento. Desistir de uma tentativa de sair de uma situação opressiva.

5 de Espadas

Ruptura

A natureza subversiva do número 5 é expressa no naipe ativo de Espadas como um impulso para a frente, que rompe as barreiras existentes. Uma espada única na vertical, com um botão branco no punho, em forma de pomo, mais grossa que nas outras cartas ímpares, abre caminho para um espaço confinado por quatro espadas curvas. Podemos ver sua continuação ao passar pelo entrelaçamento superior dos arcos.

Interpretação: Uma iniciativa para avançar e ir além das limitações atuais. Perseverança numa situação difícil traz sucesso. Fazer à sua maneira apesar da perturbação causada pelos outros. Impor sua vontade a adversários mais fracos.

Invertida: Falha em mudar as coisas pela força bruta.

6 de Espadas

Adaptação

O caráter harmonioso e descontraído do número 6 aceita os limites impostos pelo aspecto bloqueador do naipe de Espadas. O ramo no meio do nicho criado pelas seis espadas curvas adapta sua forma ao espaço disponível, mantendo uma distância clara das bordas, por todos os lados.

Interpretação: Aceitar os limites da situação e se adaptar a eles. Desistir das ambições pessoais para não perturbar o equilíbrio atual. Fazer o melhor nas condições que se apresentam.

Invertida: Resignação, rendição, desespero.

7 de Espadas
Sagacidade

Ambos os naipes duros interpretam o 7 como um contra 6, mas o naipe de Espadas confere um elemento único de sagacidade e determinação. Na carta, uma espada única atravessa uma malha de seis espadas curvas, tocando levemente a ponta das suas tiras laterais, enquanto passa. Ela parece reta, estreita e eficiente, com uma linha única percorrendo a lâmina no sentido do comprimento.

Interpretação: Foco e determinação. Lutar com um objetivo claro em mente. Vontade concentrada e uma atitude prática e séria, mas mantendo intacta a motivação original. Vencer um oponente quando as forças estão praticamente equilibradas.

Invertida: Sagacidade e determinação expressas numa direção errada.

8 de Espadas
Defesas

O estruturado número 8 expressa o aspecto separador do naipe de Espadas na forma de escudos e defesas elaboradas. A carta mostra uma pequena flor simétrica com um símbolo e foco central protegido por dois feixes grossos de espadas arqueadas. Mas suas cores se integram bem às seções intermediárias das espadas e as tiras amarelas curvas proporcionam uma sensação de possível abertura.

Interpretação: Uma atitude defensiva, que levanta escudos e ergue muros de proteção. Mecanismos de defesa psicológica e racionalizações. Sentir-se seguro, mas isolado e bloqueado. Perda de motivação para mudar as coisas. Um tesouro ou ativo oculto, bem protegido e difícil de alcançar.

9 de Espadas
Coragem

A determinação do naipe de Espadas supera a confusão interior do 9. Nessa carta, uma espada única empurra para fora do caminho oito espadas arqueadas. Apesar da barreira espessa e do espaço limitado para manobra, corajosamente ela abre caminho e passa. Seus diferentes segmentos não estão muito bem alinhados.

Interpretação: Vencer uma batalha contra forças superiores graças à coragem e à determinação. Manter a esperança numa situação difícil. Avançar com meios imperfeitos.

Invertida: Perder uma luta contra um oponente forte. Uma batalha perdida antecipadamente. Desleixo e falta dos preparativos necessários levam ao fracasso.

10 de Espadas

Exaustão

O número 10 maximiza o aspecto combativo do naipe de Espadas. Mas com tantas armas e confrontos, eles apenas se neutralizam. Na carta, duas espadas retas penetram o espaço entre os arcos. Elas estão cruzadas, como se estivessem num duelo, mas suas bases estão presas e não podem se mover. A espada da esquerda, com um pomo liso, tem espaço no meio e sua ponta é recoberta pela outra espada.

Interpretação: Um período de batalhas e confrontos deixa todos os lados esgotados. Uma situação complexa com muitos interesses conflituosos. Uma abordagem sofisticada vai superar uma simples. Encontrar um aliado para enfrentar a situação de outro ângulo.

Invertida: Imobilidade. Sentir-se atacado por vários lados.

Capítulo 11

Outras Tiragens

Extensões da tiragem básica

No Capítulo 3, descrevemos a tiragem básica da leitura aberta: três cartas dos Arcanos Maiores postas lado a lado, da esquerda para a direita. Posteriormente, no Capítulo 7, propusemos a extensão dessa tiragem para incluir os Arcanos Menores; no entanto, a tiragem básica também pode ser estendida de outras maneiras. Por exemplo, durante a leitura, podemos sentir a necessidade de adicionar mais cartas para esclarecer uma questão inacabada ou para terminar a leitura com uma nota mais otimista, caso o consulente se apresente num estado emocional conturbado.

Uma carta que podemos ver sem que seja necessário abrir outras cartas é a "dica". Essa é a carta que fica na parte de baixo do baralho e que podemos ver apenas virando o monte ao contrário. Às vezes, olho essa carta antes de comprar as cartas da tiragem, mas não digo nada sobre ela nesse momento. Mais tarde, posso integrá-la à leitura, sem definir seu papel antecipadamente. Por exemplo, posso interpretá-la como uma declaração genérica a respeito da consulta, como um problema adicional ou secundário relevante para a leitura ou como uma perspectiva útil, por meio da qual posso olhar as coisas. Se sinto que isso pode ajudar na leitura, também posso tirar a carta da "dica" do baralho e deixá-la aberta, ao alcance da vista do consulente, ao lado das outras.

Também é possível obter uma única carta que resuma as três cartas tiradas, por meio de uma técnica numerológica chamada "soma teosófica". Por esse método, somamos o número das cartas que saíram na tiragem. Se o total for inferior a 22, tiramos a carta dos Arcanos Maiores que corresponde a esse número, e esta se torna a carta que resume a tiragem. Se a soma der 22 ou mais, somamos seus dois dígitos. Por exemplo, se as três cartas da tiragem forem a Roda da Fortuna (10), a Estrela (17) e o Sol (18), a soma dos seus valores é 45. A soma desses dois números (4 + 5) corresponde à carta do Eremita (9), que será o resumo da tiragem. Se a carta-resumo já for uma das cartas da tiragem, podemos ver isso como uma sugestão de que devemos dar mais ênfase a essa carta na leitura.

Evidentemente, a maneira mais direta de estender a tiragem básica é simplesmente comprar cartas adicionais do monte de cartas embaralhado e colocá-las ao lado das três primeiras. Fazemos isso de acordo com nossa intuição, durante a leitura. Por exemplo, quando lemos as cartas como uma história com uma linha do tempo, podemos adicionar uma ou mais cartas à direita para saber como a história continua. Também podemos acrescentar uma carta à esquerda para conhecer a origem da situação. Outra opção é formar uma cruz, adicionando duas cartas à tiragem básica, uma acima da carta do meio e uma abaixo dela. Interpretando-as no espírito da linguagem simbólica do eixo vertical discutido no Capítulo 4, podemos relacionar a carta de cima a aspectos espirituais ou a um nível mais elevado de significado. A carta de baixo pode representar padrões subjacentes profundos, sentimentos subconscientes ou a base emocional que motivou a consulta.

A tiragem da escolha

A tiragem da escolha, que aprendi com Jodorowsky, é adequada para uma situação em que o consulente precisa escolher entre duas ou mais opções.

Em primeiro lugar, devemos deixar claro que as cartas não vão decidir por ele. Elas apenas lhe darão uma nova perspectiva, que poderá ajudá-lo a fazer sua própria escolha. Depois pedimos ao consulente para dividir mentalmente a superfície da mesa em duas partes iguais, uma ao lado da outra. O consulente deve decidir qual parte representa cada uma das opções que tem, mas nesse estágio é melhor que ele não nos conte qual parte representa cada uma das suas opções. (É claro que podemos expandir esse procedimento para mais de duas opções.) Agora, entregamos o baralho para ele e pedimos que o embaralhe e coloque, em cada parte, três cartas voltadas para baixo.

Em vez de virar as cartas logo em seguida, uma boa ideia é começar tentando detectar a atitude emocional do consulente pela maneira como ele tira as cartas para cada opção. Primeiro, podemos observar os movimentos dele. O consulente dispõe as cartas de maneira confiante ou hesitante? Depois de colocá-las na mesa, ele corrige a posição ou a orientação das cartas para criar uma estrutura mais ordenada? Devemos também observar a ordem em que ele coloca as cartas na mesa. Por exemplo, se colocar primeiro a carta à esquerda, a segunda carta à direita e depois uma terceira carta no meio, isso cria um movimento de convergência e de recuo após um avanço inicial.

Agora devemos olhar para o modo como as cartas estão dispostas sobre a mesa. Por exemplo, se o consulente dispôs as cartas próximas à borda inferior da mesa, isso significa que ele não está tirando proveito de toda a gama de oportunidades disponíveis para ele. Se dispôs cada carta numa posição mais alta do que a carta anterior, isso expressa ascensão e avanço. Se as cartas não estão paralelas e suas partes superiores estão mais afastadas umas das outras, isso pode significar expansão ou divergência. Se as partes superiores estão mais próximas do que as inferiores, isso expressa convergência ou um processo de focalização. Em outras palavras, aplicamos a regra de que "tudo é um sinal" ao modo como o consulente dispõe as cartas sobre a mesa.

Agora é um bom momento para parar e expor nossas observações ao consulente. Este também pode ser um bom momento para perguntar qual opção cada parte representa e adaptar nossas observações de acordo com essa informação. Tendo feito isso, podemos virar as cartas para expô-las e depois lê-las como uma tiragem separada para cada opção. Obviamente, devemos prestar atenção especial a características paralelas ou opostas entre os dois lados.

A ideia básica da tiragem da escolha pode ser estendida a outras situações, e é possível improvisar em diferentes situações. A ideia é deixar o consulente dispor as cartas sobre a mesa, voltadas para baixo, e depois virá-las e lê-las normalmente. Em geral, podemos interpretar o primeiro estágio como a expressão das preferências emocionais do consulente e o segundo estágio como a dinâmica esperada ou o resultado da situação.

A tiragem com base numa forma

No método da leitura aberta, não costumamos conferir uma função a cada carta nas tiragens, mas às vezes podemos querer fazer algo do tipo, depois de decidir que essa é a melhor opção ou improvisando durante a leitura. Podemos usar uma das muitas tiragens apresentadas em livros e sites da internet ou podemos criar uma tiragem própria.

Uma fonte comum de inspiração para criar tiragens são as formas geométricas, que têm um significado simbólico. Por exemplo, vários livros apresentam uma tiragem baseada numa estrela de cinco pontas, com uma das pontas voltadas para cima. Na minha versão, a estrela corresponde à forma humana, com as pontas da estrela representando a cabeça, duas representando as mãos e duas representando os pés. Imaginando o formato da estrela de cinco pontas sobre a mesa, coloco uma carta em cada um dos cinco cantos. A carta da cabeça descreve os pensamentos do consulente. As cartas dos pés descrevem a base sobre a qual o consulente está, significando fatores externos. As cartas das mãos descrevem as ações do consulente em resposta a esses fatores. A mão e o pé esquerdos descrevem influências internas, enquanto a mão e o pé direitos descrevem o ambiente externo. Além disso, no centro da estrela, coloco uma sexta carta, para representar o que o consulente guarda em seu coração.

Outra fonte de inspiração para uma tiragem pode ser o formato de objetos físicos: uma casa, um barco, um carro, uma árvore e assim por diante. Jodorowsky me mostrou essa tiragem quando me pediu para pensar numa forma. Eu disse "casa" e ele criou a forma de uma casa usando as cartas. Então começou a interpretar o significado das cartas de acordo com a função das partes da casa. O telhado é o que me protege. As paredes me separam dos arredores. As janelas são como eu encaro a realidade. A porta é o que eu deixei entrar na minha vida. A chaminé é o que eu deixo sair.

Uma fonte interessante de inspiração para tiragens com base numa forma pode ser a disposição das figuras e objetos de uma carta de tarô. Por exemplo, podemos obter uma perspectiva dos diferentes aspectos da vida do consulente usando uma tiragem baseada na carta do Mundo. Colocamos quatro cartas nos cantos de um retângulo para representar os quatro animais da carta. Colocamos, então, uma quinta carta no centro para representar a figura dançante. Interpretamos as quatro primeiras cartas como uma descrição dos quatro domínios da vida de acordo com a tabela de correspondência do Capítulo 7: corpo, desejo, emoção e intelecto. A quinta carta representa o ser unificado do consulente como um indivíduo atuando nos quatro domínios.

Podemos fazer algo semelhante com as outras cartas de tarô. Por exemplo, com a carta da Roda da Fortuna, podemos tirar uma carta para cada um dos três animais, na ordem, para descrever influências que estão aumentando, estão no auge e estão diminuindo. Uma quarta carta no centro da roda pode representar o fator central, que impulsiona o processo. Uma quinta carta embaixo dela pode representar a base da roda, que significa condições externas e fatores imutáveis.

Com a carta do Amante, as figuras em pé podem ser representadas por três cartas: o consulente como ele está no presente, o passado do qual ele está se desvencilhando e o futuro para o qual ele deve avançar. Uma quarta carta no alto pode representar o anjo, indicando um conselho ou uma mensagem divina.

Com a carta do Mago, podemos conceber uma forma inspirada num conhecido modelo psicológico chamado janela Johari. Uma carta superior, correspondente ao rosto do mago, representa o sentimento básico de identidade própria. Uma carta no centro representa o que está "na mesa", ou seja, o que é conhecido pelo consulente e pelas outras pessoas. Uma carta à esquerda representa para onde o mago está olhando, mas, a parte de fora da moldura da carta, que é o campo de visão do consulente, representa o que é conhecido por ele, mas não pelos outros. Uma carta à direita representa o que é desconhecido para ele e para os outros. Por fim, uma carta na parte inferior, "embaixo da mesa", representa o que ele pode ver, mas o mago não pode, o que é conhecido pelos outros, mas não pelo consulente.

A TIRAGEM DAS PALAVRAS

A tiragem das palavras é baseada numa ideia original do poeta israelense David Avidan. Ela serve para o caso em que se tem perguntas muito específicas, que podem ser formuladas com uma sentença curta e clara. Depois de embaralhar as cartas, tiramos uma carta para cada palavra da frase, mais uma carta adicional para a resposta final. Preposições e outros conectivos não contam como unidades separadas, mas são unidas às palavras que as seguem. Também podemos agrupar várias palavras e colocar uma carta para todo o grupo, em vez de uma única carta para cada palavra.

Colocamos as cartas da sentença numa linha horizontal, avançando da esquerda para a direita, e, embaixo da fileira de cartas, colocamos a carta da resposta final. Na leitura, interpretamos cada carta de acordo com o significado da palavra correspondente e sua função na sentença. A palavra interrogativa inicial (como o que, quando ou por que) representa o *status* do consulente e sua atitude com relação à consulta. Também podemos combinar esse método de leitura de acordo com o significado da palavra com a maneira usual de interpretar as imagens da carta, como fazemos na tiragem em fileira. A carta abaixo resume todas as tiragens e representa uma resposta final para a pergunta.

Por exemplo, se a pergunta for "O que me incomoda no meu relacionamento com Mira?", podemos tirar cinco cartas para as palavras e mais uma carta para a resposta final:

O QUE – a atitude do consulente em relação à pergunta, a partir da posição da qual ele está perguntando

ME – o papel do consulente no relacionamento

INCOMODA – os fatores incômodos do ponto de vista do consulente

NO MEU RELACIONAMENTO – o próprio relacionamento, o que ele envolve

COM MIRA – a posição do parceiro e seu papel no relacionamento e seus problemas

RESPOSTA FINAL – uma visão geral das dificuldades e talvez uma dica para uma possível solução

X

A·RODA·DA·FORTUNA

Capítulo 12

Interpretações Rápidas

A lista de interpretações a seguir pode ser útil nas leituras, como uma referência rápida. Se nada vier à mente quando olhar uma carta, você pode usar esta lista como ponto de partida. Porém, ela não deve limitá-lo, impedindo-o de encontrar seus próprios significados. Se você não usa cartas invertidas na leitura, as seções "invertidas" podem ser consideradas como aspectos negativos da mesma carta e integradas com os aspectos positivos.

Os Arcanos Maiores

Carta 1 – O Mago: O começo de algo. Sorte de iniciante. Ter vários instrumentos e meios à disposição. Uso de forças sobrenaturais. Criar a realidade com poder da mente. Treinamento e aquisição de habilidades práticas. Improvisação. Exibir ou mostrar para outras pessoas.

Mensagem: Crie uma nova realidade.

INVERTIDA: Trapaça, truque de mão, enganar. Ostentar, fingir. Falta de autoconsciência sobre o corpo, a sexualidade ou motivos básicos. Prestes a perder algo devido à inexperiência ou imprecisão.

CARTA 2 – A PAPISA: Sabedoria combinada com intelecto e intuição. Uma mãe espiritual. Uma mulher escondendo sua força num mundo dominado por homens. Modéstia. Segredos, algo oculto, mistério. Obter uma dica de algo que permanece amplamente desconhecido. Impossível dar uma resposta definitiva agora.

MENSAGEM: Saiba definir limites.

INVERTIDA: A necessidade de esconder a verdadeira natureza por trás das convenções da sociedade normal. Abordagem conservadora do sexo e do corpo. Bloqueio emocional.

CARTA 3 – A IMPERATRIZ: Abundância, crescimento, produtividade. Toque natural ou humano dentro de um ambiente artificial. Inteligência emocional. Proteção e cuidados. Maternidade. Uma figura feminina poderosa. Identidade feminina forte.

MENSAGEM: Aja com base nos seus instintos.

INVERTIDA: Comportamento impulsivo. Alguém com quem é difícil argumentar. Superproteção. Envolvimento excessivo na vida dos outros. Problemas com uma forte figura materna.

CARTA 4 – O IMPERADOR: Conquistas práticas e materiais. Assuntos relacionados ao local de trabalho ou à fonte de renda. Autoridade e controle. Uma posição de comando. Uma figura paterna protetora, patrão ou patrocinador. Assertividade. Assuntos militares.

MENSAGEM: Mostre poder de liderança e responsabilidade.

INVERTIDA: Beligerância, violência, tentar resolver as coisas com a força bruta. Ditadura. Possibilidade de abuso sexual. Dificuldade em lidar com uma figura paterna dominante. Negação e ocultação de fraquezas interiores.

Carta 5 – O Papa: Professor, instrutor ou conselheiro. Educação e conhecimento. Experiência acadêmica. Religião organizada, medicina convencional ou psicologia. Pai espiritual. Consulta ou tratamento com um especialista. Casamento.

Mensagem: Respeite o conhecimento e a educação.

Invertida: Adesão excessiva a convenções e normas ultrapassadas. Burocracia. Uma instituição opressiva. Hipocrisia, discriminação. Divórcio.

Carta 6 – O Amante: Amor, relacionamento amoroso. Envolvimento emocional. Necessidade de fazer uma escolha ou se desvencilhar de influências passadas. As inclinações do coração correspondem à vontade divina. Pequenos passos são sinais de desejo interior.

Mensagem: Siga o caminho do coração.

Invertida: Relacionamento complexo entre várias pessoas; por exemplo, um triângulo amoroso ou tensão entre mãe e esposa. Hesitação, dilema. Confusão com relação aos próprios sentimentos e vontades.

Carta 7 – O Carro: Vitória ou uma conquista que coloca o consulente numa posição forte e protegida. Ambição, energia, motivação para seguir em frente. Honra pública. Poder e *status* alto.

Mensagem: Ouse e vença.

Invertida: Fraqueza oculta atrás da fachada. Arrogância, vaidade. Superproteção. Fechamento emocional. Confusão com relação aos próprios objetivos. Perder o toque simples com as pessoas e o contato com a realidade.

Carta 8 – A Justiça: Lei e ordem, questões legais e judiciais. Julgamento justo e equilibrado. Uma consciência desenvolvida. Racionalidade. Argumentar com base em regras claras e normas comuns. Um toque de graça e humanidade além de considerações objetivas.

Mensagem: Aja conforme a razão e as normas aceitas.

Invertida: Pequena responsabilidade. Uma atitude crítica e reprovadora. Sentimentos de culpa. Controle repressivo de si e dos outros. Ideias negativas que impedem a mudança e o avanço.

Carta 9 – O Eremita: Uma busca pela verdade ou entendimento espiritual. Concentrar-se num propósito claro. Cuidado, exame cuidadoso. Autoprivação por uma causa significativa. Lealdade aos princípios. Fé inabalável.

Mensagem: Procure a essência das coisas.

Invertida: Uma atitude fechada e reclusa. Isolamento, solidão. Ideias fixas. Cuidado e suspeita excessivos. Uma abordagem crítica, à procura de defeitos. Desejos ocultos e negados.

Carta 10 – A Roda da Fortuna: Mudança nas circunstâncias e na posição. Um aumento após uma queda. Jogatina, pôr fé nos caprichos da sorte. Ciclos da vida, fechamento de círculos. Adaptação para a rotina da vida cotidiana. Uma dica sobre encarnações anteriores.

Mensagem: Aceite os altos e baixos da vida.

Invertida: Um declínio após um período de ascendência. O perigo espreita no cume. Movendo-se num círculo fechado. Humor oscilante. Sentir-se impotente para mudar uma situação.

Carta 11 – A Força: Poder e coragem para enfrentar desafios. Expressão controlada de impulsos criativos, anseios e desejos. Mobilização de recursos internos em direção a um objetivo comum. Assumir riscos.

Mensagem: Assuma o controle sobre si mesmo.

Invertida: A necessidade de manter as coisas sob controle gera tensões constantes. Risco de perder a capacidade de controle. Conflito interior e avaliação irrealista das próprias forças pode levar ao fracasso.

Carta 12 – O Enforcado: Ver as coisas de um ponto de vista único. Enfrentar dificuldades por uma causa nobre. Período de profundo autoexame. Passividade. Aceitação da realidade, mesmo que seja o oposto do que se espera.

Mensagem: Veja as coisas da perspectiva oposta.

Invertida: Isolamento. Vitimismo. Incapacidade de agir. Negar as próprias qualidades únicas, esforçando-se para ser "normal" a todo custo. Viver uma realidade particular e fantasiosa.

Carta 13: O fim de algo cuja hora chegou. Romper influências do passado ou o apego a figuras dominantes. Desistir do supérfluo e manter apenas o essencial. A desintegração do velho abre espaço para o novo.

Mensagem: Deixe ir o que já acabou.

Invertida: Dificuldade para lidar com perdas ou mudanças. Dificuldades temporárias, um desafio difícil. Desintegração. Percepção de uma verdade dolorosa. Esta carta não prevê morte futura, mas pode refletir ansiedade com a possibilidade de morrer ou o ato de lamentar uma perda que já aconteceu.

Carta 14 – A Temperança: Reconciliação, compromisso, relaxamento de tensões. Integração de opostos. Capacidade de fazer o aparentemente impossível. Um lento processo de destilação e melhoria. Paciência, perseverança. Autoaperfeiçoamento.

Mensagem: Encontre a medida certa.

Invertida: Avanços e retrocessos, sem fazer um progresso real. Perder a paciência com um processo demorado. Preocupação consigo mesmo, ato de afastar outros que possam ajudar.

Carta 15 – O Diabo: Uma explosão de criatividade. Paradoxos e contradições. Ironia e zombaria de normas comuns. Agindo a partir de desejos, paixões e impulsos. Superar trauma familiar do passado.

Mensagem: Expresse paixão e desejo.

INVERTIDA: Tentação, atração pelo sombrio e proibido. Exploração, egoísmo, dominação. Autossatisfação compulsiva. O comportamento insensível tem seu preço. Dificuldade em desapegar-se de um vínculo prejudicial.

CARTA 16 – A TORRE: Romper estruturas sólidas. Livrar-se de um confinamento. Progresso repentino após longas preparações. Encontro sexual vigoroso e cheio de energia. O sucesso está na simplicidade e na modéstia.

MENSAGEM: Retorne ao terreno sólido da realidade.

INVERTIDA: Choque. Colapso de projetos ou estruturas confiáveis. Uma queda de uma posição aparentemente sólida e segura. Caos, confusão, dificuldade em entender o que está acontecendo. Vaidade e orgulho levam ao fracasso.

CARTA 17 – A ESTRELA: Abertura, simplicidade, retorno à natureza. Pureza, honestidade. Mostrar-se "como você é", aceitando o próprio corpo e os próprios desejos. Generosidade. Sorte do céu. Sentimento intuitivo de orientação ou energia proveniente de um plano superior.

MENSAGEM: Flua a partir de uma fonte pura.

INVERTIDA: Otimismo ingênuo e pensamento positivo. Expor a si mesmo ao perigo ou abuso. Dificuldade em estabelecer fronteiras adequadas. Desperdício, esbanjamento.

CARTA 18 – A LUA: Emoções profundas, talvez relacionadas à mãe ou a uma figura feminina. Uma experiência diferente da realidade. Ansiar por algo inacessível. Encontrar os pontos fortes ocultos. Ocupação com o passado distante. Um tesouro escondido.

MENSAGEM: Não tenha medo de ir fundo.

INVERTIDA: Sentimentos vagos e perturbadores. Dificuldades emocionais. Um período de depressão. Perigo à espreita sob a superfície. Recuar. O caminho a seguir é difícil de encontrar.

Carta 19 – O Sol: Luz e calor, abundância, bênçãos. Sentimentos agradáveis. Cura emocional ou física. Parceria, confiança, compartilhamento, fraternidade. Toque humano. Figura paterna ideal. Assuntos relacionados a crianças ou filhos. Definir limites de uma maneira moderada e não opressiva.

Mensagem: Encontre parceiros adequados.

Invertida: Viver num espaço limitado. Dificuldade para enfrentar a realidade de frente. Imaturidade, dependência dos outros. Alguém ou algo muito intenso e enérgico, com o qual é difícil se sentir à vontade. Um pai ausente.

Carta 20 – O Julgamento: Revelação, esclarecimento, um novo entendimento. Ponto de virada num processo de terapia. Cura de um relacionamento familiar. Revelação, segredos descobertos, notoriedade. Nascimento de um bebê ou algo novo.

Mensagem: Desperte para a realidade espiritual.

Invertida: Revelação de algo que deveria ter sido mantido oculto. Falta de privacidade. Constatação desagradável. Problema ligado à relação entre pai e filho. Muito drama e alarde.

Carta 21 – O Mundo: Conclusão de um processo. Atividade equilibrada e realizações em vários domínios. Contato com lugares distantes. Harmonia e correspondência entre diferentes planos. Gravidez. Algo novo está para nascer. A dança da vida.

Mensagem: Tudo está perfeito como está.

Invertida: Vida numa bolha. Dificuldade para compartilhar o próprio mundo com os outros. Desconexão entre os sentimentos e a vida exterior. Preocupação consigo mesmo, autoimagem idealizada, incapacidade de seguir em frente.

O Louco: Liberdade com relação a convenções e normas. Algo ou alguém único e excepcional. Opções mantidas em aberto. Desistir do controle.

Espontaneidade. Incerteza. Atenção para o aqui e agora. Partir numa viagem.

Mensagem: Continue em movimento.

Invertida: Dificuldade em escolher e se comprometer com algo estável. Inquietação. Falta de propósito. Se perder. Comportamento tolo. Excentricidade. Falta de aceitação no ambiente social. Dificuldade em planejar com antecedência.

Ouros

Ás de Ouros: Um bom começo para as coisas materiais. Estabilidade financeira e física. Uma perspectiva prática. Uma soma significativa de dinheiro. Abordagem utilitarista. Ganância. Algo básico e sem sofisticação.

Invertida: Similar.

2 de Ouros: Dualidade. Duas opções ou dois elementos. Colaborar enquanto mantém distância. Numa estrada sinuosa, avançar de maneiras complexas. Reconhecimento e familiaridade.

Invertida: Similar.

3 de Ouros: Resultados. Uma parceria ou aliança produz frutos. Primeiros resultados de um projeto. Boas perspectivas.

Invertida: Decepção. Uma parceria ou projeto que não dá os frutos esperados.

4 de Ouros: Estabilidade. Ativos materiais sólidos. Algo testado pelo tempo. Confiabilidade. Tradição, honra e reputação. Instituições sociais bem estabelecidas.

Invertida: Conservadorismo. Seguir padrões antigos e ultrapassados.

5 de Ouros: Ruptura. Algo novo aparece e desestabiliza estruturas existentes. Um novo elemento chama atenção, mas também desperta resistência.

Invertida: Similar.

6 de Ouros: Expansão. Abundância de recursos e possíveis maneiras de avançar. Uma perspectiva positiva, sucesso. Um bom equilíbrio entre estabilidade e movimento.

Invertida: Similar.

7 de Ouros: Aceitação. Algo novo é bem recebido. Ajuda e proteção. Integrar-se num sistema sem perder a individualidade.

Invertida: Falta de independência, necessidade de contar com a ajuda e a aceitação dos outros.

8 de Ouros: Uniformidade. Uma estrutura mecânica. Considerações práticas provam ser eficientes, mas carecem de um toque humano. Trabalho de rotina. Um avanço lento e paciente.

Invertida: Similar.

9 de Ouros: Motivação. Encontrar um nicho para si mesmo num sistema já existente. Pensamento resiliente e independente dando frutos a longo prazo.

Invertida: Similar.

10 de Ouros: Abundância. Atividade intensiva em assuntos práticos. Sucesso material e realizações. Alguns podem estar recebendo mais que outros.

Invertida: Similar.

Valete de Ouros: Um esforço prático. Potenciais inexplorados estão ao seu alcance. Sucesso tangível no início. Uma sólida base material para maiores avanços.

Invertida: Hesitação, falta de um propósito claro. Pensar em termos de realizações passadas faz com que se perca oportunidades no presente.

Cavaleiro de Ouros: Avanço numa direção prática. Uma expressão produtiva de criatividade. Um objetivo claro à vista.

Invertida: Busca constante por dinheiro sem alcançar estabilidade material. Paixões e desejos podem interferir em planos práticos.

Rainha de Ouros: Ativos tangíveis, estabilidade material e pessoal, uma visão sóbria e realista. Observando as coisas de uma perspectiva prática e pragmática.

Invertida: Conservadorismo, resistência à mudança, visar apenas a preservação dos ativos existentes. Observar as coisas apenas da perspectiva material.

Rei de Ouros: Confiança e segurança, uma atitude cautelosa, mas uma visão otimista. Procurando novas conquistas enquanto mantém ativos existentes seguros.

Invertida: Insatisfação com o que já se tem. Pouco-caso com as coisas boas da situação atual. Uma perspectiva limitada.

Copas

Ás de Copas: O início de um relacionamento amoroso. Expressão de sentimentos calorosos. Desejo romântico por algo extraordinário. Crescimento emocional e espiritual.

Invertida: Insensibilidade emocional, sentir um vazio. Evitar intimidade. Sentimentos negativos. Coração partido.

2 de Copas: Parceria. Um relacionamento romântico ou um relacionamento pessoal próximo. Dinâmica interpessoal baseada em normas sociais. Paixão num relacionamento amoroso que pode se revelar destrutiva.

INVERTIDA: Uma crise num relacionamento. Decepção com alguém perto de você.

3 DE COPAS: Nascimento. Algo novo traz alegria e felicidade. Cuidar de uma criança. Questões da relação pai e filho. Um projeto comum motivado por sentimentos e não apenas por interesses.

INVERTIDA: Problemas na relação com os pais ou com um filho. Forte aliança de duas pessoas deixa uma terceira de fora.

4 DE COPAS: Família. Um coletivo de pessoas (família, comunidade etc.) com uma história e um sentimento de grupo. Compromisso com um grupo em detrimento de interesses pessoais.

INVERTIDA: Problemas e discórdia na família ou numa comunidade duradoura. Uma estrutura social fixa que não permite adaptação ou flexibilidade.

5 DE COPAS: Conexões. Popularidade, relações com muitas pessoas. Tornar-se o centro das atenções num grupo. Confiar nas conexões com outras pessoas para avançar ou superar dificuldades.

INVERTIDA: Preocupação excessiva com a atividade social. Perder a si mesmo em múltiplas conexões superficiais. Cultivar o contato virtual em vez de contatos reais.

6 DE COPAS: Continuidade. Um relacionamento de longo prazo. Repetição entre diferentes gerações da família. Uma aliança pessoal estável.

INVERTIDA: Monotonia, repetição tediosa. Perda de tempo e repetição das mesmas armadilhas emocionais.

7 DE COPAS: Individualidade. Uma pessoa isolada encontrando seu lugar num grupo. Contato com pessoas em posições elevadas. Qualidades excepcionais apreciadas.

INVERTIDA: Problemas de integração num grupo ou organização. Ser parte de um coletivo, mas se sentir isolado e distante.

8 de Copas: Envolvimento. Desenvolver relacionamentos pessoais dentro de um grupo. Um ambiente favorável a relações humanas. Uma festa ou reunião familiar.

Invertida: Interferência do ambiente na vida de um casal. As pressões da família em relações românticas ou assuntos pessoais.

9 de Copas: Coordenação. Pessoas ou peças trabalhando juntas, cada uma em seu devido lugar. Aceitar o papel de alguém num relacionamento social ou ambiente de grupo. Felicidade. Desejos se tornando realidade.

Invertida: Uma situação social confusa. Dificuldade para se situar num ambiente complexo.

10 de Copas: Liderança. Uma pessoa com qualidades especiais recebe reconhecimento e um cargo alto. Assumir a responsabilidade por outras pessoas. Manter uma posição superior.

Invertida: Um líder em queda. Perda de popularidade. Decepção por causa da ingratidão das pessoas que ajudou.

Valete de Copas: Primeiras etapas hesitantes de um romance. Timidez. Intenções sinceras. Tentar descobrir os próprios sentimentos.

Invertida: Envolvimento excessivo nos sentimentos pessoais. Perder contato com outras pessoas. Negligência em assuntos práticos.

Cavaleiro de Copas: Um gesto romântico, oferecer o coração, cortejar. Abertura, sinceridade, um coração simples. Um amante em potencial pode aparecer.

Invertida: Sentimentos superficiais e instáveis. Uma atitude excessivamente otimista, mas irrealista. Uma exibição aberta de sentimentos rasos ou pouco sinceros.

Rainha de Copas: Um mundo interior rico que não é revelado. Proteger a privacidade ou ativos valiosos. Fortes sentimentos mantidos sob controle.

Invertida: Postura fechada, defensiva. Desconfiança dos outros devido a experiências passadas negativas. Esconder as emoções sob o disfarce de criticismo racional.

Rei de Copas: Maturidade emocional, otimismo, capacidade de superar feridas do passado e olhar para o futuro. Abertura para coisas novas, mas com prudência e cautela. Fechar os ouvidos para as vozes do passado.

Invertida: Dificuldade em superar um golpe emocional. Perspectiva pessimista causada por experiências passadas negativas.

Paus

Ás de Paus: Impulso criativo. Sexualidade ativa. Impulsos fortes. Energia e direção. Força da vida. Início de crescimento. Dispersar os esforços em diferentes direções.

Invertida: Falta de energia, restrição, sexualidade reprimida, um bloqueio criativo.

2 de Paus: Encruzilhadas. Várias opções para escolher. Todo curso oferece benefícios. Um breve encontro com alguém que segue seu próprio caminho. Bloquear o avanço de um oponente.

Invertida: Similar.

3 de Paus: Direção. Avançar depois de um momento de hesitação. Encontrar um caminho intermediário entre dois cursos de ação. Ganhar vantagem mantendo a neutralidade entre dois lados conflitantes.

Invertida: Similar.

4 de Paus: Paralisação. Uma pausa temporária para se preparar para futuros avanços. Tensões no momento, mas boas perspectivas a longo prazo. Fazer um movimento agora não é interessante para ninguém.

Invertida: Similar.

5 de Paus: Superação. Vencer uma oposição fraca. Romper o equilíbrio. Focar o objetivo principal. Iniciativa para fazer uma jogada vencedora.

Invertida: (com a parte coberta da haste central na parte inferior da carta) Deparar-se com uma situação complexa, perdendo vantagem.

6 de Paus: Colaboração. Uma forte aliança entre duas partes com objetivos diferentes, mas interesses comuns no momento. Condições favoráveis para satisfazer o gosto pelo luxo.

Invertida: (com a flor decorada na parte inferior da carta) Busca excessiva pelo luxo. Necessidade de romper uma aliança de oponentes.

7 de Paus: Luta. Alguém lutando contra muitos oponentes. Obstinação, resistência, manter a posição numa situação de conflito. Um combate difícil com um resultado incerto.

Invertida: Similar.

8 de Paus: Regulamentação. É possível avançar apenas seguindo as regras. Ocupação com objetivos de curto prazo enquanto perde a perspectiva de longo prazo. Um bloqueio.

Invertida: Similar.

9 de Paus: Interrupção. Dificuldades e oposições muito difíceis de superar. Desistir dos projetos para evitar conflitos. Começar de novo após um período desafiador.

Invertida: Similar.

10 de Paus: Lealdade. Uma parceria ou aliança vence dificuldades, conseguindo superá-las. Intenções puras e perseverança levam ao sucesso. Honrar os princípios, apesar de todas as dificuldades.

Invertida: Similar.

Valete de Paus: Um potencial criativo que ainda precisa ser processado. Manter uma distância segura dos acontecimentos e aguardar o momento certo.

Invertida: Uma tarefa além das forças do consulente. Dificuldade no controle de desejos e impulsos. Abordagem imatura da sexualidade.

Cavaleiro de Paus: Uma mudança de direção, para satisfazer desejos e paixões. Uma parada temporária, mas ainda com energia e desejo de avanço.

Invertida: Preocupação com a satisfação dos próprios desejos. Problema na definição de objetivos de longo prazo. Cair em tentação.

Rainha de Paus: Uma figura feminina com uma forte personalidade. Coisas relacionadas com comida e o ato de comer. Manter a cordialidade, deixando claro que se pode usar de truculência se necessário. Uma posição segura e bem defendida.

Invertida: Intimidação, ameaça. Usar a sexualidade como um meio de controle. Problemas com uma forte figura materna. Medo do poder feminino.

Rei de Paus: Uma atitude madura com relação a impulsos e desejos. Criatividade controlada. Incentivar a si mesmo para avançar. Investir ativos atuais em projetos futuros.

Invertida: Planos de avanço frustrados por atitudes contraproducentes. Hesitação, conflitos. Tendência para tornar as coisas muito difíceis e complexas.

Espadas

Ás de Espadas: Uma iniciativa planejada. Pensamento racional e lógico, argúcia mental. Uma decisão conclusiva. Prontidão para lutar. Ambição, competitividade. Uma vitória com realizações estáveis.

Invertida: Pensamentos negativos e improdutivos. Equívocos, ilusões. Autossabotagem. Lesão.

2 de Espadas: Limites. Limites que protegem e definem algo que está em desenvolvimento. Fazer pleno uso da situação presente. Preparativos para futuros avanços. Uma visão clara abrangendo a situação como um todo.

Invertida: Similar.

3 de Espadas: Vitória. Superando uma oposição fraca. Superar um dilema e seguir adiante numa direção clara. Uma terceira pessoa intervém e vence dois oponentes enfraquecidos

Invertida: Uma falha. Derrota de um oponente mais fraco. Tentativa frustrada de tomar uma decisão definitiva.

4 de Espadas: Restrição. Um espaço limitado para o desenvolvimento e para manobra. Tentar pressionar para vencer restrições. Potenciais de crescimento depois que limitações atuais diminuírem.

Invertida: Confinamento e bloqueio. Falta de motivação ou energia para sair de uma situação limitada.

5 de Espadas: Ruptura. Um impulso para a frente que supera os limites existentes. Manter o ânimo numa situação difícil. Fazer as coisas do próprio jeito.

Invertida: Uma iniciativa inútil para mudar a situação. Teimosia que não leva a lugar nenhum. Fatores opressivos não podem ser eliminados no momento.

6 de Espadas: Adaptação. Aceitar limitações e adaptar-se a elas. Respeitar a ordem presente. Comprometer-se a fim de tirar o melhor proveito da situação.

Invertida: Resignação, renúncia, desistir da ambição para mudar as coisas para melhor. Falta de espírito de luta.

7 de Espadas: Sagacidade. Atitude focada e determinação. Concentrar-se num objetivo claro e fazer o que for preciso para alcançá-lo. Vencer uma luta com probabilidades equilibradas.

Invertida: Uma visão estreita e egocêntrica. Investir os esforços e recursos de alguém numa causa perdida.

8 de Espadas: Defesas. Erguer escudos e bloqueios. Mecanismos de defesa psicológica. Necessidade de estar no controle total. Um tesouro bem guardado. Entrar nos domínios de outra pessoa com a permissão dela.

Invertida: Similar.

9 de Espadas: Coragem. Vencer uma luta contra uma força superior. Intenções puras. Fazer bom uso de meios imperfeitos.

Invertida: Perder contra um oponente mais forte. Desleixo. Preparativos imperfeitos para vencer um desafio.

10 de Espadas: Exaustão. Uma situação complexa com muitos interesses conflitantes. Uma longa batalha sem um resultado claro. Necessidade de encontrar um aliado que queira atacar o problema de um ponto de vista diferente.

Invertida: Imobilidade. Impossibilidade de mudança no momento. Sentimento de ser atacado por todos os lados. Uma derrota dolorosa e humilhante.

Valete de Espadas: Preparação para um desafio futuro. Buscar conciliar razão e desejos intensos. Hesitação em usar o próprio poder.

Invertida: Confusão, pensamentos negativos e inibidores, autossabotagem. O mau uso das próprias ferramentas pode causar danos.

Cavaleiro de Espadas: Energia e recursos para avançar. Ainda procurando a direção certa. Pairar acima das restrições práticas. Determinação e perseverança.

Invertida: Tentar impor as próprias opiniões equivocadas. Insistir numa direção errada. Perder o contato com a realidade.

Rainha de Espadas: Uma posição segura e protegida. Defender o próprio território. Preparação para algo que ainda não deve ser exposto.

Invertida: Atitude defensiva e rigidez. Suspeita e ideias fixas bloqueando o avanço e impedindo novas conexões.

Rei de Espadas: Determinação em romper com o passado. Força de vontade. Sentir-se preparado para lidar com a incerteza. Sabedoria e maturidade intelectual.

Invertida: Um coração dividido. A necessidade de romper com algo ao qual ainda se está ligado. Calcular demais numa tentativa vã de superar a incerteza.

VIII

A JUSTIÇA

XI

A·FORÇA

XIIII

A TEMPERANÇA